GOLDMANN

Von Georg R. Kristan ist außerdem im Goldmann Verlag erschienen:

Kriminalroman

Originalausgabe

GOLDMANN VERLAG

Der Goldmann Verlag
ist ein Unternehmen der Verlagsgruppe Bertelsmann

Made in Germany · 11/88 · 3. Auflage

Umschlaggestaltung: Design Team München
Umschlagillustration: Design Team München
Satz: IBV Satz- und Datentechnik GmbH, Berlin
Druck: Elsnerdruck, Berlin
Krimi 5019
Lektorat: Annemarie Bruhns/Ge
Herstellung: Gisela Ernst/Voi
ISBN 3-442-05019-7

Die Hauptpersonen

Andreas Falkenhorst	Ministerialrat
Tuffi Falkenhorst	Künstlerin und Ehefrau
Freddy Nelson, auch Lord Nelson oder Mylord genannt	Chef des Etablissements »Sonnentiegel«
Evelyn Wohlfahrt	Bardame
Michail Artanow	Außendienstleiter der Firma Comport
Margot Stettner	Chefsekretärin des Ministers
Presse-Mauser	Journalist
Walter Freiberg	Kriminalhauptkommissar 1. K.
Wolfgang Müller, genannt »Lupus«	Kriminalhauptmeister 1. K.

Der Roman spielt in Bonn und an der Ahr

Kapitel 1

Andreas Falkenhorst führte eine Bilderbuchehe mit einer Frau zum Vorzeigen, einer ehrgeizigen Künstlerin, in einem gediegenen Haus mit Atelier und Swimmingpool. In dieser Welt suchte er seine Zuordnung und Selbstdarstellung. Er glaubte, in Bonns besseren Kreisen wisse niemand von seinem karrierebedrohenden Hang zu den geschmeidigen Damen im »Sonnentiegel« am Rhein. – Das war sein Irrtum!

Falkenhorst hielt sich für einen Beamten der Spitzenklasse, für eine Führungskraft mit Zukunft. – Das war zunächst kein Irrtum! In der Gunst des Ministers stand er ganz oben an, weil er geübt war, Geheimnisse zu wahren. Eines zumindest teilte er mit seinem Dienstherrn: ein Staatsgeheimnis! Keine Akte gab Kunde von der Transaktion. Viel Geld war bewegt worden – vorbei am Parlament und am Haushaltsplan, dem Schicksalsbuch der Nation. Zuviel Geld für ein Geheimnis!

Da die Staaten hinter dem Eisernen Vorhang auch solche Transfers peinlich genau abzuwickeln pflegen, hätte die Frage nach Gebühren und Zinsen mehr Aufmerksamkeit erfordert, als ihr bisher zugewendet worden war.

Bis zum Telefonanruf am Freitag, ausgerechnet auch noch dem Dreizehnten des Monats, hatte Andreas Falkenhorst durchaus im Einklang mit seiner Neigung und seiner Pflicht gelebt.

Der Anruf erreichte ihn an seinem Schreibtisch im Ministerium. Das Gespräch war nicht über die Zentrale gelaufen, sondern direkt auf seiner Durchwahlnummer angekommen. Weil sich ihm der Akzent der etwas harten und rollenden Stimme eingeprägt hatte, vermochte er den Anrufer schon bei den ersten Worten zu identifizieren und brauchte nicht nach dem Namen zu fragen.

»Herr Ministerialrat«, klang es spröde in einem fast korrekten, wenn auch von der Sprachmelodie her etwas fremden Deutsch, »Sie erinnern sich meiner? Sie hatten unserer Firma vor einiger Zeit einen Auftrag erteilt.«

»Gewiß«, antwortete Falkenhorst. »Aber ich habe keine Fragen mehr. Ihre Firma hat ordnungsgemäß abgerechnet – zu meiner vollen Zufriedenheit.«

»Auch uns hat der Auftrag sehr gefreut. Dank der Vorkasse konnten wir sehr günstig disponieren, so daß wir jetzt die Möglichkeit haben, Ihnen angemessene Zinsen gutzubringen. Wir haben uns an der Bankenüblichkeit orientiert und zahlen Ihnen neben den Gebühren zusätzlich weitere vier Prozent.«

Falkenhorst rechnete blitzschnell nach: Bei fünfundzwanzig Millionen für ein Jahr stand jetzt ein unverhoffter Gewinn von einer Million ins Haus. »Ich erinnere mich im Moment nicht, ob und wie eine Zinsvereinbarung konditioniert war«, antwortete er vorsichtig und zurückhaltend.

»Wir unterstellen allgemeine Geschäftsbedingungen und Vorzugskonditionen für erste Adressen«, sagte die spröde Stimme. »Ich habe mich jedenfalls eines klaren Auftrages zu entledigen und bitte Sie, mir den Zahlungsweg anzugeben. Der Betrag ist sofort verfügbar und kann von Ihnen selbstverständlich auch in bar übernommen werden.«

Nach einer nur kurzen Pause sagte Ministerialrat Falkenhorst: »Ich werde das im Hause klären. Wann und wo kann ich Sie erreichen?«

»Sie wissen«, ließ sich die Stimme vernehmen, »mein Außendienst läßt mir wenig Zeit. Ich werde mich um vierzehn Uhr wieder melden. Die Angelegenheit sollte möglichst noch heute, spätestens jedoch morgen erledigt werden. Am Sonntag könnten sich die Verhältnisse zu sehr geändert haben. – Ich habe einen gestrengen Chef.«

Obwohl sein Gesprächspartner es nicht wahrnehmen konnte, nickte Falkenhorst einige Male. »O ja, ich weiß«, sagte er verständnisvoll. »Also dann erwarte ich Ihren Anruf in drei Stunden.«

Es machte »klick« in der Leitung – der Teilnehmer hatte aufgelegt. Das Gespräch war sicher in der »Firma« elektronisch aufgezeichnet worden. Auch der klärende Rückruf würde sich im Eisenoxyd des Tonbandes wiederfinden lassen. Binnen drei Stunden mußte Klarheit geschaffen werden.

Falkenhorst folgte einem durch Diensteid und Routine gesteuerten Impuls. Er begann, den Fall zu bearbeiten. Doch das war nicht so einfach. Eine Gesprächsnotiz durfte nicht angefertigt werden; den Amtsboten durfte er nicht mit einem »Dringend – sofort auf den Tisch!« zum Registraturleiter in Marsch setzen, denn von dort war keine Akte zu erwarten. Im Ministerium gab es keinen Vorgang in den sorgfältig beschrifteten Ordnern. Dieser Fall hatte, jedenfalls für die deutsche Seite, eine großartige Dimension des Unwirklichen, eine Dimension mit einer Eins und sechs Nullen vor dem Komma – was die zusätzlichen Zinsen anging!

»Hm, hm«, seufzte Falkenhorst und dann »oha – hm.« Sein Blick suchte nach einem Halt. Doch die kahlen weißen Wände des Dienstzimmers, verschönt mit zwei kümmerlichen Radierungen aus dem Fundus des Bürodirektors, boten keinen Fixpunkt für gründliches Überlegen. Seine Frau »Tuffi« hatte es strikt abgelehnt, auch nur das kleinste Bildchen aus ihrem Œuvre in diesen »Schuppen« zu hängen, wie sie das Ministerium nannte, ohne dafür jemals einen anderen Begriff zu verwenden.

Tuffis Werke hatten bisher nur dazu gedient, gesellschaftliche Umtriebe zu fördern und das Bankkonto in die roten Zahlen zu bringen.

Falkenhorst drehte den Bürostuhl nach links, stand bedächtig auf und trat zum Fenster. Ein feiner graubrauner Firnis von Staub, Kalk und Rückständen des sauren Regens überzog die Scheiben und trübte die Sicht auf den klaren Himmel.

Fünf Stockwerke tiefer lag der Parkplatz mit der reservierten Parkbucht vor dem Ministereingang. Dort blitzte das Messingschild mit dem schwarzen Bundesadler in der Sonne, und die schwarzrotgoldene Fahne wehte stolz am Mast. Niemand konnte daran zweifeln, daß hier der Staat präsent war. Das Gold des Fahnentuches schien heute allerdings eine ganz besonders verführerische Leuchtkraft zu entwickeln.

Der BD-Wagen mit der Ordnungsnummer 1 nach der zweistelligen Kennziffer des Ressorts löste sich vorsichtig aus der Parkbucht und rollte langsam der Ausfahrt zu. Der rot-weiße Schlagbaum schwenkte hoch und die Nummer 1 verschwand um die Ecke des Gebäudes. Sosehr sich auch Ministerialrat Falkenhorst an der Fensterscheibe die Nase plattdrückte, er konnte nicht erkennen, ob sein Chef im Wagen saß. Es sprach einiges dafür, denn der Wahlkampf lief auf vollen Touren, und die Staatslimousinen warfen ihre Fracht wie Perlen vor die Wähler. Diese undankbaren anonymen Geschöpfe waren nach Meinung der Demoskopen in großen Scharen auf dem Weg zu neuen Ufern und wollten am Sonntag mit dem Stimmzettel die alte Mehrheit kippen.

Andreas Falkenhorst hatte das dumpfe Gefühl, einer Pflichtübung nachkommen zu müssen, wußte aber nicht, ob er hoffen oder fürchten sollte, den Minister noch zu erreichen. Über das Autotelefon ging es wegen der unbeschränkten Mithörmöglichkeiten jedes besseren Funkamateurs selbstverständlich nicht. So blieb nur die vorsichtige Anfrage im Ministerbüro.

Er wollte dort nicht anrufen, sondern persönlich vorbeischauen, nicht zuletzt, um zu sehen, ob die Chefsekretärinnen tatsächlich in dem desolaten Zustand waren, wie man im Hause kolportierte. Sie hatten schon seit Wochen zunehmend den Ausdruck der elitären Hochnäsigkeit abgestreift, weil die Tendenz zum großen politischen Szenenwechsel immer deutlicher wurde. Die Nachfolger in Macht und Amt würden *tabula rasa* machen und die Damen der gewesenen Herren in den letzten Winkel des Hauses verbannen. Zahlenkolonnen addieren oder unsinnige Statistiken aufstellen – mehr war für sie in den nächsten Jahren nicht zu erwarten. Mit der Teilhabe an der ergötzlichen Macht würde es in wenigen Tagen vorbei sein.

Andreas Falkenhorst öffnete das Fenster, zog den Flügel nach innen und schob ihn in einen solchen Winkel, daß die Scheibe als Spiegel diente. Sein Blick aus sanften braunen Augen galt zunächst dem vollen dunklen Haar, noch ohne einen Anflug von grauen Strähnen, dann dem herb-männlichen Gesicht mit der Ölprinztönung eines teuren Sonnenstudios. Die Strickkrawatte und der Tweed-Sakko mit grau-grüner Musterung vermittelten den Eindruck gepflegter, sportlicher Eleganz.

Andreas nickte seinem Spiegelbild wohlgefällig zu und drückte den Fensterflügel in den Rahmen zurück. Dann begab er sich zu den Damen in die Chefetage.

Der Teppichboden des Flures dämpfte seine Schritte. Einige Türen waren weit geöffnet, und dahinter rumorte es wie beim Möbelpacken. Die hier früher waltende hehre Stille, nur gelegentlich unterbrochen von einem Telefonanruf oder ein paar Anschlägen auf einer geräuschgedämpften Schreibmaschine, war einer hektischen Betriebsamkeit gewichen.

»Was wollen Sie denn hier, geheimnisvoller Freund? Der Minister ist im Wahlkampf und nicht zu sprechen. Heute nicht, morgen nicht und wohl überhaupt nicht mehr«, fuhr Margot Stettner, die sonst so gefürchtete erste Kraft, den neugierigen Besucher an. »Und wir sitzen hier allein in dem Tohuwabohu!«

»Ach, hier wird schon gepackt?« fragte Falkenhorst scheinheilig. »Das hat doch Zeit, die Nachfolger werden schon keine Damen fressen, und die Wahl ist ja erst übermorgen. Dann bleiben immer noch ein paar Tage, bis der Neue den Laden übernimmt. Der muß doch erst schwören, daß er Schaden abwenden und Gerechtigkeit üben will.«

»Ach Quatsch, sparen wir uns solche Worte. Wir wissen doch, wie das läuft. – Alles *perdutti!*« Die robuste Stettner unterstrich mit einer wegwerfenden Handbewegung ihre klarsichtige Feststellung. »Von der Fraktion ist der Hinweis gekommen, die persönlichen Chefakten und die Parteisachen auszusondern. – Los, jetzt wird angepackt. Diese Kiste muß zu den anderen in den Nebenraum. Das Giftzeug wird noch heute von einem LKW abgeholt. – Die einzigen Dummen bei diesem Kladderadatsch sind wir.«

Auf dieses Stichwort hatte die zweite Sekretärin nur gewartet und heulte los. »Jetzt ist alles verloren. Was soll aus uns denn werden?«

Falkenhorst schob die Kiste in den Nebenraum und kam zurück. Er verstand die Aufregung nicht. Als Beamter auf Lebenszeit saß er fest auf seiner Planstelle, um jedem Herrn zu dienen, sei er rot, schwarz, blau-gelb oder grün. Seine Frage: »Wird denn kein Vorgang mehr erledigt?« brachte Margot Stettner in Harnisch. »Mann, sind Sie naiv!« Sie betonte das »Sie« und warf mit Schwung einen Stapel abgelegter Tageskopien mit der Aufschrift »Spenden« in die nächste Kiste. »Kapieren Sie denn nicht – hier ist Sense. Aus! Schluß mit der Macht! Ihre sogenannten Vorgänge würde ich ganz schnell vergessen. Der Chef hat gesagt, wir schieben noch ruck zuck unsere Freunde in die letzten freien Planstellen, und dann werden die Repräsentationsvorräte versoffen. Nach uns die Sintflut!«

»Dabei gehen wir alle unter«, jammerte die zweite Kraft und stützte ihren wohlgeformten Busen mit einer Handbewegung, die Herzeleid ausdrücken sollte. »Und ich bin doch gar nicht in der Partei!«

Falkenhorst reichte ihr ein Tempo-Taschentuch und legte den Arm um ihre Schulter. Das Beben ließ nach.

»Kümmern Sie sich lieber um die nächste Kiste, wenn Sie sich hier schon betätigen wollen. Dahinten steht Sekt, der gibt den nötigen Schwung. Unser Jammerbaby hat heute schon eine ganze Flasche verputzt.« Die Stettner hatte die Übersicht nicht verloren, obwohl auch in den Flaschen auf dem Beistelltisch der Flüssigkeitsspiegel stark gesunken war. In der Fraktion hatte sie schon frühzeitig auf den »richtigen Mann« gesetzt und war mit ihm durch dick und dünn gegangen. Sie war groß, schlank, brünett und bis spät in die Nacht immer der trinkfeste Kumpel mit dem fröhlichen Herzen. Frau war sie natürlich auch – die diskrete Mehrzweckfreundin und stille Teilhaberin der Macht. Ganz selbstverständlich hatte sie den Platz der Chefsekretärin übernommen, als »ihr Mann« Minister geworden war; ganz selbstverständlich würde sie jetzt mit ihm abtreten. – Macht verloren, alles verloren.

Falkenhorst ging zum Beistelltisch und nahm vom Besten. Dann setzte er sich mit einem zufriedenen Blick auf den Stuhl des Ministers und hob das Glas. »Ich trinke auf das Wohl der packenden Damen. In diesem Sessel und mit diesen Zutaten fühlt man sich wie ein Millionär.«

»Ich fühle mich ja sooo schlecht – mein Gott, ist mir schlecht«, stöhnte die zweite Kraft und strebte zur Tür.

»Das Jammerbaby kommt nicht darüber hinweg, daß die goldenen Tage vorbei sind. Ich habe in der Fraktion schon andere Stürme erlebt. So ein Machtwechsel haut mich nicht um.« Margot Stettner änderte den Ton. »Aber nun zu dir, Andreas; was hast du auf dem Herzen? Stehen deine Partisanen schon wieder auf der Matte?«

»Ach woher! Schau' mal vorbei, habe ich gedacht, als Nummer eins vom Parkplatz gefahren ist. Vielleicht braucht jemand Trost«, erklärte Falkenhorst. »Sonst liegt nichts an. Das Staatsgeschäft ist abgewickelt; und es bleibt nichts offen für den Nachfolger.«

»Siehst du, Andreas; damit waren deine Bedenken für die Katz.«

»Dem Himmel sei Dank! In Gelddingen sind die Staatshandelsländer zum Glück verdammt genau. Und wann sehen wir uns?«

»Ruf mich morgen oder Sonntag an. Heute bin ich total kaputt.« Margot Stettner wischte sich mit dem Handrücken über die Stirn. »Freiwillig kommt hier keiner mehr her, um zu helfen. Die starren alle wie gebannt auf die neuen Herren und wollen sich mit uns nicht mehr identifizieren – diese Opportunistenbande. Wenn die dem Neuen hinten reinkriechen wollen, werden sie merken, daß schon ein paar andere drinsitzen. Wenigstens du verleugnest deine Freunde nicht. – Das tut wohl.«

»Wie könnte ich!« antwortete Falkenhorst. »Nichts verbindet mehr als eine Leiche im Keller oder eine Frau im Bett.«

»Nun laß den Chef aus dem Spiel; der hat seinen Spaß gehabt und macht demnächst in repräsentativer Heirat mit einem der schönsten Busen von Bonn, wie unsere Blätter so trefflich schreiben.«

»Enttäuscht?«

»Unsinn, war doch zu erwarten. Und du hast mir die Entwöhnungskur leichtgemacht.«

»Kommst du am Mittwoch nach ›Falkenlust‹? Tuffi veranstaltet eine Vernissage, und du bist ja auch so eine Kunstbeflissene.«

»Aber ja. Ein Hobby braucht der Mensch, wenn's mit der Liebe nicht so richtig hinhaut, weil die Typen verheiratet sind. Tuffi kann übrigens mehr, als du wahrhaben willst. – Nun laß die Händchen schön unten, das Jammerbaby kommt.«

Ein bleiches Gesicht schob sich um die Ecke. Hanne Sommer, die zweite Kraft, stützte nicht mehr das Herz, sondern mit beiden Händen die Partie unter den Rippenbögen. »Der gute Sekt – alles ist wieder draußen. Oh, wie kann einem nur so schlecht sein!«

Margot Stettner schüttelte den Kopf. »Schade um die teure Repräsentation. Baby, du gehst am besten nach Hause.«

»Ich bringe Sie mit dem Wagen hin. In dem Zustand braucht jeder Mensch Hilfe«, stellte Falkenhorst fest.

Margot Stettner verzog das Gesicht und wurde wieder förmlich. »Ich bin Ihnen sehr dankbar, daß Sie sich der Mühe unterziehen wollen. Unser Baby soll sich ausschlafen – aber allein!«

»Aber wie denn sonst. Ich komme gleich zurück. Ein paar Dienstgeschäfte müssen schon noch erledigt werden, bevor die Staatsgewalt durch Neuwahlen zusammenbricht.«

Die zweite Kraft ließ sich ihre Schultertasche umhängen und von Falkenhorst zum Aufzug begleiten. Schwer war ihr Gang, fahl und feucht die Haut. Die Fahrt abwärts wurde von heftigen Schluckbewegungen begleitet.

Ihre Wohnung lag nahe der Beethovenhalle im Rosental, einem Sträßchen mit Gefälle zum Rhein. Das zweite Stockwerk war ein richtiges Nest für Sekretärinnen, die noch davon träumen, in Bonn einmal flügge zu werden. Ein kleines Entree mit einer winzigen Garderobe, links eine separate Miniküche, rechts die Tür zum Bad und geradeaus der kombinierte Wohn-Schlafraum, beherrscht von einer Klappcouch, die gewiß in den fünfziger Jahren einem Designer als modern entschlüpft sein mußte. Auch die raumsparenden Sessel, blümchengemustert und neu bezogen, konnten nicht viel jünger sein als die Republik. Die Hauseigentümerin hatte den Mut gehabt, auf Bonn als Dauerhauptstadt zu setzen und ihr wiederaufgebautes Häuschen rentabel zu modernisieren. Sekretärinnen waren dankbar dafür, Studenten natürlich auch. Doch die waren erfahrungsgemäß knapp bei Kasse und hauten zu oft auf den Putz. Für dieses Renditehaus kamen sie nicht mehr in Frage.

Wohl ein Dutzend Stofftiere und ein großer, glasäugiger Teddybär kuschelten sich auf der Couch und in den Sesseln. Baby schob einige beiseite. »Macht mal Platz. Eure Hanne ist krank. Mein Gott, ist mir übel.« Damit ließ sie sich auf die Couch fallen.

»Das geht vorbei«, tröstete Falkenhorst. »Sie sollten wenigstens das Kleid ausziehen, sonst ist es hin.« Dabei streifte er ihr die Schuhe von den Füßen.

Hanne richtete sich auf, um die vordere Knopfreihe zu lösen. Das war ein schwieriges Unterfangen, und Falkenhorst griff helfend zu. Er war geübt in solchen Handreichungen. Mit einer sanften Bewegung zog er ihr das Kleid von den Schultern. Dabei glitt seine Hand über die BH-gebändigte Fülle. Dann hob er ihre Füße an und schob sie wie ein müdes Kind auf der Couch zurecht. Er breitete die Wolldecke über sie und beugte sich nieder, um auf Wiedersehen zu sagen. Unvermittelt schlang sie die Arme um seinen Hals und murmelte, schon halb im Schlaf: »Bleiben Sie doch hier, dann ist mir besser.«

Falkenhorst löste vorsichtig ihren Griff. »Sie müssen jetzt schlafen. Ich komme Sie später einmal besuchen.«

»Ja, bitte«, flüsterte sie, »wann immer Sie wollen. Ich bin so allein – in Bonn ist man immer allein.«

Er nahm das Kleid, strich es glatt und hängte es über einen Kleiderbügel in der Garderobe. Aus der Miniküche holte er noch ein Glas Wasser und stellte es neben die bereits Schlummernde auf den Tisch. Mit einem Rundblick vergewisserte er sich, daß nichts ihren Schlaf stören konnte. Dann zog er langsam die Tür zum Treppenhaus hinter sich zu und ließ sie leise ins Schloß fallen.

Für die Rückfahrt wählte er die langsamere Strecke am Rheinufer entlang. Hier hatte er Zeit zum Überlegen, denn schneller als dreißig

Kilometer in der Stunde durften die Räder nicht rollen, auch bei einem BMW nicht. Er fuhr unter der Rampe der Kennedybrücke hindurch, deren Namen so ganz und gar nicht zu dem steinernen »Bröckemännche« paßt, das seit 1898 hoch oben am Pfeiler den rechtsrheinischen Beuelern seinen blanken Hintern zeigt, weil die damals noch selbständigen Nachbarn sich nicht an den Baukosten der Brücke beteiligt hatten. So ist es den Leuten der »Schääl Sick« nur recht geschehen, daß sie jetzt eingemeindet sind und Steuern bezahlen müssen, um den immer wieder von übermütigen Studenten mit brauner Schuhcreme gesalbten Allerwertesten blank und sauber zu halten.

Wie Falkenhorst mit einem Seitenblick wahrnahm, kreuzte von Beuel herüberkommend die kleine »Rheinnixe« den Strom, um unterhalb der Ersten Fährgasse anzulegen. Doch seine Gedanken bewegten sich in eine andere Richtung. Nachzählen kann ich das Geld auf keinen Fall, dachte er. Den Betrag würde er so an sich nehmen müssen, wie er ihm bar angeboten wurde. Der Geschäftspartner dürfte sicherlich keinen Wert darauf legen, die Prozedur länger als unbedingt notwendig auszudehnen. Darum wäre es am besten, sich bei diesem Auftrag ganz »zufällig« zu treffen. Vielleicht an der Doppelkirche in Schwarz-Rheindorf oder auf dem Petersberg. Dort oben befände man sich immerhin auf einem vom Bund erworbenen Gelände. Damit wäre auch den unsichtbaren Aufpassern der anderen Seite Gelegenheit gegeben, sich unauffällig zu nähern. Sie würden sicherlich annehmen, daß auch er einige Vorsichtsmaßnahmen getroffen hatte.

Die Godesburg oder der Rolandsbogen mit ihren malerischen Aussichten auf den Drachenfels und das Siebengebirge kamen für eine solch diskrete Transaktion nicht in Betracht. Dort bestand immer die Möglichkeit, mit Bekannten zusammenzutreffen. Es dürfte überhaupt besser sein, Bad Godesberg zu meiden. Zu viele neugierige Diplomaten lebten in diesem sich edler dünkenden Teil von Bonn.

Eine Million in bar glatt und unauffällig zu übernehmen und dabei doch eine gewisse Form zu wahren, die im zwischenstaatlichen Verkehr unvermeidbar ist, warf schon Probleme auf. Schließlich mußte auch eine korrekte Empfangsbestätigung ausgehändigt werden. Der Form halber würde er wohl seinen Gesprächspartner zu einem Imbiß oder Drink einladen müssen, und ohne Zweifel würde dieser mit höflichen Worten ablehnen.

Falkenhorst bog auf der Steigung am Postministerium in die Zweite Fährgasse ein und zog dann nach links in die Adenauerallee. Auf dieser Diplomatenrennbahn zwischen Bonn-Mitte und Bad Godesberg beförderten sterngekrönte Dienstwagen mit BD-Nummern, einfachere Behördenfahrzeuge und Diplomatenkarossen mit Stander und der so viel besagenden Null vor den Ziffern des Kennzeichens bedeutsame Figuren der Zeitgeschichte zu bedeutsamen Ereignissen hin und her und her und hin. Wie so oft parkten einige der Blechungeheuer mit dem ovalen CD-Schild den zahlreichen Politessen zum Trotz an den unmöglichsten Stellen und behinderten den Verkehr. Die Fahrer des *Corps Diplomatique* mit Paschaallüren wußten, daß ihnen mit dem Recht des Gastlandes nicht beizukommen war. Für einige war die Immunität das Synonym für Frechheit und Dickfelligkeit. Hier fühlten sich auch die Repräsentanten kleiner Länder groß und stark.

Durch die Unterführung beim Bundeskanzlerplatz, über die Friedrich-Ebert-Allee bis zu den ministeriellen Kreuzbauten lief es heute schnell und flüssig. Falkenhorst war täglich aufs neue froh darüber, daß sich sein dienstliches Leben nicht in den kühlrippigen Betongespenstern vollziehen mußte, sondern in einem Altbau aus Bonns Gründerjahren. Sein Parkplatz war noch frei, und in wenigen Sekunden hatte ihn der Aufzug in das fünfte Obergeschoß getragen. Er ging in sein Dienstzimmer und schloß die Tür hinter sich ab. Die Arbeitskollegen wußten von dieser Marotte. Sie ahnten, daß ihr Referatsleiter oft mit heiklen Angelegenheiten befaßt war, und wunderten sich nicht mehr über die zeitweilig verschlossene Tür.

Falkenhorst holte seine alte, aber unverwüstliche Hebelschreibmaschine aus dem Schrank und stellte sie mit einer dicken Filzunterlage auf den Beistelltisch. Sorgfältig wählte er ein Briefpapier mit dem amtlichen Kopf »Der Bundesminister«. Ohne Kopie schrieb er eine kurze Empfangsbestätigung über eine Million Deutsche Mark. Seine delikaten Sondermissionen und das Vertrauensverhältnis zum Minister hatten ihm zu dem Recht verholfen, ein Dienstsiegel zu führen. Er nahm den Metallstempel von ganz hinten aus der Schreibtischschublade und vergewisserte sich, daß die Farbe auf dem Stempelkissen frisch war. Er drückte das Petschaft erst auf das durchgefärbte Leinen und dann ruhig und fest auf die Empfangsbestätigung neben seine »Im Auftrag« geleistete Unterschrift. Damit war das Dokument echt, und die Gegenseite würde alles erhalten, was ein Staatsgeschäft so endgültig macht – Brief und Siegel.

Das Telefon läutete. Der Knopf der Durchwahlnummer blinkte. Zu früh ist auch unpünktlich, dachte Falkenhorst. Doch es war nicht der erwartete Anruf. Am Apparat war seine Frau. Ihre Stimme schien noch unter der Niedrigwassermarke des Rheins zu liegen.

»Andreas, was ist nun los? Du weißt doch, daß ich am Mittwoch die Vernissage habe. Mein Atelier ist zu klein für den Auftrieb, und im Salon sieht es aus wie in armer Leute Wohnung. Die könnten den Schiras heute noch legen.«

»Von wo aus sprichst du?«

»Ich bin bei Teppich-Tagani.«

»Und der Preis?«

»Der bleibt bei einunddreißig mit drei Monaten Zahlungsziel. Bar oder Scheck dreißigtausend glatt. Das ist fast geschenkt.«

Andreas verzog sein Gesicht. Wie das seiner Frau am anderen Ende der Leitung aussah, konnte er sich gut vorstellen. Er sagte: »Endgültig! Ich bin nicht dein Mäzen. Die Pinselei ist ganz allein dein Bier.«

»Wie vulgär!«

»Mag sein. Du hast die Gütertrennung gewollt und dein sündhaft teures Atelier bekommen. Jetzt, wo du blank bist, kannst du bei deinem Schuppenarbeiter auch nichts holen. Der Dummkopf zahlt die Hypotheken ab.«

»Und hätschelt die Nixen«, fuhr sie dazwischen, »und macht dick auf Macho – vergiß das nicht!«

»Ich habe andere Probleme. Übermorgen wird die Regierung gekippt. Wer weiß, was dann kommt. Wenn du deine Schinken nicht verkaufen kannst, laß die Pinsel trocken und mich in Ruhe. Mir reicht das Spiel!«

»Alles hängt von Mittwoch ab. Du wirst sehen, dann läuft's. Galeristen, Kritiker und Interessenten haben zugesagt. Auch einige Leute vom Feuilleton. Dir scheint es wohl überhaupt nichts auszumachen, wenn ich erbärmlich dastehe.«

»Dein Image hängt nicht davon ab, ob die mit ihren Füßen auf einem Schiras herumtrampeln. Und da wir schon mal dabei sind: Elfhundert Mark für ein Nichts von einem Kleid! Irgendwo hört's auf.«

»Wie wahr, Macho. Irgendwo hört's wirklich auf.«
Das Gespräch war zu Ende.

Tuffi warf mit einer ruckartigen Bewegung das glatte, halblange Haar zurück und biß sich mit ihren weißen Mausezähnen auf die Unterlippe. Ihre blauen Augen blieben kühl wie das Quellwasser des Rheins. Sie zog die lässig übergeworfene Jacke des Chanel-Kostüms zurecht und schritt mit dem Gang, der einer Dame von Welt wohl ansteht, in den rückwärtigen Teil des Verkaufsraumes.

Muhamed Tagani hatte sich in den entlegensten Winkel zurückgezogen, um nicht den Eindruck von Neugierde hervorzurufen. Er ließ einen alten Ghom durch die Hände gleiten, und seine Fingerkuppen tasteten die perlzarte Knüpfung.

Tuffi wartete darauf, daß er sie ansprechen würde.

»Vielleicht sollten wir einen Tee trinken, wenn ich Ihnen das anbieten darf, gnädige Frau«, sagte Tagani. »Ein schönes Hochlandgewächs Second Flush vom Tiger Hill oder ein Nuwara Eliya aus Ceylon. Der Dreiminutenaufguß stimuliert, fünf Minuten schaffen Gelassenheit.« Seine Hand wies auf eine leichte Sitzgruppe, die geschäftliche Exklusivität andeutete, ohne jedoch den Gedanken an eine zu intime Vertraulichkeit aufkommen zu lassen.

»Ich würde gern einen Mokka trinken«, antwortete Tuffi.

Tagani sah nur kurz auf. Er fand bestätigt, daß er es mit einer Frau zu tun hatte, die ihre Vorstellungen verwirklicht sehen wollte. Er gab einem Gehilfen Anweisungen, und schon nach wenigen Minuten stand der Kaffee bereit. Tuffi nahm nur ein Stück Zucker, keine Sahne.

»Es ist mir eine Ehre, daß Sie mein Gast sind«, sagte Tagani mit einem fast unmerklichen Neigen des Kopfes. »Ich weiß, Sie sind Künstlerin. Man spürt es auch.«

»Danke«, sagte Tuffi. »Auch bei Ihnen ist die Kunst zu Hause.«

Tagani nickte. »Wer weiß, wie lange noch. Mein Persien ist eines von diesen schwierigen Vaterländern. Der Iran leidet. Aber Sie sollten nicht kaufen, wenn Sie Zweifel haben. Den Preis allerdings werde ich später nicht halten können. Die Ware wird knapper, und das Stück ist einmalig. Doch Sie müssen sich nicht sofort entscheiden.«

»Der Mokka ist ausgezeichnet. – Und die Konditionen sind fest?«

Muhamed Tagani sah auf. »Da Sie mein Gast sind, ein dann allerdings letztes Angebot: achtundzwanzig bar oder Scheck, dreißig auf vier Monate.«

Tuffi öffnete ihre Handtasche, schob die Mokkatasse zur Seite und stellte einen grünen Scheck aus.

»Bitte«, sagte sie, »achtundzwanzig. Ich wäre sehr dankbar, wenn Sie den Schiras noch heute legen lassen würden. Am späten Nachmittag bin ich wieder im Atelier.«

»Aber gewiß. Ich schulde Ihnen Dank, Frau Falkenhorst. Bitte empfehlen Sie mich Ihrem Herrn Gemahl.«

»Gern, es wird ihm eine Freude sein«, sagte Tuffi und verabschiedete sich.

Der nächste Anruf kam pünktlich. In dem nur kurzen Gespräch war verabredet worden, daß die Geldübergabe noch am gleichen Tage auf dem Petersberg stattfinden sollte.

Falkenhorst hatte Petschaft und Stempelkissen zurückgelegt. Seine Bewegung, mit der er die Schreibtischschublade zuschob, wurde langsamer. Dann öffnete er sie noch einmal und nahm seine Dienstwaffe heraus, die er hier seit Jahr und Tag deponiert hatte und aus der nur einige Übungsschüsse abgefeuert worden waren. Die kurze Schießausbildung bei der Polizei lag schon lange zurück. Ob die vom Ministerium erteilte Erlaubnis zum Führen der Handfeuerwaffe dem geltenden Recht entsprach, war jetzt nicht sein Problem. Er war froh, auf das Schießeisen, wie es in den Westernheften seiner Jugendzeit geheißen hatte, zurückgreifen zu können. Die Walther PPK lag, eingeschlagen in ein öliges Leinentuch und mit einer Plastikfolie umwickelt, noch in der Pappschachtel, in der sie geliefert worden war.

Falkenhorst wußte, daß sich die mannstoppende Wirkung des Kalibers 7,65 in Grenzen hielt. Wer mit diesem »Anklopfgerät« Wirkung erzielen wollte, mußte Kopf oder Herz treffen. Ein höflicher Schuß in die Beine oder in die anderen Extremitäten ließ einem entschlossenen Gegner immer Zeit und Spielraum genug, mit einem richtigen »Witwenmacher« Erfolg zu haben. Nicht ohne Grund hatte die Polizei auf 9 Millimeter umgerüstet – doch auf polizeilichen Schutz konnte Falkenhorst nicht rechnen. Er mußte seine Million, so gut es ging, selbst versichern.

Mit dem Handtuch aus dem Akten-Kleiderschrank rieb er das Öl gründlich ab. Dann schob er sieben Patronen in das Magazin, führte es in das Griffstück ein und schlug mit dem Handballen nach, so daß es einrastete. Das Durchladen mit Übergriff klappte noch wie beim Unterricht, und mit dem Vorschnellen des Schlittens steckte eine Patrone im Lauf. Falkenhorst sicherte sofort und übte einigemal den Anschlag, wie er es beim Notwehrtraining gelernt hatte. Mit dem Schulterholster wußte er nicht mehr umzugehen. Im Ernstfall hätte er sich bestimmt darin verheddert. Darum steckte er die Waffe in die rechte Jackentasche. Sie trug ein wenig auf.

Für die eigentliche Transaktion nahm er seinen Attachékoffer aus dem Schrank, der ihn auf so mancher Dienstreise begleitet hatte und groß genug war, die Lieferung aufzunehmen.

Falkenhorst fühlte sich nicht wohl bei der bevorstehenden Sondermission in ein rechtliches Niemandsland. Dabei war das alles nicht auf seinem Mist gewachsen. Einige Politiker – und zwar die ganz oben – hatten gekungelt, und er war der »schlaue Dummkopf«, der mit seinem Sachverstand für die technische Durchführung gesorgt hatte. Viele Millionen Mark, Geld aus den Taschen ehrlicher Steuerzahler, auf Zeit für ein dubioses Exportgeschäft nach Osten zu verschieben...

Er hätte besser die Finger davon lassen sollen. Er hätte jederzeit die Mitarbeit ablehnen können. Aber der Ehrgeiz, in der Gunst der Mächtigen zu stehen, war stärker gewesen. Jetzt war es zu spät. Er mußte den unerwarteten Segen entgegennehmen und wußte nicht, wohin damit.

Der Aufzug brachte ihn in die Halle hinunter.

»Wieder eine Dienstreise fällig, Herr Falkenhorst?« fragte der Pförtner.

»Es ist wirklich kein Vergnügen, an Wochenenden unterwegs zu sein«, kam die Antwort.

»So ersparen Sie sich am Sonntag die Qual der Wahl – oder geben Sie Ihre Stimme per Brief ab? Gute Reise jedenfalls.«

Falkenhorst machte eine dankende Handbewegung, als die vom Kameraauge überwachte Tür hinter ihm ins Schloß fiel.

Über die Konrad-Adenauer-Brücke fuhr er nach Osten. Vom Kleeblatt der Ramersdorfer Kommende ging es dann auf der neuen, sündhaft teuren Autobahnstrecke nach Süden, in Königswinter schließlich auf die Ferdinand-Mülhens-Straße und gleich nach dem Gut Wintermühlenhof steil die Serpentine zum Petersberg hinauf. Der Kölnisch-Wasser-Dynastie von 4711 hatte dort oben einmal alles gehört, das ganze Plateau, wo die Augustinermönche als Klausner gesiedelt und wo auch später die Zisterzienser für einige Zeit die Aussicht vorzüglich gefunden hatten.

Im Hotel auf dem Petersberg hatten die Reichen getafelt, die Touristen ihren Terrassenkaffee getrunken, die hohen Kommissare auf Restdeutschland herabgeblickt und Adenauer auf den Teppich der Geschichte treten lassen. Die schöne Sirikit und die Schahbanu hatten sich dort oben vom Rheinland bezaubern lassen. Vielleicht war auch die Queen ein wenig beeindruckt gewesen. Und schließlich hatte der große Vorsitzende, Genosse Breschnew, hier sein kleines Staatsgeschenk, einen sportlichen Mercedes, in den Kurven demoliert.

So viel Geschichte und Geschichten auf einem Basaltkegel hoch über dem Rhein – Falkenhorsts Mission paßte durchaus in die Landschaft.

Auf den Besucher wirkte der Hotelbau zunächst mächtig und bedrückend, doch die Balkone und Terrassen auf der Rheinseite gaben den Blick frei auf das weite Panorama, über die Voreifel hinweg bis hin zu den Bergen an der Ahr.

Hier oben wurde seit Monaten mit großem Aufwand gearbeitet, um das lädierte Gebäude in ein repräsentatives Gästehaus für nichtzahlende Staatsreisende zu verwandeln. Hundert Millionen waren dafür veranschlagt worden. Arbeiter sah man nicht, sie hatten sich schon in ihre Achtunddreißig-Stunden-Woche zurückgezogen.

Die Zufahrt zum nördlichen Parkplatz war freigehalten. Etwa ein Dutzend Touristen hatten hier ihre Fahrzeuge abgestellt und stiefelten durch den kleinen Park, um nach Spuren der Vergangenheit zu suchen.

Ein Wagen mit CD-Schild ließ sich nicht ausmachen. Doch sie mußten hier sein, die Aufpasser. Sie würden keinen Genossen der Versuchung aussetzen, mit einer Million harter Mark als Startkapital den Lockungen des goldenen Westens zu erliegen. Da war Falkenhorst ganz sicher. Er parkte seinen Wagen zur Rheinseite, ließ den Aktenkoffer auf dem Rücksitz und warf die Tür ins Schloß.

Dann ging er im Schlenderschritt ein paar Stufen hinab zur oberen Balustrade mit der Aussicht auf das vom glitzernden Fluß durchzogene Land. Vielleicht hatte Hölderlin hier gedichtet: »Und des heiligen Tranks sind voll im Strome die Schiffe.« Jetzt tuckerten Tanker mit Rohöl rheinaufwärts.

War es nun ein Tourist, der auf ihn zukam und dabei demonstrativ ein Fernglas in der Hand hielt?

»Ach bitte, dort auf der anderen Seite der Turm mit der Fahne – ist das die Godesburg?«

Falkenhorst unterstrich seine Antwort mit einer bestätigenden Geste. »Ja, das ist sie, die Burg, um die sich Protestanten und Katholiken vor vierhundert Jahren die Köpfe eingeschlagen haben, bis das siegreiche Heer der Bayern die ganze Pracht in die Luft gesprengt hat. Der Rest ist wieder katholisch geworden. Das Burghotel kann ich übrigens empfehlen, man ißt dort recht gut.«

»Danke. Das hier ist bisher der schönste Platz meiner Europatour. Wir dürfen ja manchmal reisen.«

Er gab sich nicht viel Mühe, seine Tarnung zu wahren. Es war auch wohl nicht beabsichtigt. Falkenhorst ging weiter in Richtung Petersberg-Kapelle und wandte sich kurz um. Der Mann schien in das Mikrofon eines Handfunkgeräts zu sprechen.

Auf der niedrigen Natursteinmauer des Aussichtspunktes, von wo aus sich der ganze Reiz des inneren Siebengebirges erschloß, saß ein Wanderer. Der Tragriemen einer großen Ledertasche führte über seine rechte Schulter. Er hatte die Tasche auf seine Oberschenkel gestellt und beide Unterarme darauf gelegt. Aufmerksam verfolgte er, wie Falkenhorst unbekümmert durch das niedrige Buschwerk stakste. Jeder musterte den anderen von Kopf bis Fuß, vergewissernde Blicke richteten sich nach rechts und links.

»Hallo, Herr Artanow, wie schön, Sie wieder einmal zu sehen. Ein Jahr ist schnell vergangen«, sagte Falkenhorst zur Begrüßung.

»Guten Tag«, dankte der Angesprochene mit leicht spröder, rollender Stimme sehr förmlich. »Ich freue mich, daß Sie noch heute gekommen sind, um die Sache abzuschließen.« Dabei wies er mit dem Daumen der linken Hand auf das Revers seiner Trachtenjacke. Die kleine Rosette im Knopfloch war offensichtlich ein Mikrofon.

Falkenhorst hatte verstanden und sagte ruhig: »Ich danke Ihnen für die schnelle und korrekte Abwicklung dieser Angelegenheit, die den beiderseitigen Interessen gedient hat.«

»Auch unsere Seite legt Wert darauf, die Sache bis zum Sonntag erledigt zu haben.« Michail Artanow vermied jeden Hinweis auf das Geld.

»Es wäre am einfachsten«, sagte Falkenhorst, »wenn wir das Gespräch in meinem Wagen fortsetzen könnten. Hier ist es ziemlich windig.«

»Ja, gern.«

Jetzt würden gewiß einige Figuren neue Standorte beziehen und dabei die Handlungsbevollmächtigten im Fadenkreuz halten.

Diese gingen an dichtgewachsenen Ilexbüschen vorbei zum Parkplatz hinüber. In diesen wenigen Minuten hatte ein ganz Umsichtiger seinen Opel so vor dem BMW geparkt, daß ein Schnellstart nicht möglich war. Vorn an der Zufahrt hockte ein Mann hinter dem Steuer seines Ford und las den »General Anzeiger«. Ihm blieb Zeit genug, bei einer unerwünschten Abfahrt des BMW ein Ramming zu fahren, wenn es erforderlich werden sollte.

Falkenhorst war nicht böse über diese Vorsichtsmaßnahmen. So würde sein Partner es nicht wagen, ihm – tot oder lebendig – die Wagenschlüssel abzunehmen, um sein Glück auf eigene Rechnung zu suchen. Eine Million ist ein Happen Geld – dafür muß eine alte Frau in Ost oder West schon sehr lange stricken!

Falkenhorst setzte sich auf den Fahrersitz, entriegelte von innen die Beifahrertür und ließ Artanow einsteigen. Dieser plazierte die Tragetasche auf seinem Schoß und zog die Wagentür zu. Den über die Knopflochrosette zugeschalteten Freunden in den Büschen würde es schwerfallen, weiterhin an dem Gespräch teilzunehmen, denn das Blech der umschließenden Karosserie wirkte wie ein Faradaykäfig und behinderte den Empfang. Doch Artanow blieb vorsichtig mit seinen Worten.

»Welch seltsame Art, sich wiederzusehen. Aber Sie werden verstehen, daß mein Chef bis zum Sonntag alles erledigt haben möchte. Schließlich sollen unsere Freunde und Helfer nach diesem Zeitpunkt keine Schwierigkeiten bekommen. Es war ja von Anfang an Ihr Wunsch, keine offiziellen Verrechnungen und Überweisungen zu tätigen.«

»Ja, aber in beiderseitigem Interesse. Nur so konnte Ihnen die finanzielle Hilfe gewährt werden. Wir hätten die Zinsen ab Sonntag nicht mehr einfordern können.«

»Und wir legen Wert auf eine rechtzeitige, korrekte Abrechnung:

fünfhundert à tausend und tausend à fünfhundert. Alles banderoliert und mit dem Stempel unserer Hausbank versehen. Wollen Sie nachzählen?«

Falkenhorst schüttelte den Kopf. »Einen solchen Betrag – hier im Wagen? Nein. Sie haben mein volles Vertrauen.«

»Danke«, sagte Artanow und öffnete mit einem kleinen Schlüssel das Schloß seiner Bügeltasche. Er klappte sie auf und entnahm ihr eine prall gefüllte Plastiktüte. Mit einem Lächeln wie ein Vater, der seinem Kind die Überraschung zeigen will, die er für Mutters Geburtstag gekauft hat, ließ er Falkenhorst einen Blick hineinwerfen.

Vom Rande des Parkplatzes bei den Ilexbüschen strahlte plötzlich ein Lichtreflex herüber. Die Sonne spiegelte sich in der Linse eines Fernglases oder in einem Teleobjektiv. Die Freunde waren auf der Hut!

Falkenhorst nahm die Plastiktüte mit einem »Danke« entgegen und legte sie auf den Attachékoffer im Fond des Wagens. Artanow sah ihn erwartungsvoll an.

»Ach ja, die Empfangsbestätigung.« Falkenhorst griff in die Innentasche seines Sakkos und nahm das Dokument heraus. »Bitte sehr!«

Michail Artanow hatte keinen Zweifel an der Echtheit der Unterschrift. Er wußte auch um Falkenhorsts Bevollmächtigung, die sich in der Abkürzung i. A. – im Auftrag – ausdrückte. Der kritische Blick galt nur dem Dienstsiegel. Es zeigte den Bundesadler mit der Umschrift des Ministeriums und eine Ordnungsnummer. Mängel ließen sich nicht erkennen.

»Somit ist alles erledigt«, sagte Artanow und fügte mit einem Lächeln hinzu: »Sie sind jetzt ein reicher Mann. Da lebt man im Westen gefährlich.« Zu gern hätte er gewußt, ob der »reiche Mann« mit dem Einverständnis seines Ministers hier war; sonst kannte ja keiner die Vorgänge. »Die Wahlkämpfer werden am Sonntag müde sein«, warf er leicht hin. »Sie sind doch schon Wochen unterwegs.«

»Ja, auch mein Chef ist unterwegs«, erklärte Falkenhorst und wußte in der gleichen Sekunde, daß er einen Fehler gemacht hatte. Um abzulenken, fragte er: »Darf ich Sie zum Essen oder zu einem Drink einladen?«

Michail Artanow wies mit dem Daumen auf die Rosette im Knopfloch. »Sehr liebenswürdig von Ihnen. Aber ich habe leider noch anderweitige Verpflichtungen.«

Keiner ließ den anderen seine Erleichterung merken. Sie verabschiedeten sich mit einem Händedruck und einem nicht ernstgemeinten »auf Wiedersehen«.

Der »Geldbote« nahm die leere Ledertasche beim Griff und schlang sich den Schultergurt lose um das Handgelenk. So ging er davon und verschwand im Park hinter der Kapelle.

Falkenhorst verriegelte die Fahrzeugtüren, packte die Plastiktasche in seinen Koffer, setzte den BMW zurück und fuhr ab. Der Mann im Ford hinter seiner Zeitung grinste breit und zufrieden.

Als säße ihm der Teufel im Nacken, so zog Falkenhorst mit quietschenden Reifen seinen BMW durch die Serpentinen der Petersberg-Abfahrt. Ihm folgte das wütende Fäusteschütteln einer bewimpelten Wandergruppe, die mit Gesang am Straßenrand bergaufwärts schritt und der unverhofft ein Schwall von Basaltsplittern um die Ohren fegte. Der BMW schoß über die Autobahnbrücke hinweg bis hinunter zur Rheinallee in Königswinter. An den »Sonnentiegel«, der etwas nördlich lag, verschwendete Falkenhorst keinen Gedanken. Die Wagenfähre nach Mehlem hatte noch festgemacht. Er fuhr als letzter über das rappelnde Zufahrtsblech auf das Parkdeck und atmete erleichtert auf, als hinter ihm der Ausleger hochgezogen wurde. Er stieg aus, zahlte beim Mann mit der Geldtasche für die Überfahrt und zog eine Packung Zigaretten aus dem Automaten unter der Kommandobrücke des Kapitäns. Tief zog er den Rauch in die Lungen. Dabei hatte er sich dieses Laster eigentlich längst abgewöhnt.

Die geruhsame Fahrt über den Rhein war Balsam für die Nerven. Von der Anlegestelle hatte er in wenigen Minuten sein Haus am Drachensteinpark erreicht. »Falkenlust«, der Name über dem Portal, war Tuffis Idee gewesen. Doch die Lust hatte sich emanzipiert, trug jetzt Malerkittel, machte Schulden und hoffte auf kommenden Ruhm.

Vor dem Haus stand ein Kleintransporter ohne Firmenbeschriftung. Ein junger Mann in einem modischen Overall trat aus der Eingangstür und verhielt einen Moment. Falkenhorst sah, daß Tuffi ihm Geld aushändigte. Das Trinkgeld war sicher nicht zu knapp bemessen, wie die mehrmalige Verbeugung des Mannes vermuten ließ. Tuffi übersah geflissentlich, daß Andreas auf sie zuging. Sie wandte sich ab und trat ins Haus zurück.

»Nanu, was geht hier vor?« fragte er mit Schärfe in der Stimme.

»Der Mann von Tagani hat den Teppich geliefert. Ich konnte nach unserem Gespräch noch zweitausend runterhandeln«, antwortete Tuffi kühl.

»Und wer bezahlt?«

»Das ist doch wohl nicht mein Problem«, antwortete sie spitz. »Ich habe nur einen Scheck ausgeschrieben.«

»Wir haben die längste Zeit ein gemeinsames Konto gehabt. Mir reicht's jetzt endgültig.« Das klang so, als ob Andreas es bitterernst meinte.

»Du wiederholst dich.«

In Andreas stieg die Wut hoch. Er trat einen Schritt vor, ergriff ihren Arm und zog sie mit einer Drehung zu sich herum, so daß sie aufschrie.

»Hüte dich – ich kann auch anders«, preßte er hervor. »Das Haus steht auf meinem Namen. Du hast nichts, wenn ich dich raussetze – ist dir das klar?«

Ihren Mausezähnen entglitt nur ein leises »Macho di Schlaffi!«

Er schleuderte ihren Arm fort und drehte sich abrupt zur Seite. »Die Vernissage ist deine letzte Chance und unser letzter gemeinsamer Auftritt. Da kannst du Gift drauf nehmen.«

Mit langen Schritten ging er zum BMW, stieg ein, wendete und fuhr mit aufheulendem Motor davon.

So war Tuffi um den Triumph gebracht, daß Andreas als erster seinen Fuß auf den Schiras setzte.

Kapitel 3

Die Wut pochte in seinen Schläfen. Dieses Rabenaas treibt mich noch in den Ruin, dachte er. Jetzt muß ich wieder versuchen, für Deckung auf dem Konto zu sorgen. Seine Freunde hatten ihn gewarnt, das Glitzermädchen vom Tennisclub zu heiraten, sein Instinkt ebenfalls, doch die Eitelkeit hatte wie oft bei ihm gesiegt. Er hatte bekommen, was er wollte: eine Frau zum Vorzeigen. Heute wußte er, daß die Hochzeitsgabe ihrer Eltern nur ein Bruchteil von dem gewesen sein konnte, was Tuffi ihrem »Onkel Doktor«, wie sie den Herrn Papa zu beschmusen pflegte, im Laufe der kommenden Jahre aus der Tasche gezogen hätte. Den »Onkel Doktor« hatte ein Herzinfarkt auf einem Kongreß in Florenz dahingerafft. Damit war die Quelle versiegt, und die noch recht flotte Frau Doktor hatte sich gern manche Mark zurückgewünscht, die in Tuffis Händen dahingeschmolzen war.

Falkenhorst konnte nicht umhin, sich einzugestehen, daß ihm der dienstliche Ehrgeiz und die männliche Eitelkeit ein paar Probleme beschert hatten, denen schwer beizukommen war. Doch er wußte, wo die Freuden des Lebens zu holen waren. Nicht bei Tuffi, das war längst vorbei – sie schliefen getrennt –, auch nicht bei Hanne, dem Baby, das im Rosental bei seinen Puppen träumte, auch nicht bei Margot Stettner, der ersten Kraft, sondern im »Sonnentiegel« am Rhein, wo Männer wie er ihre Bestätigung fanden.

Den Gedanken, die Plastiktüte mit dem Geld im Ministerium zu deponieren, hatte er schnell wieder aufgegeben. Für so sicher hielt er seinen Schreibtisch und die Schränke nicht, daß ihm dadurch die Sorge um das wahre Bare abgenommen werden könnte. An die Tag und Nacht bewachten Stahlschränke der Verschlußsachenregistratur konnte er nicht heran, ohne eingehende Fragen beantworten zu müssen. Auch der Pförtner hätte ihn seltsam angeschaut, wenn er mit seinem Köfferchen in der Hand wieder zurückgekommen wäre. Ihm blieb keine andere Wahl, als sein Reisegepäck so normal wie möglich mit sich herumzutragen.

Im »Sonnentiegel« war man daran gewöhnt, daß er einen Ausflug in die große weite Welt hier ausklingen ließ. Er wollte nicht die Fähre nehmen, die ihn kurz vorher über den Rhein geschaukelt hatte; schließlich legte er keinen Wert darauf, durch Zufall den Walkie-talkie-Freunden vom Petersberg zu begegnen. So blieb nur der Umweg über die Konrad-Adenauer-Brücke, um wieder nach Königswinter zu gelangen. Für einen Beschatter würde es so aussehen, als nähme er durch das Verkehrsgewühl von Plittersdorf den Weg zum Ministerium. Hinter der hölzernen Fußgängerbrücke der Ludwig-Erhard-Straße tauchte die Silhouette des »Langen Eugen« auf. Deutlich hob sich der nachträglich angebaute Sicherheitsschacht für die Feuertreppen ab. Ein Abgeordnetensilo, ansprechend wie das überdimensionierte Lagerhaus einer Futtermittelgroßhandlung, so ragte die Heimstatt für die gewählten Repräsentanten des Volkes in den mattwarmen Sommerhimmel.

Um sich zu vergewissern, ob ihm kein Wagen folgte, steuerte Falkenhorst den Rheinauen-Parkplatz an und musterte die vorbeirauschenden Fahrzeuge. Keines bog ab, keines hielt an. Nach einigen Minuten aufmerksamen Beobachtens fuhr er über die Brücke und nahm Kurs nach Osten, zur Sonnenseite des Lebens. »Anliegerverkehr frei« – treffender ließ sich der Verkehr an diesem Stück der Allee durch Hinweisschilder wohl kaum regeln, wenn auch frei nicht kostenlos bedeutete.

Auf den ersten Blick sah der »Sonnentiegel« in Königswinter genauso aus wie die benachbarten Villen mit ihren massiven Natursteinmauern auch. Eine gründliche Renovierung hätte gut getan. Doch Freddy Nelson, manchmal Lord Nelson, oder von Freunden kurz Mylord genannt, wußte, daß seine Klientel mehr an den inneren Qualitäten des Etablissements interessiert war. Darum hatte er den Sektionen des Hauses seine ganz besondere Note aufgeprägt.

In der Sektion »Gourmet« hätten angetraute Ehefrauen oder Damen mit verfestigten Grundsätzen keinen Anlaß gefunden, die geselligen Stammtischrunden und kleinen Arbeitsessen als fleischliche Versuchung zu werten. Die sich anschließende, gut bestückte Bar mit der tief in die Dämmerung des Raumes reichenden Lounge war Evelyns Kommandostand. Von hier hatte sie den Überblick und konnte zu gegebener Zeit die Böcke von den Schafen trennen, um jene den Lämmchen zuzuführen. In der Lounge mit den kleinen Tischchen und den plüschigen halbrunden Sofas ließen Evelyns Sidecars und Manhattans, ihre Kir Royals oder ihre Martinis on the Rhine-Rocks eine Atmosphäre der Zuneigung entstehen, die alsbald in die obere Etage, Sektion »Parcours«, überleitete.

Wer sich seinen sportlichen Typ erhalten oder zunächst den Kreislauf stabilisieren wollte, gab Evelyn ein freundliches Handzeichen und erreichte durch die Nebentür die Sektion »Studio«. Trimmgeräte, Sauna, kleiner Swimmingpool, Sonnenbänke, Thermomasken, Peeling naß oder trocken, Tiefenwärmebehandlung – das alles war im Pauschalpreis enthalten. Nur die weiterführende Entspannungsmassage nicht. Evelyn komponierte nicht nur die Drinks, sondern auch die Rechnungen ganz nach Wunsch. Steuerliche Abzugsfähigkeit war garantiert. Die Lämmchen durften nicht kassieren, und die Hälfte des Trinkgeldes kam in einen Pool.

Gelegentlich kam ein »Probe-Fremder«, und wehe dem Lämmchen, das bei einer Schummelei erwischt wurde. Mylord hatte seine Methoden zur Wahrung der Disziplin auf St. Pauli gelernt, im Frankfurter Bahnhofsviertel erprobt und durch Auslandsaufenthalte gefestigt. Lämmer lernen schnell, wenn der Hütehund beißt.

Falkenhorst war durch den Eingang für Stammgäste von der Rheinseite her gekommen.

»Hallo, Andreas, so früh heute«, begrüßte ihn Evelyn Wohlfahrt. Sein Wangenkuß war flüchtig und ausdruckslos. Sie wies auf den Koffer: »Wochenendreise oder Heimkehr?«

»Weder – noch«, brummelte er.

»Ärger?«

Er winkte ab. »Tuffi flippt wieder aus. Kannst du den Koffer einschließen?«

»Gib her, unten in der Bar ist Platz.«

Er zögerte.

»Was ist? Hier kommt nichts weg.«

»Schon gut, ich weiß. Ich muß etwas essen, aber erst einen Aperitif.«

»Sherry oder Rhine-Rocks?«

Er schüttelte den Kopf. »Scotch, einen doppelten. Pur.«

»Dir geht's dreckig«, stellte Evelyn fest. In ihren braunen Augen lag Mitleid.

»Vielleicht auch zu gut«, antwortete Falkenhorst, ohne damit überzeugend zu wirken. »Nimm dir was Gutes auf meine Kosten und stoß mit mir an.«

»Jetzt nur einen Gin Tonic. Es kann eine lange Nacht werden. Wir haben ein Arbeitsessen mit Typen aus den Ölstaaten. Die zugeordneten deutschen Beamten werden sich bis Mitternacht abgesetzt

haben. Die Mädchen erwarten ein gutes Geschäft mit den Scheichs.«
»Und keine hat Zeit für mich?«
»Für dich – immer. Nur wird es spät werden. Ich kann heute die Fäden nicht aus der Hand lassen.« Evelyns Stimme wurde leise. »Dabei ist doch alles vergeblich.«
»Was ist los? Ärger mit dem Lord?«
Sie schüttelte den Kopf und biß die Zähne zusammen, ohne die Tränen unterdrücken zu können.
»Also ist doch was los. Wo steckt Mylord eigentlich?«
»Hinten im Büro. Er telefoniert mit Gott und der Welt, aber es bringt nichts.«
Andreas kippte den Scotch in einem Zug hinunter. Evelyn trank nur einen kleinen Schluck, während sie zu ihm aufsah.
»Sprich du doch mal mit ihm. Du hast mehr Verstand als er.«
Andreas nickte. Sie drückte einen Knopf der Sprechanlage, durch die alle Räume des Hauses miteinander in Verbindung standen. Auch das Liebesgeflüster konnte »aus Sicherheitsgründen« abgehört werden.
»Äh?« krächzte es aus dem Minilautsprecher.
»Besuch! Andreas ist hier. Ihr solltet miteinander reden.«
»Sinnlos – aber von mir aus«, kam es wenig freundlich zurück.
Andreas schob die ledergepolsterte Tür seitlich von der Bar auf. Freddy Nelson hing mit seiner reichlichen Dezitonne schweißgebadet hinter dem Schreibtisch. Seine Hand mit einem Siegelring am kleinen Finger lag noch auf dem Telefonhörer. Er sah auf. »Du störst«, knurrte er. »Aber was soll's, ist eh alles egal. Ich weiß nicht mehr, mit wem ich noch telefonieren könnte. Aus und vorbei!«
»Was ist aus und vorbei?«
»Na, was denn schon – der ›Sonnentiegel‹! Die Hunde wollen mir die nächste Rate nicht stunden.«
»Und wer sind die Hunde bitte?«
»Meine Finanziers in der Schweiz. Aber das sind keine Banker, eher Schränker aus dem Tessin. Die haben ihr Italienisch auf Sizilien gelernt.«
»Mafiosi?«
»Jedenfalls so ähnlich. Bankiosi! Wenn von denen ein Trupp anrollt, um Kasse zu machen, und du blätterst die Lappen nicht sofort auf den Tisch, dann bist du erledigt.«
»Aber wieso denn?«

»Die haben mir das schnelle Geld besorgt damals. Der ›Tiegel‹ läuft ja auch ganz gut. Aber ich habe doch wohl unterschätzt, was zwanzig Prozent Zinsen bedeuten.«

»Und nun?«

»Und nun – und nun! Binnen drei Tagen die nächste Rate *cash* oder wir können den Kasten hier zum Ruinenwert handeln. Da möcht' ich aber ganz weit weg sein, und die Mädchen besser auch.«

»Hast du es bei den Banken in Bonn versucht? So pingelig sind die doch nicht.«

Freddy winkte ab. »Hypotheken und nichts zu verpfänden. Ich kann denen doch nicht verklaren, was hier wirklich läuft und womit wir den Schnitt machen. Ne, Mann, was ich brauche ist ein Privatkredit ohne dämliche Fragen – und das ganz schnell!«

»Wieviel?«

Nelson fuhr mit dem rechten Zeigefinger hinter den feuchten Kragen seines Seidenhemdes. »Hunderttausend! Und die *cash*, das sagte ich schon. Marianne hat sich zwar bereit erklärt zu helfen, das läuft bei ihr in Genf bestens. Aber so schnell kann die auch keine hundert Riesen locker machen. Drei, vier Wochen braucht sie schon dafür. Das ist übrigens die Marianne Richter, von der ich dir mal erzählt habe. Die hat früher bei Erlenborn-Doppelkorn in Kessenich gearbeitet und sich rechtzeitig verdrückt. Du weißt doch, Erlenborn ist wegen Mord und Alkoholschmuggel lebenslänglich aus dem Verkehr gezogen worden.«

»Ich erinnere mich. Und was läuft bei ihr?«

»Zu viele Fragen, *amigo*. Aber es ist jetzt ja doch alles egal. Mariannes Hostessenzirkel hat beste Verbindungen zu finanzkräftigen Leuten.«

»Davon hast du mir nie erzählt. Hängt ihr geschäftlich zusammen?«

»Und ob. Persönlich auch. Die Mädchen werden bei mir eingearbeitet. Die besten setzen ihre Karriere in Genf fort. Dabei sind schon ein paar solide Ehen herausgekommen.« Lord Nelson grinste breit.

»Und genau da wird dann von Zeit zu Zeit sanfter Druck ausgeübt und eine Schweigeprämie für die Vergangenheit kassiert – ein einträgliches Geschäft.«

»Gute Beziehungen schaden nur dem, der sie nicht hat.«

»So läßt sich Vergangenheitsbewältigung auch betreiben.« An-

dreas Falkenhorst pfiff durch die Zähne. »Sauber, sauber!«
»Das alles läuft seriös, *amigo.* Keine Klagelieder bisher.«
»Also hundert Mille«, stellte Falkenhorst noch einmal fest.
»Ja, verdammt – wenn ich es wiederhole, wird es auch nicht weniger«, brauste Nelson auf.
»Schon gut. Und ein Monat würde reichen?«
»Absolut! Bis dahin schafft Marianne glatt das Doppelte ran.«
»Im Klartext heißt das, bis Montag müssen hundert Scheine her?«
»O Mann – wovon reden wir denn die ganze Zeit? Was soll das Gequatsche?«
»Okay, also hundert Riesen am Montag. Rückzahlung in einem Monat mit Zinsen – also einhundertundeins. Außerdem zusätzliche achtundzwanzig für mich als Kredit auf ein Jahr. Alles klar?«
»Mensch«, stöhnte Nelson. »Wenn du am Montag hundert hast, was brauchst du dann einen Monat später achtundzwanzig obendrauf?«
»Mein Problem. Das kapierst du nicht, Mylord. Ich dachte, ich könnte euch helfen. Aber wenn du nicht willst, laß es!«
Freddy Nelsons Finger fuhr im Kragenrand hin und her. »So was Verrücktes habe ich in meinem Leben noch nicht gehört.«
Andreas Falkenhorst zuckte mit den Schultern. »Nun?«
»O Mann, ich laß' mich in Geschäftsdingen nicht gern verarschen. Auch von meinen Freunden nicht.«
»Also am Montag. Und keine dämlichen Fragen von beiden Seiten, verstanden?«
»Das Ganze ist total bescheuert!«
»Sei's drum«, stellte Falkenhorst fest. »Wieviel weiß Evelyn? Sie heult im Moment.«
»Alles. Die hängt hier schließlich mit zwanzig Mille drin. Das wäre ja wohl futsch, wenn die Tessiner Truppe den Laden auseinandernimmt.«
»Dann hol sie rein. Sie soll wissen, was läuft.«
»Total verrückt. Das ist das bescheuertste Geschäft meines Lebens. Aber was soll's. – Evelyn! Evelyn!« brüllte Nelson, daß es durch die ledergepolsterte Tür dröhnte. »Komm her, auf der Stelle!«
Evelyn Wohlfahrt tauchte schreckensbleich im Türrahmen auf. »Was ist denn los?«
Nelson klopfte mit seinem kleinen beringten Wurstfinger auf die Schreibtischplatte. »Andreas will den Retter spielen. Hör dir das

mal an. Der schafft am Montag hundert Riesen her. Die erhält er nach einem Monat zurück. Und dann will er selbst achtundzwanzig als Kredit haben. Frag mich nicht, wie das abgerechnet werden soll. Aber er muß ja wissen, was die Kasse hergibt. Verrückt, sage ich nur, total verrückt!«

Lord Nelson witterte ein Geschäft, das vielleicht einen Ansatz bot, ein paar zusätzliche Gewinnchancen einzuspielen. Er war zwar schwergewichtig, aber nicht so schwer von Begriff, das Angebot von Andreas als reinen Akt der Nächstenliebe zu werten. Da saß wohl noch jemand in der Klemme – und das nicht zu knapp! Man müßte versuchen herauszufinden, wo es klemmte.

Mylord stand auf und haute Andreas auf die Schulter. »O Mann, heute lassen wir die Puppen tanzen. Alles geht auf Kosten des Hauses. Evelyn, zieh mit unseren Lämmchen den Ölscheichs soviel Mäuse wie möglich aus der Tasche. *Amigo mio,* das Leben läuft ja wie geschmiert!«

Andreas Falkenhorst nahm an einem Zweiertisch vor dem Fenster mit Blick auf Bad Godesberg Platz und ließ sich ein Menü nach Wahl des Chefs servieren. Die Küche hatte sich auf das Arbeitsessen der Delegation vorzüglich vorbereitet. Andreas profitierte davon.

Die beiden Kellner im Smoking trugen schwarzweiß gestreifte Querbinder, um sich von den Gasten optisch abzuheben. Sie deckten die Tafel: erlesenes Porzellan, Blumen die Fulle und auf Hochglanz poliertes Silber, dazu Kristallkaraffen und geschliffene Wassergläser, denn den Wein hatte der Prophet untersagt.

Die deutschen Betreuer aus dem Ministerium hatten jedoch unmißverständlich durchblicken lassen, daß bei dem sich anschließenden gemütlichen Teil in der Lounge nicht auf *aqua ardens* aus der Charente oder dem Schottischen Hochland verzichtet werden sollte. Nur möge man bitte aus Karaffen oder Krügen servieren, die auf Wasser oder Fruchtsäfte schließen ließen.

Lord Nelson kannte die Usancen, und seine Schäfchen kannten sie auch. Allerdings blieb immer zu befürchten, daß Evelyns kunstvoll komponierte Rechnungen von den exotischen Gästen nicht bezahlt, sondern kurzerhand an die deutschen Gastgeber weitergereicht würden. Dann stand für diese Ärger mit dem Rechnungshof ins Haus. Um die sich daraus mit Sicherheit ergebenden Komplikationen nicht zu groß werden zu lassen, durften die Lämmchen in dieser Nacht selbst kassieren. Jetzt mußte sich zeigen, ob Mylords

Grundsätze zur Wahrung der inneren Disziplin funktionierten.

Die Träger der schwarzweiß gestreiften Querbinder hatten, so schien es, den Service nicht gerade beim Captainsdinner gelernt. Doch sie gaben sich Mühe. In den Jackenärmeln spielten Muskelpakete, und die Drehungen von Rumpf und Schulter ließen Boxerqualitäten erkennen. So war im »Sonnentiegel«, wenn auch nicht immer für Gesetz und Recht, so doch stets für Ordnung gesorgt. Polizei war noch nie herbeigerufen worden, wenn ein Gast Schwierigkeiten machte. Das Haus hatte einen guten Ruf!

Andreas genoß das Essen. Zum Auftakt Junglachsmedaillons und dazu aus der besten Ecke des Kellers einen trockenen Ayler Kupp. Leicht stimulierend die Rebhuhnkraftbrühe und dann die Fasanenbrust »Royal«. Er sagte nicht nein, als hierzu eine Spätlese vom Weinsberger Schemelsberg angeboten wurde. Nach dem Mokkaparfait mit Borkenschokolade noch einen Grand Marnier zum langsamen Genuß. Den Kaffee mit glasiertem Feingebäck ließ Andreas sich in der Lounge servieren. Evelyn setzte sich zu ihm.

»Mach bitte keinen Fehler, Andreas. So glatt laufen die Geschäfte in unserer Branche nicht. Mylord hat jeden von uns in der Hand. Hoffentlich jetzt nicht auch dich!«

Falkenhorst legte ihr den Arm um die Schulter: »Kind, gutes, ich kann euch doch nicht im Stich lassen – und was würde dann aus mir werden?«

Aus der oberen Etage waren Angelina, Bettina und Cordula heruntergekommen und begrüßten Andreas wie immer herzlich und mit Küßchen. Dorothee und Fabiola durften sich Zeit lassen mit ihrem Erscheinen, denn die Gäste sollten nicht den Eindruck gewinnen, als würden sie der Damen wegen erwartet. Die Präsentation der Reize dieser Geschöpfe wie Milch und Blut würde in so gediegener Form erfolgen, daß auch die Weisen aus dem Morgenlande auf weitere Offenbarungen scharf werden mußten. Freddy Nelson war stolz auf seine sorgfältig ausgesuchte »Crew« – zumindest ihr Aussehen war makellos!

Draußen hielten drei schwarze Limousinen. Die Délégués stiegen aus, und die Fahrzeuge fuhren sofort wieder davon. Das ließ auf einen geplanten längeren Aufenthalt schließen. Minuten später herrschte im »Sonnentiegel« Jubel, Trubel, Heiterkeit. Evelyn hatte schnell ihren Kommandostand aufgesucht und war gleich der »Knotenpunkt der Bar«. Ihre wiedergewonnene Fröhlichkeit wirkte ansteckend. In kürzester Zeit waren alle Barhocker besetzt, und die Aperitifs mußten so hochprozentig sein, daß nachher ein wenig Wasser bei Tisch nicht schaden konnte. Wer an diesem Abend martialische Erscheinungen in wallenden Djellabas und von der Wüstensonne gegerbte Gesichter unter Kotra und Akal erwartet hatte, sah sich enttäuscht. Gekommen waren glatte Gentlemen in bestem englischen Tuch, die durchaus zu beurteilen wußten, was ihnen im »Sonnentiegel« geboten wurde. Nach drei Tagen Verhandlungen mit trockenen deutschen Technokraten würden die Stunden in diesem Hause ganz gewiß zu den stärksten und bleibenden Eindrücken ihrer Reise nach *Good Old Germany* gehören.

Das Essen fand Beifall und Zuspruch, wurde aber nicht so gewürdigt, wie Lord Nelson und sein Küchenchef Beppino es wohl erhofft hatten. Die Flüssigkeit in den Wasserkaraffen hatte nur wenig abgenommen, als der offizielle Teil des Arbeitsessens mit den wechselseitigen Dankesworten und dem unvermeidlichen Toast auf das persönliche Wohlergehen, auf das Glück der Staaten und ihrer Oberhäupter seinen Höhepunkt und zugleich sein Ende fand.

Evelyn sorgte sehr schnell dafür, daß jeder Gast einen Drink und ein Mädchen fand. Dorothee und Fabiola wurden mit besonderem Beifall willkommen geheißen. So stand die Partie fünf zu vier. Unter Hinzurechnung des deutschen Betreuers hätte sie pari gestanden. Doch der würde sich um Mitternacht verdrückt haben, denn die Extras im »Sonnentiegel« hätte ihm keine Staatskasse erstattet. Für das nun mögliche reizvolle Doppel würde sich schon jemand finden.

Mit einem *nice girls here in Germany* war als letzte auch Bettina von Andreas Seite abgezogen worden. Um nicht als Mauerblümchen im Schummerlicht allein zu sitzen, schob er sich in die Menschentraube an der Bar.

»Evelyn«, rief der dunkelhäutige Abwerber – alle kannten sie schon mit Namen – *»will you please serve him a drink!«* Das sollte wohl eine Einladung sein. *»Thanks«*, bedankte sich Andreas dann auch und griff zum Flying Horse. *»I hope it will please you here.«*

»Indeed«, kam die Antwort. *»Germany is very interesting. Rhine, wine und very nice girls. I prefer the girls«*, und leiser: *»No disease?«*

Daß Rhein, Wein und Mädchen eine gute Mischung sind, hatte so mancher Barde besungen, und daß die Girls gesund waren, daran bestand bei Lord Nelsons Auslesegrundsätzen kein Zweifel.

Schließlich wurden sie für Genf examiniert. So konnte Andreas uneingeschränkt bestätigen: *»No venereal diseases, no AIDS.«* Man schien ihn wohl für den hier zuständigen Rennstallbesitzer zu halten.

Mit vielen unvermeidlichen Cocktails und *Whisky at it's best*, mit sich steigernden Reden in Deutsch und Englisch, durchsetzt mit den unverständlichen Lauten der Muttersprache der Gäste, untermalt von dem Kichern der Lämmchen, alles eingelullt in den Sound einer sanften Musik, so glitt der Tag aus Andreas' Bewußtsein davon.

Irgendwie war es ihm gelungen, mit dem Wagen heil nach »Falkenlust« zu gelangen. Als die Dämmerung in seinem Gehirn dem Kopfschmerz wich, richtete er sich vorsichtig im Bett auf. Sein Jakkett hing am Haken neben dem Schrank, die Schuhe lagen auf dem Teppich. Im übrigen steckte er noch in seiner Kleidung. Er hielt den brummenden Kopf mit beiden Händen und spürte Erleichterung, als er den Blick durch das Zimmer wandern ließ: Der Koffer stand neben der Tür.

Kapitel 4

Am Dienstag der neuen Woche, zu der Stunde mit dem Gold im Munde – und »Blei im Arsch«, wie Kriminalhauptmeister Wolfgang Müller in seiner immer dezenten Art zu ergänzen pflegte, wurde in der Ritterhausstraße das Souterrain eines Altbaus renoviert. Die Fenster des Wohnraums schützten schmiedeeiserne Gitter und gaben Sicherheit vor Ein- und Ausbrechern.

Hier durfte sich Hauptkommissar Freiberg vom 1. Kommissariat der Bonner Kripo so recht zu Hause fühlen. Mit der neuen Bleibe hatte es endlich geklappt.

Das Haupt des auf der Stehleiter turnenden Beamten zierte ein weiß bekleckerter Papierhelm, kunstvoll aus einem Doppelblatt der »Bild«-Zeitung gefaltet. Triefendes Rot der Schlagzeilenbalken, sattes Schwarz der riesigen Lettern, das Foto einer knackigen Miss, dazu das zarte Grün eines Werbespots gegen Husten hatten sich mit der herabtröpfelnden Deckenfarbe zu einem collageähnlichen Kunstwerk verbunden. Über den Fußboden liefen Elektrokabel. An der Steckerverbindung hing ein Radiorecorder, dem Mozarts

Fagottkonzert entströmte. – Walter Freiberg pinselte beschwingt die Zimmerdecke.

Der Ruf »Helm ab zum Gebet!« ließ den Morgenarbeiter herumfahren. Vom Quast tröpfelte weiße Farbe auf den Papierhelm und das T-Shirt mit dem Bonner Kußmund.

»Lupus! Dich schickt die Hölle!« begrüßte der Helmträger seinen Mitarbeiter. »Du störst bei ehrenwertem Schaffen, und zwar sehr. Es sei denn, du willst mir helfen.«

»Chef, mich dauert dein Schicksal. Steig herab aus deinen Höhen – auf uns wartet der Tod!«

Walter Freiberg schleuderte mit gezielten Handbewegungen die Farbe vom Quast in den Plastikeimer, fast so, als wolle er Weihwasser verspritzen.

Lupus hüpfte einen Schritt zurück. »Tut mir ja leid, Chef, dich bei so schöpferischem Tun zu stören, aber eine frische Leiche dürfen wir nicht warten lassen.«

Freiberg stöhnte laut. »Doch nicht jetzt! Wann soll sich denn aus dieser Behausung jemals ein Heim entwickeln?«

»Wenn das Telefon angeschlossen ist«, kam die prompte Antwort.

»Recht hast du. Worum geht's also?«

»Ein Toter auf der ›Schääl Sick‹ bei der Jugendverkehrsschule in Beuel.«

Freiberg winkte ab. »Du nervst mich aber wirklich. Schon mal was von Zuständigkeiten gehört? Unfälle sind Sache unserer uniformierten Brüder.«

»Stimmt! – Nur hier nicht.«

»O nein, Lupus, bitte! Die Kinder fahren auf dem Übungsgelände mit Tretautos oder Scooter über Miniaturstraßen – und das noch unter Aufsicht.«

»Sehr richtig. Und da dort keine Panzerwagen mit scharfen Waffen eingesetzt werden, muß wohl der Schuß ins Herz auf andere Weise erfolgt sein.«

»Wie bitte?«

»Die Beueler haben schon das ganze Präsidium hochgescheucht. Nur weiß unser CEBI-Computer nicht, was er ohne uns vom 1. K. mit der Leiche anfangen soll.«

»Witzbold, nun los! Die sechs W's: Wer? Was? Wann? Wo? Womit? Warum? Wir haben das doch gelernt. Mach deinen Kommissar mal schlau.« Freiberg drehte seinen Papierhelm quer und trat auf eine tiefere Leitersprosse. Es sah aus, als wolle der kleine Blechtrommler Oskar Matzerath herabsteigen. Nur der kurzgetrimmte Junglehrerbart paßte nicht ganz ins Bild.

»Chef –« begann Kriminalhauptmeister Müller, der von seiner Mama selig meist Wölfchen, von Freund und Feind aber nur Lupus gerufen wurde.

»Du nervst mich mit deinem ›Chef‹ mehr als die Polizei erlaubt«, fuhr Freiberg ihn an. »Ich führe seit meiner Geburt einen christlichen Namen.«

»Zu Befehl, Chef Walter. Oder hättest du lieber den ›Waldi‹ deiner studentischen Hilfskraft?«

Freiberg drohte mit dem tropfenden Quast, und Lupus wurde sachlich. »Meldung von Uni 15/14. Kinder in Begleitung ihrer Mütter haben vor einer Stunde einen toten Mann auf der Bank am Verkehrsübungsgelände im Beueler Rheinauenpark gefunden. Schuß in die Brust. Fundort abgesperrt. Bisher keine Zeugen, kein Täter, keine Waffe, kein Motiv. Der Notarzt ist draußen. Unsere Spurensicherung trabt an. Die Beueler warten auf uns!«

Freiberg stellte den Farbeimer ab und hängte den Papierhelm über die Leiter. »Tja, dann! Ich wasche mich kurz und ziehe mich um.«

Das Fagottkonzert blieb unvollendet, der Deckenanstrich auch.

»Unser Wagen steht draußen«, erklärte Lupus. »Ich klemme mich schon mal hinters Steuer und gebe unserem CEBI den Status ein. Dann merkt unser oberster Dienstherr endlich, daß wir im Einsatz sind.«

Ohne CEBI lief im Bonner Polizeipräsidium nichts. Alle fünf Schutzbereiche waren durch Bildschirmterminals mit der Einsatzleitstelle verbunden. Jedes Fahrzeug hing an einem Funkstrahl, und der datenfressende Computer saß wie die Spinne im Netz. Elf Einsatzleittische, fünfunddreißig Tonbandmaschinen, Notrufabfragen und Videoübertragungsanlagen waren mit dem Einsatzleitrechner zu einer gigantischen Polizeimaschine verknüpft. Über das Funkinformationssystem stand jede polizeiliche Auskunft in Sekunden zur Verfügung, ebenso die Fahndungsdaten aus dem INPOL-System und bestimmte Eintragungen aus dem Verkehrszentralregister in Flensburg.

Lupus mißtraute dem technischen Wunderding. Aus reinem

Selbsterhaltungstrieb hatte er die *C*omputer-unterstützte *E*insatzleitung, *B*earbeitung und *I*nformation, kurz CEBI, schlicht »unseren elektronischen Blödmann« getauft. Wenn er über eine Auskunft aus dem elektronischen Gehirn besonders sauer war, stellte er genüßlich fest: »Der Kerl ist auch nicht schlauer als wir.« Doch Kriminalhauptmeister Müller kannte seine Pflicht. Sein Zeigefinger suchte den Statusgeber am Armaturenbrett von Uni 81/12. Er drückte »Status 3«. Damit wußte CEBI, daß die Mordkommission im Einsatz war.

Hauptkommissar Freiberg, der Chef dieses Unternehmens zur Wahrung der Menschenwürde, stieg zu. Lupus ließ den Motor hochdrehen. Am Bundeskanzlerplatz, vor dem Palais Schaumburg, hatte sich der Verkehr verknotet. Adenauers Bronzekopf lächelte über die dahinhastenden Menschen. Der Alte schien sich über jeden Vogel, der seine Stirn traf, und jedes Hündchen, das an seinem Sokkel das Bein hob, zu freuen. Dabei war die Lage noch nie so ernst: Freiberg pulte weiße Farbe von seinen Fingern.

Lupus war nach Motzen zumute: »Was haben die Machtwechsler sich damals eigentlich dabei gedacht, dieses Ungetüm von neuem Kanzleramt den Blicken der Menschheit auszusetzen? O Chef, wie schön könnte Bonn sein, wenn es solche Gebäude und unsere Leichen nicht gäbe. Und wie grenzenlos wäre unsere Liebe zu den Politikern.«

»Du verstehst das nicht«, sagte Freiberg. »Dieses Bauwerk gebar der Fortschrittsglaube der Macher in der Zeit, als uns Herr Guillaume beehrte. Hier hat die Demokratie als Bauherr zugeschlagen.«

»Die hätten lieber die Verkehrsführung verbessern sollen. Das dauert heute wieder, bis wir vor Ort sind und ›Status 3‹ eingeben können.«

Freiberg knibbelte an den Farbresten unter den Fingernägeln. »CEBI scheint dich ganz schön an der Kandare zu haben.«

»Die haben uns im Präsidium total im Griff. Wenn es einen Knopf dafür gäbe, ich würde immer ›Status Pinkelpause‹ drücken.«

Auf der Friedrich-Ebert-Allee lief es wieder. Gleich mußten sie in Höhe des Präsidiums nach links auf die Brückenrampe abbiegen. Freiberg griff zum Peikermikrofon, um letzte Auskünfte einzuholen. »Uni für Uni 81/12. Kripo Freiberg und Müller auf dem Wege zur Jugendverkehrsschule Beuel. Gibt es neue Erkenntnisse über den Toten?«

Die Einsatzleitstelle meldete sich sofort. »Uni 81/12 von Uni. Keine neuen Erkenntnisse.«

»Danke«, antwortete Freiberg.

Lupus grinste. »Wenn wir unserem elektronischen Blödmann nichts ins Gehirn stopfen, dann bleibt er dumm wie Bohnenstroh. Ist doch eine schöne Vorstellung: Zwei Kriminalbeamte der Spitzenklasse auf Futtersuche für CEBI. Früher nannte man das Ermittlungen führen.«

Mit quietschenden Reifen jagte Uni 81/12 auf der anderen Rheinseite über die Brückenabfahrt in die Unterführung zum Landgrabenweg. Gleich links erstreckte sich das eingezäunte Übungsgelände des Verkehrsgartens. Auf dem asphaltierten Platz vor dem Pavillon, in dem auch die Miniaturfahrzeuge untergebracht waren, hatten sich Neugierige eingefunden. Sie wurden von uniformierten Beamten vom Fundort der Leiche ferngehalten. Das war keine ganz einfache Sache in dem weitläufigen Parkgelände.

»Kommt runter von da oben!« rief ein noch junger Polizeiobermeister den Kindern zu, die auf Wanten und Masten von Haribos Kletterschiff herumturnten. Dieses riesige, hölzerne Spielgerät hatte sich aus der Zeit der Bundesgartenschau erhalten. Die Kapitänsbrücke bot beste Sicht auf den toten Mann, der wie ein ruhender Clochard auf der Bank an der Stirnwand des Pavillons mehr saß als lag.

»He, Klaus, von he obbe kannste jet Bloot sehe«, schrie ein kleiner Junge mit aufgeschnalltem Tornister seinem Freund zu, der sich nach oben hangelte.

Freiberg war ausgestiegen. Er rief: »Die Kinder müssen da aber wirklich verschwinden.«

Der Kollege des Uniformierten wußte Rat. Er fuhr mit dem Streifenwagen ein Stück vor, ließ das Martinshorn aufheulen und rief ins Megaphon: »Kommt sofort runter vom Kletterschiff – oder wir holen euch!«

Das half. Im Nu waren die Kinder in den Büschen verschwunden.

»Nun sieh dir den an! Der hat uns gerade noch gefehlt.« Lupus stieß Freiberg in die Seite und wies auf eine nicht sehr groß geratene, aber drahtige Figur, die mit umgehängter Kamera genau dahin kletterte, von wo die Kinder verschwunden waren.

»Der schnelle Mauser, unser ständiger Freund von der Presse. Wer hat denn den hochgescheucht?«

»Abgehört hat der unseren Funksprechverkehr, das ist doch sonnenklar«, stellte Lupus fest. »Dem möchte ich wirklich mal Daumenschrauben anlegen.«

»Ach, laß ihn doch. Schließlich hat er uns auch schon manchen guten Dienst erwiesen.«

»Dieser Schwarzhörer – dieser Computerhacker!«

»Komm schon, reg dich ab. Wie sagtest du vorhin? Auf uns wartet der Tod.«

»Nun laß mir meine makabren Witze, Chef. Du weißt, ich kann keine Leichen ertragen. Lupus jagt lieber die Täter.«

Alle Mitarbeiter im 1. Kommissariat wußten von Lupus' Trauma. Ihn schüttelte ein physisches Unbehagen, wenn er am Tatort ein Opfer betrachten mußte. Jetzt hielt er sich so an Freibergs Seite, daß er dem Mann auf der Bank nicht zu nahe kam. Doch es war auch für Lupus unvermeidlich, den Toten anzusehen.

Freiberg begrüßte den Arzt. »Na, Doktor Kehlmann, wie sieht's aus?«

»Schuß ins Herz. Sofort tot.«

»Selbstmord?«

»Mit Sicherheit nicht.«

Der Kollege vom Erkennungsdienst trat hinzu. »Hallo Freiberg, welch ein schöner Morgen am Rhein. Nur der Mann auf der Bank hat nichts mehr davon. – Wir haben auch nichts. Keine richtigen Spuren, keine Zeugen, keine Waffe.«

»Papiere?«

»Nichts, gar nichts, auch kein Portemonnaie. Ein wenig Krümelkram aus den Taschen muß im Labor untersucht werden. Der Tote dürfte direkt vor der Bank aus einem Auto ausgeladen worden sein. Wir haben ein paar Blutspuren auf dem Asphalt gesichert.«

Freiberg wandte sich dem Arzt zu: »Nur die eine Schußverletzung?«

»Ja, Blattschuß.«

»Und das Projektil?«

»Müßte noch drinstecken. Jedenfalls keine Ausschußwunde.«

Freiberg nickte zufrieden. »Wenigstens etwas. Läßt sich die Todeszeit schon bestimmen?«

Dr. Kehlmann zögerte. »Nun, nach der Fleckenbildung und der Totenstarre, soweit man das hier feststellen kann, vielleicht zwischen null und drei Uhr. Verzögerung durch Kälte kann außer Betracht bleiben. Diese Sommernacht war ganz erträglich. Der rechtsmedizinische Befund wird es genauer bringen.«

»Wie alt mag der Mann sein – Mitte Vierzig?«

»Ja, schätze ich auch.«

»Danke für die Hilfe«, sagte Freiberg.

»Keine Ursache. Im Grunde ist das ja kein Fall für den Notarzt. Ich fahre zurück.« Dr. Kehlmann verabschiedete sich mit einem Händedruck.

Freiberg sah sich den Toten genauer an. Der Mann war mittelgroß, hatte volles dunkles Haar und einen auffallend breiten, waagerecht durchlaufenden Haaransatz. Die Augenlider waren geschlossen. Er trug eine graue Tuchhose mit Ledergurt, graue Knöchelsokken, aber keine Schuhe. Das hellblaue Sporthemd war unterhalb der linken Brusttasche durchschossen. Die Hände des Toten wirkten gepflegt, sie sahen nicht nach körperlicher Arbeit aus.

Lupus war zur Seite getreten und sah sich am Pavillon um.

Der Kollege von der Spurensicherung hatte sich einen dünnen Gummihandschuh übergestreift und tippte mit zwei Fingern auf die rechte Brusttasche des blutgetränkten Hemdes. »Da steckt noch etwas drin«, sagte er und knöpfte die Tasche auf. Dann zog er ein flaches, rechteckiges Plastiktütchen im Format von etwa fünf mal sechs Zentimetern heraus.

»Nanu, was haben wir denn da? Das könnte ein Reinigungstuch sein – oder ist da vielleicht Süßstoff drin?« fragte Freiberg.

Der Kollege von der Spurensuche hielt den Fund hoch und drückte ein wenig auf die Ränder. »Ich glaube weder – noch. Eher etwas Flüssiges und drauf steht ›Relax‹ – lax... Laxativum, das scheint ein Abführmittel zu sein.«

»Das muß mir die KTU ganz schnell untersuchen«, sagte Freiberg. »Erstes Ergebnis bitte telefonisch vorab.«

Das Heftchen kam in eine durchsichtige Tüte. Freiberg sah, daß Lupus Richtung Landgrabenweg hinter dem Pavillon verschwand und gab Presse-Mauser einen Wink. Wie der Blitz sprang der vom Kletterschiff herunter. »Hallo, Hauptkommissar Freiberg, wird die vierte Gewalt gebraucht?«

»Grüß' Sie, Mauser. Na, wieder die richtige Frequenz eingequarzt?«

»Himmel, nein, alles völlig legal. Hinweis aus Leserkreisen.«

»Den Spruch kenne ich. Lassen Sie das nur Lupus nicht hören, der holt die Daumenschrauben!«

Presse-Mauser, wie der quicke Journalist von der Kripo genannt wurde, verstand sein Geschäft. Er kam sofort auf den Punkt: »Wer ist der Tote? Mord oder Selbstmord? Täter? Spuren?«

Freiberg antwortete genauso lakonisch: »Mord, Herzschuß, Täter unbekannt, keine Zeugen, keine Spuren.«

»Wenig genug.«

»So ist es. Holen Sie sich ein paar anständige Aufnahmen in den Kasten.«

In Sekunden hatte Mauser die Spiegelreflex am Auge und das Schiebezoom für den richtigen Ausschnitt justiert. Der Winder zog durch, sst – klick, sst – klick, sst – klick. Das unverkennbare Geräusch schien gar nicht aufzuhören.

»Nun reicht's«, bremste Freiberg. »Der Kopf muß gut rauskommen. Zusammen mit den Übersichtsaufnahmen vom Schiff aus wird das bestimmt ein starker Aufmacher.«

»Und ob!«

»Mauser, bitte. Der Kopf muß kommen, nicht das blutige Hemd. Ihre Leser können uns vielleicht helfen, den Mann zu identifizieren. Wir bringen vom Präsidium noch offiziell Fotos – aber Ihre sind schneller.«

»...und besser, wollten Sie sagen.«

Lupus kam zurück und zeigte auf Mauser. »Dieser Schwarzhörer läuft hier frei herum.«

»Wußte ich's doch, Freiberg – der liebt mich«, frotzelte Mauser.

Lupus blieb bissig. »Wenn ich das bloß sehe, mit der Lügenoptik auf dem Kriegspfad. Vom Recht am Bild hältst du wohl gar nichts, wie? Das steht auch Leichen zu!«

»Ich arbeite im vollen Einverständnis mit der Kripo. Die Bestätigung durch deinen Kommissar wird dich glücklich machen«, klärte Mauser seinen Freund auf. Sie kannten sich seit vielen Jahren und hatten schon manches Kölsch miteinander getrunken. Mauser war freier Journalist, hatte einen guten Draht zu den Redaktionen der örtlichen Presse und bediente auch die Nachrichten- und Informationsdienste mit den kriminellen Pikanterien aus der Bundeshauptstadt. Sein Bild- und Textarchiv war ebenso berühmt wie sein Personengedächtnis.

»Wenn du den Gewesenen auf der Bank von deinen unerlaubten Pirschgängen kennst, sag es lieber gleich, du Repräsentant der Bonner Unterwelt«, sagte Lupus.

»Den Typ habe ich nie gesehen, der hat hier nicht gesumpft«, erklärte Mauser. »Aber mein Knüller wird morgen die Leser hochschrecken.«

Freiberg stöhnte: »Und wir haben wieder die liebe Last, die Wichtigtuer von den vorsichtigen Beobachtern zu trennen. Aber zugegeben: Manchmal bringt es uns weiter.«

Der Hauptkommissar hatte ohne große Worte die Regie am Ort übernommen. Nachdem die Spurensicherung ihr Bestes getan hatte und auch die amtlichen Filme belichtet waren, ließ er die Leiche in den Transportsarg legen. »So, und nun den Herrn schnellstens zur Rechtsmedizin.«

»Jetzt dürfen wir auf den Bolzen gespannt sein, den der Herr Tote im Herzen trägt«, meinte Lupus und wandte sich ab, um nicht sehen zu müssen, wie das vom Blut gezeichnete Opfer abtransportiert wurde.

Presse-Mauser ließ es sich nicht nehmen, noch ein paar harte Fotos zu schießen. Schließlich waren viele Blätter zu bedienen, und er wollte keine identischen Bilder liefern. Die Vielfalt der Presse mußte gewahrt werden.

»Wer macht eigentlich die Bank sauber?« fragte Lupus. »Das kann man doch nicht den Müttern überlassen, die hier sitzen wollen, um ihre Brut zu behüten.«

»Immer der, der so dumm fragt«, antwortete Freiberg. »Die Polizei, dein Freund und Helfer.«

Lupus schaltete blitzschnell. »He, Jungs von der Leichensammlung«, rief er. »Vergeßt nicht, die Bank zu schrubben. Dazu ist Wasser genug im schönen deutschen Rhein.«

Tatsächlich kam ein Helfer mit einem Aufnehmer und einem Eimer mit Desinfektionsflüssigkeit zurück und ging ans Werk.

Lupus grinste: »So ist's brav. Unsere uniformierten Brüder werden sich überzeugen, ob alles in Ordnung ist. – Komm, Chef, wir hauen hier ab. Wir haben genug gesehen für heute. Mir reicht's bis oben hin!«

Freiberg ging noch einmal zu den neugierigen Beobachtern am Rande der Szene und befragte jeden einzelnen nach seinen Wahrnehmungen. Niemand wußte etwas, aber jeder wollte den Toten zuerst entdeckt haben. Einige Mütter zogen ihre Sprößlinge zu sich heran. »Oh, diese schrecklichen Eindrücke, hoffentlich bleibt bei den Kleinen kein Schaden zurück.« – Aber warum hätten sie denn mit den lieben Kleinen nach Hause gehen sollen? – Hier gab es doch so viel zu sehen!

Die Bürschchen vom Kletterschiff hatten sich durch die Büsche des Rheinauenparks langsam an die Bank unter dem Pavillondach herangearbeitet. Ein paar ältere waren hinzugekommen und ließen kein Auge von den Vorgängen. Einer von ihnen tönte: »Mensch, der hat vielleicht ein Ding verpaßt gekriegt. Das ganze Hemd – nix wie Blut! Ob die Bullen den Mörder finden?«

»Die Polizei findet ihn!« sagte Freiberg laut und deutlich. »Und ihr verschwindet hier besser, aber schnell, bevor wir euch Beine machen. Los, trabt ab zur Schule!«

Die Kinder zeigten keine Eile. Der Bangemacher trug ja keine Uniform. Er sah fast so aus wie ihr Lehrer – und der konnte ihnen nicht imponieren.

Kapitel 5

In der Zentrale des Ostblockstaates war man über die Entwicklung in der Deutschen Bundesrepublik beunruhigt. Die Wahlen hatten das erwartete Ergebnis gebracht. Noch war die alte Regierung interimistisch im Amt, doch das Personenkarussell für die Kabinettsumbildung lief in Bonn auf Hochtouren. Die Vereidigung des Kanzlers und der neuen Minister sollte in der kommenden Woche erfolgen.

Die Weisung war mit Funkschlüssel »Vorrang-Blitz« direkt vom Chef gekommen. Er hielt es für geboten, alle riskanten Transport- und Lagergeschäfte der Bonner Firma abzuwickeln und einen begrenzten Personalaustausch in die Wege zu leiten. Die neue Regierungsmannschaft sollte keine Gelegenheit haben, sich über den ihnen bald möglichen Einblick in die »Dienste« in Pullach, Köln und auf der Hardthöhe mit den alten Mitarbeitern von »Comport« zu befassen. Die Firma mußte für neue Aufgaben umstrukturiert werden. Auch aus diesem Grunde war zu einer »Gesellschafterversammlung« der Comport-Transport- und Lagergesellschaft mbH eingeladen worden. Das Treffen fand in dem für internationale Firmen dieser Größenordnung angemessenen, also durchaus gehobenem Rahmen statt. Das Hotel »Mühlenhof« im Ahrtal mit seiner Dependance »Weinkeller St. Nikolaus« bot einen gepflegten Service und intime Konferenzräume, die sich vor neugierigen Ohren gut abschirmen ließen. Die Aufwendungen konnten als Betriebsunkosten steuerlich abgesetzt werden. Die Anreise war am Montag erfolgt, so daß die Beteiligten am nächsten Morgen zur Stelle waren. Am Dienstag hatte sich die Versammlung mit rein kaufmännischen Dingen befaßt. Für Mittwoch standen die Punkte Organisation und Verschiedenes auf der Tagesordnung.

Geschäftsführer Werner Baumann, der als letzter den kleinen Konferenzraum betreten hatte, nahm an der Stirnseite des ovalen Tisches Platz und begrüßte seine Mitarbeiter. »Verehrte Dame, meine Herren! Ich danke Ihnen für Ihr pünktliches Erscheinen. Die Nacht war zwar kurz, aber wir haben gestern gute Arbeit geleistet. Ich denke, wir werden am Nachmittag den offiziellen Teil beenden können. Danach nutzen wir dieses Haus und das schöne Ahrtal für eine kurze Entspannung. Am Donnerstag gemeinsames Frühstück, dann Rückreise. Heute erwarten wir noch den Außendienstleiter. Er müßte bald eintreffen.«

Baumann hob die Stimme: »Die Tagesordnung liegt Ihnen vor. – Bemerkungen dazu?« Er sah kurz auf. »Keine? Danke. Das Ergebnisprotokoll werde ich selbst fertigen und zu den offiziellen Geschäftsakten nehmen. Wir sind hier ungestört und können offen reden. Unsere Spezialisten haben das Umfeld geprüft und gesichert. Eine Tischgemeinschaft von Z II wird ständig im Hause sein. Sollten Sie jemanden erkennen, so kennen Sie ihn bitte nicht! Hier im ›Mühlenhof‹ gilt striktes Kontaktverbot.«

»Gibt es Anzeichen, daß Achsen heißgelaufen sind?« fragte der »Marketingleiter« besorgt. »Schäden im Fuhrpark?«

»Das Sicherheitsbüro, Abteilung I, hat keine zwingenden Erkenntnisse. Chef SB hält jedoch Vorsicht für geboten.«

Der »Redakteur«, wie der salopp gekleidete Spezialist der Firma für Werbung und Presseüberwachung sich gern nennen ließ, sah auf: »Die deutschen Medien halten ziemlich still. Die holen ihre Meldungen erst dann aus der Kiste, wenn die ›Neuen‹ den ›Alten‹ am Zeuge flicken wollen. Auch beim Verfassungsschutz ist es verdächtig ruhig; der MAD hat seine eigenen Probleme.«

»Ist die Sache ›Transfer‹ abgewickelt?« ließ sich der »Oberbuchhalter« vernehmen, durch dessen Hände jährlich hohe Millionenbeträge gingen.

»Ja, nach der Meldung durch die Zweite Verwaltung hat der Kontakt auf dem Petersberg stattgefunden. Z II hat die Übergabe observiert. Die Codemeldung liegt vor«, erläuterte der Vorsitzende. »Der Herr Außendienstleiter scheint nicht viel von Pünktlichkeit zu halten. Er hätte schon heute morgen Bericht erstatten sollen.«

»Die Codemeldung geht in Ordnung«, bestätigte der »Ingenieur«, Leiter der Datenverarbeitung, wie seine Abteilung bei Comport bezeichnet wurde. Hier liefen alle elektronischen Fäden zusammen. Sein Funknetz bildete das Herz des Unternehmens.

Die Gesichter in der »Gesellschafterversammlung« bekundeten Zufriedenheit. Nur der »Ingenieur« murrte: »Diese verdammten Sonderaufträge! Dadurch laufen wir Gefahr, daß unsere Tarnung mit einem Donnerschlag in die Luft fliegen kann. Ich habe den »Chef der Zentrale« gebeten, Sonderkuriere einzusetzen. Wofür haben die denn ihre Reisekader?«

Vorsitzender Baumann pflichtete dem bei. »Unsere Schwachstellen liegen im Vertreternetz. Das ist systembedingt, denn dort müssen ja schließlich die Geschäfte angebahnt werden. In erster Linie sind es nun mal die Außendienstmitarbeiter, die mit den deutschen Geschäftspartnern an einem Tisch sitzen. Wir müssen unserem Außendienst unbedingt den Rücken freihalten, denn wir haben keine diplomatische Abdeckung wie unsere Cocktailtrinker aus der Botschaft.«

»Sehr richtig«, stellte der »Ingenieur« fest. »Der Außendienst muß umstrukturiert und das Personal ausgetauscht werden. Die Gesichter sind langsam zu bekannt. Der Comport-Kern, also die echte Handelsabteilung, wird noch stärker separiert. Die legalen Speditionsgeschäfte müssen absolut sauber laufen, damit uns der operative Stützpunkt erhalten bleibt.«

Die Gesellschafter nickten abermals zustimmend. Was der »Ingenieur« anordnete, hatte ohnehin Gesetzeskraft. Er war als hochrangiger Führungsoffizier der wirkliche Chef des Unternehmens, nicht Baumann. Der durfte mit seinem braven deutschen Namen nur dafür sorgen, daß die Eintragung im Handelsregister einen guten Klang hatte und daß die »Gesellschaft mit beschränkter Haftung« nach geltendem Recht funktionierte, ohne Aufmerksamkeit zu erregen. Vor allem durften die Steuerprüfer des Finanzamts keinen Anlaß finden, irgendwo einzuhaken. Seit der Aufdeckung des Parteispendenskandals in Bonn genossen sie besonderen Respekt.

»Gibt es neue Erkenntnisse bei ›Video‹?« fragte der »Ingenieur«.

Ein alerter schlanker Mann, etwa fünfunddreißig Jahre alt, stechend graue Augen, eine Mischung vom Typ Alain Delon und Tom Selleck, zögerte mit der Antwort. Trotz der hier zugesicherten Vertraulichkeit durfte er seine Karten nicht offen auf den Tisch legen – dafür waren seine Aufgaben zu delikat. »Video« war schließlich nicht nur die Schleusenzentrale für den Nachrichtenaustausch, mit einem richtigen Geschäftslokal und eingeschriebenem Kundenkreis, sondern war auch er selbst, der dem »Ingenieur« die Integrität und Vaterlandstreue der Außendienstmitarbeiter zu garantieren hatte. Er hatte dafür zu sorgen, daß Aussteiger aus der »Szene« nicht sehr viel älter wurden. Für Männer wie »Video« bedeutete das Wort »liquidieren« nicht ärztliche Abrechnung oder Auflösung eines Handelsunternehmens, sondern genau das, was die Väter der Weltrevolution daraus gemacht hatten: »Ex und hopp!«. Dafür gab es in der Videothek ein paar Spezialisten!

»Video« sagte schließlich prononciert: »Die Schleusenzentrale arbeitet technisch einwandfrei. Nur gut, daß wir rechtzeitig eingestiegen sind. Mit achttausend Kassetten in Köln ist der Laden wirklich gesund. Pornos und Horror laufen wie geschmiert, und es geht dabei zu wie im Taubenschlag. Besser läßt sich eine technische Deckadresse wohl kaum organisieren. Das gilt auch für die Parallelunternehmen in Hamburg, Düsseldorf, Frankfurt und München.«

Der »Ingenieur« hatte sofort gemerkt, daß »Video« ihm persönlich noch einiges sagen wollte, jetzt aber in diesem Kreis nicht reden konnte.

Ein leiser Piepton im Taschenempfänger ließ Baumann das Thema wechseln. Die Tischgemeinschaft von Z II war auf der Hut.

Der Kellner trat ein, um Kaffee und Gebäck zu servieren. »Darf ich noch andere Wünsche entgegennehmen?« fragte er.

Der Vorsitzende mied jeden Eindruck, autoritär zu wirken oder die »Gesellschafterversammlung« als etwas anderes erscheinen zu lassen, als das, was sie sein sollte. Seriöse Geschäftsleute kennen keine Hast, und so konnte jeder in Ruhe wählen und bestellen.

»Ich nehme einen Tee mit Rum«, erklärte der »Ingenieur«.

»Und mir bringen Sie bitte einen Calvados zum Kaffee und eine gute Zigarre, eine Havanna, wenn möglich«, sagte »Video«. Man mußte doch etwas für die guten Freunde auf Kuba tun.

Baumann nahm einen Armagnac. Die anderen winkten ab.

»Ich unterbreche die Sitzung für eine Viertelstunde«, stellte der Vorsitzende fest. »Die Kaffeepause gehört schließlich zur Tagesordnung.«

Die Herren standen auf, auch die einzige Dame am Tisch. Die »Chefin-Personal« nahm ihre Kaffeetasse mit an eines der Fenster. Ilona trug ein schlichtes grünes Kostüm mit brauner Lederpaspelierung. Ihre halblangen, dunkelbraunen Haare waren zu einem Pferdeschwanz gerafft. Das gab dem zart-herben Gesicht eine mädchenhafte Strenge. Ihr Teint war so makellos wie ihr sanft gerundeter Körper. Dank dieser Vorzüge und anderer Talente, die nicht nur als Verhandlungsgeschick definiert werden durften, hatte sie für Comport schon manche Geschäftsbeziehung anbahnen können. Einige Fotos aus der konspirativen Wohnung in Siegburg am Fuße des Michaelsberges zeigten nicht nur ihre körperlichen Vorzüge, sondern auch die Schwächen oder Stärken deutscher Repräsentanten der Wirtschaft, die sich im Rüstungs- und Waffengeschäft auskannten. Die Bilder waren als vorzügliche Druckmittel für späteres Wohlverhalten, sorgfältig archiviert. Sie wurden vom »Ingenieur« persönlich gehütet. Ilona war schließlich seine angetraute Ehefrau. Im Kreis der Gesellschafter von Comport ging man davon aus, daß es sich um eine operative Ehe handelte, die natürlich gelegentlich vollzogen wurde.

Die »Chefin-Personal« herrschte als ungekrönte Königin im Drohnenstaat der Firma. Nach einem kurzen Blick aus dem Fenster zupfte sie den »Ingenieur« am Ärmel zu sich heran. »Ing, was ist mit ›Video‹ los?« fragte sie leise. »Der hat doch Probleme. Soll ich mal mit ihm reden?« Sie registrierte jede Störung wie ein hochempfindlicher Seismograph, oft sogar früher als ihr »Ingenieur«.

»Irgend etwas stimmt nicht«, bestätigte er. »Aber laß nur, ›Video‹ wird mir schon sagen, was los ist.«

Sie nickte, trank den letzten Schluck Kaffee und ging zur Tür mit dem Bildchen der stilisierten Dame. Das Herrenbild prangte an der Tür gegenüber. Dort trafen sich die männlichen Gesellschafter bei der schweigsamen Pausenzeremonie.

Nur der »Ingenieur« und »Video« waren zurückgeblieben und betrachteten durch das Panoramafenster den steil ansteigenden Hang des gegenüberliegenden Weinbergs. Die Reben standen gut, und mit genügend Sonne im Spätsommer dürfte auch ohne Zuckerzusatz ein guter Roter zu erwarten sein. Deckweine aus Algerien zur Qualitätsverbesserung oder Traubenmostkonzentrate würden notfalls dafür sorgen, daß die Weinfreunde ihren Trank und Gesprächsstoff hatten.

»Video« starrte angestrengt nach draußen, als der »Ingenieur« zu ihm trat. »Was ist los? Irgend etwas liegt dir doch im Magen. Ilona hat mich schon nach der Laus auf deiner Leber gefragt. Mit mir mußt du schon reden. Also, was läuft?«

»Wenn ich das wüßte«, sagte »Video« leise. »Etwas ist faul an der Geschichte.«

»Du meinst den Geldtransfer?«

»Ja, genau den – und damit den Außendienstleiter.«

»Unsinn, Z II hat observiert. Ich habe alle Meldungen gespeichert. Der Code stimmt hundertprozentig.«

»Video« drehte sich abwägend in den Schultern. »Was hat Z II beobachtet?«

»Die Geldübergabe im BMW.«

»Doch wohl nur, daß die beiden Akteure in den Wagen eingestiegen sind und miteinander geredet haben. Oder?«

»Ja, sicher, was denn sonst? Die konnten sich doch nicht danebenstellen. Jedenfalls ist unser Außendienstleiter mit der leeren Bügeltasche ausgestiegen. Das steht fest.«

»Und was haben die beiden im Auto miteinander besprochen?«

Der »Ingenieur« hob langsam den Blick. »Das weiß ich nicht.«

»Wieso nicht? Keine Aufzeichnung?«

»Verdammt, die war gestört. Das Gerät war zu schwach, oder die Ableitung durch die Karosserie zu stark.«

»Siehst du, die Karre war abgeschirmt – ein Loch ist im Eimer!«

»Verfluchte Zucht, meinst du, daß die einen Türken gebaut haben könnten, um unserem Mann den Absprung in den Westen zu ermöglichen?«

»Denkbar ist alles. Warum ist der hier noch nicht aufgekreuzt?«

»Das besagt nichts. Der war noch nie pünktlich, das bringt der Außendienst so mit sich.«

»Und wenn die Kameraden vom Verfassungsschutz den nun umgedreht haben?«

»Du meinst, mit unserem Transfergeld?«

»Genau!«

»Und wir hätten denen mit einer Million die schwarze Kasse aufgefüllt?«

»Ganz genau das!«

»Weil die den Transfer sowieso nicht mehr als Staatseinnahme buchen können, jetzt nach dem Regierungswechsel? Oha, du meinst also, die kaufen mit unserem Geld unseren Mann?«

»Ganz genau das ist der Casus knaxus!«

Die Hände des »Ingenieurs« begannen zu zittern. »Dann dürfte die Mannschaft von Comport erledigt sein – die Aufpasser von Z II allerdings auch.« Sein Gesicht war aschfahl. »›Chef-Zentrale‹ wird uns vor ein Militärgericht bringen.«

»Video« deutete eine Handbewegung an. »Na, na, so doch nicht – mit uns nicht! Ich habe meinen besten Mann angesetzt, der hängt dran. Wenn der Außendienstleiter heute nicht im ›Mühlenhof‹ eintrifft, werden wir dem ›Chef-Zentrale‹ einen tödlichen Unfall zu melden haben.«

Der »Ingenieur« atmete ein wenig auf, blieb jedoch skeptisch. »So leicht werden sich die Verfassungsschützer ihre Beute nicht abjagen lassen. Bei den Heinzelmännchen aus Köln gibt es auch ein paar clevere Burschen, die vor nichts zurückschrecken. Sie brauchen Leistungsbeweise, nachdem ihr oberster Agentenjäger Tiedge in die DDR abgetaucht ist. – Vielleicht sind wir jetzt schon beide Männer los, und wie stehen wir dann da?«

»Ein Risiko liegt immer im Spiel«, stellte »Video« fest. »Wer es nicht ausreizt, verliert bestimmt.«

Kapitel 6

Kriminalhauptmeister Müller und Kriminalobermeister Ahrens waren mit Uni 81/12 im Begriff, auf die Konrad-Adenauer-Brücke zu fahren, um gemeinsam mit den uniformierten Beueler Kollegen das weitere Umfeld an der Jugendverkehrsschule abzuklären.

Zu dieser frühen Stunde hatte ein wirrer Anruf über 110 im Präsidium den großen CEBI aus der Morgenruhe gerissen.

»Mein Gott, warum zieht denn die Polizei das Messer nicht raus?« meldete sich eine schluchzende Frauenstimme. »Ich kann das doch nicht – dann kommt noch mehr Blut.«

Der Beamte vom Schichtdienst am Einsatzleittisch im Präsidium hatte seine liebe Not, von der völlig konfusen Anruferin die Adresse zu erfahren, wo das Messer abgeholt werden sollte.

»Von wo sprechen Sie?«

»Von zu Hause«, kam die hilfreiche Antwort.

»Und wo ist das genau?«

»In Rüngsdorf.«

»Ja – und wo da?«

»In der Nähe des Friedhofs.«

»Sagen Sie mir doch bitte, wohin die Polizei kommen soll.«

»Ganz schnell in unsere Wohnung... Ich kann doch das Messer nicht rausziehen... Vielleicht ist er auch schon tot...«

Der Beamte gab seinem Kollegen am benachbarten Funkleittisch ein Zeichen und schaltete kurz um. »Ruf den nächsten Streifenwagen Richtung Rüngsdorfer Friedhof ab. Kripo und Notarzt auch. Messerstecherei. Vielleicht ein Toter. Näheres folgt!«

Der Kollege nickte und stellte über die Tastatur Fragen an den Computer. Der Bildschirm brachte CEBI in Sekunden die Information, daß Uni 12/14 vom Schutzbereich Bad Godesberg im Pennenfeld Streife fuhr, und die Männer des 1. K. auf dem Wege zur Beueler Verkehrsschule waren. An beide Fahrzeuge erging der Ruf: »Uni 12/14 und Uni 81/12 für Uni kommen.«

Die Fahrzeuge meldeten sich.

»Fahren Sie sofort Richtung Rüngsdorfer Friedhof. Messerstecherei. Möglicherweise ein Toter. Nähere Information folgt.«

»Verstanden«, meldete sich Uni 12/14 und ging auf Kurs.

»Verstanden«, meldete sich auch Lupus Müller. »Gebt sofort Nachricht an Hauptkommissar Freiberg: Einsatz Beuel abgebrochen. Wir fahren zum Friedhof.« Lupus hängte das Mikrofon ein und sagte zu seinem Kollegen am Steuer: »Dieser elektronische Blödmann stört nur bei der Arbeit.«

Der Beamte am ersten Funktisch im Präsidium bemühte sich immer noch, von der aufgeregten Frau die genaue Adresse zu erfahren. Er ging auf Fangschaltung, doch die Prozedur der Anrufermittlung würde einige Zeit in Anspruch nehmen. Die Tonbandaufzeichnung lief.

Die Frauenstimme überschlug sich: »Wenn der gleich tot ist, sind Sie schuld. Die Polizei muß doch das Messer rausziehen – ich kann das nicht!«

»Liebe Frau«, drängte der Beamte, der seine Portion Psychologie gelernt hatte, mit ruhiger Stimme. »Die Polizei ist ja schon unterwegs und der Arzt auch. Nun sagen Sie mir bitte Straße und Hausnummer.«

»Wir wohnen doch in der Konstantinstraße, ein paar hundert Meter vor dem Friedhof.« Sie nannte sogar die Hausnummer.

Sofort ging die Angabe des Einsatzortes an die Polizeifahrzeuge. Blaulicht rotierte, und die Martinshörner jaulten auf.

Lupus und Ahrens trafen gleichzeitig mit dem Notarzt ein, der sich sofort um das Opfer kümmerte. Die Kollegen von Uni 12/14 sicherten den Tatort. In der Küche saß eine aufgeregte Mittdreißigerin am Tisch und hielt eine fast leere Flasche umklammert. Die Dame war sternhagelvoll!

»Rausziehen konnte ich es wirklich nicht«, jammerte sie unentwegt.

Ein Uniformierter saß neben ihr und tätschelte beruhigend ihre zitternde Hand. »Ist ja schon gut. Der Arzt macht das schon.«

»Sterben darf er nicht«, wimmerte sie. »Er ist doch mein Mann, und wir lieben uns. Oh, dieser Kerl.« Diese Art Logik blieb besser ohne Kommentar.

Lupus warf nur einen kurzen Blick in das Wohnzimmer. Ahrens hörte, daß sein Kollege erleichtert aufatmete. Der Mann auf der Couch mit dem Messer zwischen den Rippen lebte noch! Lupus ging in die Küche.

Ahrens blieb zurück und beobachtete mit gespannter Aufmerksamkeit, wie der Notarzt vorsichtig das Messer aus der Wunde zog.

Noch während er den Druckverband anlegte, versuchte das Opfer, sich aufzurichten.

Ein Helfer drückte den Verletzten äußerst behutsam in die Kissen. »Langsam, nicht bewegen. Sie sind verletzt. Wir bringen Sie ins Krankenhaus.«

Der Notarzt war noch jung, hatte aber schon manchen Hieb und Stich erlebt und gab sich nicht besonders zimperlich. »Der Junge hat Schwein gehabt, daß seine Küchenfee ihn nicht voll erwischt hat. Da sieht man wieder, daß die abgeschrägten Brotmesser als Stichwaffe nicht so wirksam sind.«

Der junge Ahrens, glatt rasiert, kurzer Popperhaarschnitt, wache blaue Augen, vor einigen Wochen zum Kriminalobermeister im ersten Kommissariat befördert, sah sich die ärztliche Prozedur in aller Unbefangenheit an. »So 'n Messer mit Wellenschliff macht ganz schöne Wunden«, stellte er fest.

Der Arzt winkte ab. »Es gibt schlimmere Stichverletzungen.«

»Kommt er durch?«

Der Arzt machte eine noch lässigere Handbewegung. »Na klar doch, der ist schon durch. In ein paar Tagen geht er wieder fröhlich am Rhein spazieren.«

Lupus hatte sich in der Küche zu der vollgetankten Dame gesetzt, die ihre Eheprobleme mit dem Schneidwerkzeug und durch die Polizei hatte lösen wollen.

»Wirklich, ich konnte es nicht rausziehen«, jammerte sie wieder los.

»Aber reingewemst haben Sie es mit Klafong«, fuhr Lupus sie an. Sie lamentierte weiter.

»Hörn's op zu kriesche! Verdammt! Schluß damit jetzt. Also, was war hier los?«

Sie schluchzte und zuckte. »Ich wollte doch nur, daß dieser Jeck die dumme Ziege nicht mehr wiedersieht.«

»Wenn sie ein bißchen stärker zugestoßen hätten, wäre das leicht wahr geworden«, stellte Lupus fest. »Hat er Sie angegriffen oder zurückgeschlagen?«

»Nein, nein. Der Kerl kommt nach Hause und haut sich auf die Couch. Durch die Küchentür hat er mir erzählt, wie gut dieses Miststück im Bett ist.«

»Und Sie waren gerade beim Brotschneiden?«

»Ja, für ihn. Der hat doch immer Hunger, wenn er nach Hause

kommt. Ich kriegte vielleicht 'ne Wut, Mann, was war ich wütend!«

»Hatten Sie getrunken?«

»Nur ga... ganz wenig, bestimmt.«

»Aber die Flasche ist fast leer.«

»Ja, nachher, als ich da saß und das ganze Elend mit ansehen mußte. Kein Mensch von der Polizei hat sich blicken lassen. Was sollte ich denn machen?«

»Hallo«, ließ sich der Notarzt vernehmen. »Alles nicht so schlimm, wie es aussieht. Unser Mann ist wieder bei Bewußtsein. Wir schaffen ihn ins Unfallkrankenhaus.«

Die Dame mit der Flasche wankte zur Tür. »Ich muß ihn sehen, sterben darf er nicht, mein Hennes.«

Die Samariter hatten das ärztlich versorgte Opfer auf die Trage gelegt und hoben sie an, um den Raum zu verlassen. Unvermittelt ertönte vom schwankenden Gestell eine klare Stimme: »Wenn ich wiederkomme, werde ich dir den Arsch versohlen!«

»O ja, bitte ja«, kam es lallend, jedoch dankbar, zurück. »Aber mit der dummen Ziege muß jetzt Schluß sein.«

Es schien, als ob das Opfer lächelte, als es hinausgetragen wurde.

»Werde ich hier noch gebraucht?« fragte der Notarzt.

»Danke. Der Dame fehlt nur etwas Verstand. Wir kümmern uns schon um die liebende Gattin.«

Ahrens schaute durch die Tür. »Da ist eine Nachbarin. Kann die helfen?«

»Das ist meine Freundin. Laßt sie doch rein!«

»Soll reinkommen!« rief Lupus.

Auch Frau Nachbarin wollte zur großen Szene ansetzen: »Oh, dieser Mann...«

»Schluß jetzt mit dem Gezeter«, fuhr Lupus sie an. »So ein Brotmesser zwischen den Rippen ist auch kein Vergnügen. Morgen um elf Uhr will ich die Dame im Präsidium sehen, aber nüchtern. Sonst gibt's Ärger!«

Beide Frauen nickten.

»Ahrens, los, nimm die ›Mordwaffe‹ mit und komm«, und an die Männer vom Streifenwagen gewandt: »Bitte, wickelt den Fall hier ab, Freunde. Wir müssen uns dringend mit einer toten Leiche befassen.«

»Geht klar«, antwortete ein Hauptmeister.

Lupus sah sich im Wohnzimmer noch einmal um. »Sieht aus, wie

beim DRK-Blutspendetermin, wenn ein Sammelbeutel platzt.«
»Ich denke, du kannst so etwas nicht sehen«, wunderte sich Ahrens.
»Unsinn, wer sagt denn das? Nur Leichen liegen mir nicht. Los komm! Lupus sucht Täter, nicht Opfer.«
Sie saßen kaum im Wagen, da hatte sie schon wieder ein elektronischer Finger von CEBI im Griff.
»Uni 81/12 für Uni kommen, dringend!«
Lupus schaltete sich ein: »Uni für Uni 81/12. Tatort Rüngsdorf. Frau hat mit Brotmesser auf Ehemann eingestochen. Die Leiche lebt, ist auf dem Wege ins Krankenhaus.«
Die Einsatzleitstelle schien andere Sorgen zu haben. »Uni 81/12 dringend. Sonderbesprechung im Präsidium, sofort zurück.«
Lupus drückte wütend mit seinen eher kurz geratenen Fingern auf verschiedene Knöpfe des Statusgebers, bis er Nummer fünf erwischt hatte. Zu Ahrens sagte er: »Haben die Kerle denn ganz und gar den Verstand verloren? Die können uns doch nicht wie Hasen durchs Revier treiben.« Dann brüllte er in das Peikermikrofon: »Was ist los mit euch? Wir wollen endlich arbeiten!«
Entnervend ruhig ließ sich die Stimme vernehmen: »Uni 81/12 von Uni. – Sofort zurück – Chefbesprechung.«
»Scheiße«, dankte Lupus kurz, aber herzlich.
Ahrens schmiß die Sirene an, gab Blaulicht drauf und preschte zum Präsidium zurück.
»Du fährst wirklich wie 'ne Wildsau«, stellte Lupus anerkennend fest, »bis dich die Polizei erwischt.«
»Ich hab' meine Schleuderkurse mit Erfolg absolviert – du solltest dich aber lieber trotzdem anschnallen.«
Lupus ließ sich das nicht zweimal sagen. Doch Ahrens konnte seine Schleuderkurse vergessen. Plittersdorf war mit Fahrzeugen vollgestopft. Trotz Martinshorn und Blaulicht ging es nur langsam voran. Gotenstraße, Hochkreuz, Godesberger Allee, jede Menge rollendes Blech. Manche Fahrer stellten sich noch dämlicher an, als die Polizei erlaubt. Statt bei dem Heulton rechts heranzufahren und den Weg frei zu machen, gaben sie Gas, um schneller zu sein als der Kripowagen.
»Die könnten sich mit der Zufahrt zum Präsidium mal etwas Schlaues einfallen lassen«, knurrte Ahrens, als er an dem würfelförmigen Gebäudeklotz vorbeiziehen mußte, um nach fünfhundert

Meter Fahrtstrecke links in die Ollenhauerstraße abzubiegen und endlich um die SPD-Baracke herum auf die Südrampe des Präsidiums zu gelangen.

Er parkte den Wagen zwischen den Stelzen des Überbaus. Dann stürmten beide an der Pförtnerloge vorbei die Treppe hinauf. Das ging schneller als mit dem Aufzug.

Sie wurden schon im Besprechungsraum erwartet. Nur ein kleiner Kreis hatte sich zusammengefunden. Die Besprechung wurde vom Chef der Kriminalgruppe geleitet.

Hauptkommissar Freiberg vom 1. K. hing lässig auf dem Stuhl und rieb sich weiße Farbe vom Handrücken. Er hatte schon eine Malerfrühschicht in der Ritterhausstraße hinter sich.

Die Leiter vom 2. K. – Rauschgiftkriminalität und Sexualdelikte – und vom 3. K. – Wirtschaftskriminalität – waren anwesend, ebenso die Spezialisten vom Erkennungsdienst und von der Fahndung. Lupus setzte zu einer Erklärung an: »Wir waren in Rüngsdorf, Szenen einer Ehe. Da hat eine liebende Frau ihrer besseren Hälfte ein Messer...«

»Ja, gut. Lassen wir das für später«, unterbrach der Gruppenleiter ihn. »Jetzt geht es um den Toten an der Jugendverkehrsschule in Beuel.«

Noch einmal öffnete sich die Tür. Der oberste Kripochef des Präsidiums, Leitender Kriminaldirektor Dr. Wenders, grüßte kurz in die Runde und setzte sich neben den Gruppenleiter. »Bitte weiter. Ich will nur hören, was anliegt.«

Der Gruppenleiter bat Hauptkommissar Freiberg, die Anwesenden über den letzten Sachstand zu informieren. Der Morgenmaler war noch immer durch einige weiße Sprenkelpunkte gekennzeichnet, obwohl er sich bemüht hatte, die Spuren seiner morgendlichen Tätigkeit zu tilgen. Er berichtete: »Tja, gegen neun Uhr dreißig hatte ich einen Anruf. Nicht über die Zentrale, sondern auf meiner Durchwahlnummer – seltsam. Das Gespräch war kurz und ziemlich einseitig. Ohne Einleitung sagte eine Männerstimme etwa folgendes: ›Ich habe das Bild des Toten vom Verkehrsgarten gesehen, im Express. Der Mann dürfte ein Mitarbeiter von Comport sein.‹ Auf meine Frage: ›Comport – was ist das?‹ sagte der Anrufer: ›Eine Transportfirma, die macht Ostgeschäfte.‹ – ›Haben Sie mit der Firma zu tun?‹ habe ich gefragt. Seine Antwort: ›Nein.‹ Meine Frage: ›Wer sind Sie?‹ Seine Antwort: ›Tut nichts zur Sache.‹ Damit war das Gespräch zu Ende, der Anrufer hatte aufgelegt.«

»Haben wir andere Hinweise auf den Toten erhalten?« fragte der Gruppenleiter. »Die Morgenblätter berichten eingehend.«

Lupus warf kurz ein: »Unser Mauser hat wieder mal journalistisch gelaicht wie die Heringsmütter vor Neufundland.«

Die Runde lachte.

»Nein, keine weiteren Hinweise«, erklärte Freiberg. »Ich habe eben in der Leitstelle rückgefragt. Die haben nichts. Bisher auch von den Schutzbereichen keine Meldungen.«

»Wer steckt hinter Comport?« fragte Dr. Wenders.

»Nach dem Telefonbuch ist Comport eine Transport- und Lagergesellschaft mit beschränkter Haftung nach deutschem Recht«, antwortete Freiberg.

»Haben Sie mit der Firma Kontakt aufgenommen?« wollte der Gruppenleiter wissen.

»Noch nicht. Beim Stichwort ›Ostgeschäfte‹ habe ich erst mal Sörensen vom 19. K. gefragt, ob er den Laden kennt.«

»Gut so – und?«

»Möglicherweise eine legale Residentur unserer östlichen Nachbarn, meinte er. Aber beim Staatsschutzkommissariat noch nicht in Erscheinung getreten.«

»Sörensen soll herkommen«, rief Dr. Wenders.

»Schon veranlaßt«, antwortete der Gruppenleiter. »Aber der hängt noch an der Strippe zum Verfassungsschutz, um Genaueres zu erfahren. Die müßten eigentlich darüber etwas mehr wissen.«

»Wenn die überhaupt was wissen. Bei denen arbeitet auch so ein elektronischer... na ja Dingsbums«, sagte Lupus nicht besonders begeistert.

»Und wo sitzen diese Comport-Menschen?« kam die Frage vom Gruppenleiter.

»Andere Rheinseite, B 56, Siegburger Straße, kurz vor der Autobahnauffahrt. Ich habe schon mal den Kollegen Peters rausgeschickt. Der soll sich dort unauffällig umsehen.«

»Der und unauffällig?« zweifelte Lupus.

Kriminalrat Sörensen vom 19. K. – Staatsschutz – stieß zur Besprechungsrunde. Er trug seinen mittelgrauen Anzug mit weißem Hemd und weinroter Krawatte wie eine Uniform. Statur und Gesicht ließen sofort an Jean Gabin denken. So wurde er dann auch manchmal genannt. Der »Chefstaatsschützer« bemerkte den »Leitenden« und murmelte leise: »Die Situation ist da.« Dieses Trostwort von Adenauer hatte er voll in sein Vokabular übernommen.

»Was gibt's?« fragte Dr. Wenders.

»Probleme satt. Die Kölner sind überzeugt, daß Comport nicht nur COMECON-Ware transportiert, sondern auch als Residenturkopf wenigstens vierzig ›Handelsunternehmen‹ betreut.«

»Also die Spinne im Netz?« wollte Dr. Wenders bestätigt haben.

»So ist es«, nickte Sörensen, »Comport steuert den Laden über den Außendienst mit seinen ›Handelsvertretern‹. Der eigene Schwerpunkt liegt in der Ausspähung des bundesdeutschen Verkehrsnetzes sowie der Trinkwasser- und Energieversorgung. Die streben in der Stunde X entweder kampflose Übernahme oder Ausschaltung durch Sabotage an.«

Hauptkommissar Freiberg pfiff durch die Zähne: »Puh – und von diesen Brüdern haben wir einen toten Kuckuck im Nest! Schöne Bescherung.«

»Das stimmt außerordentlich miß«, ergänzte Lupus.

Ahrens machte große Augen. Ihm dämmerte, daß in der Bundeshauptstadt einiges mehr lief, als man bei Wein, Weib und Gesang vermuten durfte.

»Gibt es Erkenntnisse beim 2. oder 3. K. oder in der dritten Gruppe?« fragte der Vorsitzende.

Verneinendes Kopfschutteln.

»Ihr von der Wirtschaft setzt euch bitte mal mit dem Finanzamt in Verbindung.«

»Steuergeheimnis«, warf der Chef vom 3. K. ein. »Die Finanzer sind da ziemlich pingelig.«

»Schon, schon, aber mal ein bißchen miteinander reden. Comport wird alles mögliche tun, sich aber bestimmt nicht über deutsche Behörden beschweren. Die Ostmenschen haben noch nie daran geglaubt, daß Steuergeheimnisse ernst genommen werden.«

Dr. Wenders, der Leitende, stand auf. »Na, dann wissen Sie ja, wo's langgeht. Ich informiere schon mal unseren Präsidenten, Innenminister, Generalbundesanwalt und das Bundeskriminalamt. Halten Sie mich auf dem laufenden. Und sonst – Stillschweigen! Die Presse muß vorläufig draußen bleiben.«

»Geht klar!« stellte der Gruppenleiter fest. Die Anwesenden nickten. Dr. Wenders murmelte ein »Tschüß« und ging.

»Nun, Freiberg, Wünsche an die Direktion?« fragte der Gruppenleiter. »Vollmachten sind erteilt.«

Freiberg strich mit den drei mittleren Fingern der linken Hand langsam über die Stirn. Ihm selbst nicht bewußt, war diese Geste für seine Mitarbeiter ein Zeichen sehr wacher Konzentration. »Nein, keine Wünsche. Jetzt bitte keinen großen Bahnhof, später vielleicht. Wir vom 1. K. gehen erst mal ganz normal auf die Firma Comport zu, als hätten wir von Residenturen und Agenten nie etwas gehört. Wir stellen uns ganz dumm.«

»Richtig«, bestätigte Sörensen.

»Ja, wir geben uns ganz natürlich«, ergänzte Lupus.

»Nur net hudle«, scherzte sogar Ahrens etwas zaghaft.

»Soll das ausländisch sein?« fragte Lupus.

»Bayerisch, nehme ich an«, antwortete Ahrens verunsichert.

»Das klingt ganz seltsam hier am Rhein. Lern lieber Bönnsch. Deine Octopussy stammt doch aus dem Vorgebirge.«

»Genug mit den Sprüchen«, fuhr der Gruppenleiter dazwischen. »Noch Fragen?«

»Nicht! Dann los. Die Sitzung ist beendet.«

»Gleich zu mir«, bat Freiberg seine Mitarbeiter und steuerte sein Dienstzimmer an. Es lag im dritten Stock. Durch die Fenster bot sich nach Osten hin ein weiter Blick auf den Rhein und das Siebengebirge. Der Drachenfels stand scharf konturiert gegen den Himmel. Die Steinbruchwände leuchteten gelb und fahl aus dem Grün des Ennert.

Fräulein Kuhnert, die unschätzbare Bürokraft mit Herz und rheinischer Fröhlichkeit, die »Kommissarin ehrenhalber«, wie Freiberg sie wegen ihrer freiwilligen Mitarbeit bei der Aufklärung eines Mordfalls im Siebengebirge getauft hatte, wußte, was die Mannschaft zusammenhielt.

Vier Tassen standen bereit, und der Kaffee dampfte aus der Kanne. Auch eine Schachtel Kekse hatte sie auf den Besuchertisch gestellt. Nur Zigaretten waren verpönt. Freiberg hielt strikt darauf, daß ihm seine Bude nicht verpestet wurde. Schweren Herzens mußte Lupus dem Duft seines gelegentlichen Glimmstengels entsagen. Allein in seinem Zimmer war der blaue Dunst nur die halbe Freude. So war er auf dem besten Wege, sich das Rauchen abzugewöhnen. Sehr hilfreich erwies sich dabei Freibergs Wort zum Sonntag: »Die Summe aller Laster bleibt sich gleich!«

Kriminalobermeister Ahrens, den mit der Kuhnert mehr verband als der Kaffeeduft, hielt im Dienst streng auf Distanz zu seiner »Octopussy«. So nannte Lupus die wohlgeformte Sekretärin des Kommissariats, wenn er auf die zarte Beziehung anspielen wollte, die sich zwischen ihr und Ahrens mit James Bond 007 im Gangolf-Kino angebahnt hatte.

Sie saßen zu viert um den Tisch. Freiberg wandte sich an Fräulein Kuhnert: »Was Neues von Peters?«

»Nichts!«

»Presse?«

»Nichts!«

»KTU?«

»Aber ja, telefonisch vorab – schriftlicher Bericht kommt nach: Projektil Kaliber 7,65, Waffe bei Straftaten wahrscheinlich noch nicht verwendet – und das Plastiktütchen enthält Hautöl.«

»Was für ein Job«, seufzte Freiberg. »Ein 7,65er Geschoß, das keiner kennt und ein Tütchen Hautöl – wie soll man damit einen Mordfall klären?«

»Sachte, Schritt für Schritt«, empfahl Lupus.

Freiberg nahm das Stichwort auf: »Also, Schritt Nummer eins: Fräulein Kuhnert, bitte eine Telefonverbindung zur Firma Comport.«

»Helau! Das starke Geschlecht springt endlich an.« Damit ging sie in ihr nebenan gelegenes Zimmer. Die Verbindungstür blieb, wie immer, offen.

Sie handhabte das Telefon wie die Geheimwaffe des ersten Kommissariats. Telefonbücher, amtliche der Bundespost und solche aus den Bonner Ministerien, lagen stapelweise in der rechten Schublade ihres Schreibtisches. Dazu Anschriftenverzeichnisse von Verbänden, Geschäftsstellen, vom Roten Kreuz, von den Maltesern und Johannitern, den Wohlfahrtseinrichtungen und von Hinz und Kunz, zu denen sie jemals eine Verbindung hergestellt hatte. Die »Firma« stand im örtlichen Fernsprechverzeichnis, bot also kein Problem.

»Comport kommt!« rief sie und stellte gleich durch.

Freiberg meldete sich mit seinem Namen: »Könnte ich bitte mit Ihrem Geschäftsführer sprechen?«

Lupus nahm ganz selbstverständlich die Mithörmuschel.

Eine zarte Frauenstimme gab Auskunft.

»Die Geschäftsleitung ist unterwegs. Seit gestern findet die Gesellschafterversammlung statt.«

»Kann ich dort jemanden erreichen?« Freiberg sah Lupus an und hob fragend die Schultern.

»Das wird nicht ganz einfach sein. Am besten geben Sie mir Ihre Adresse. Dann wird zurückgerufen.«

»Und wo findet die Gesellschafterversammlung statt?«

»Wie in jedem Jahr im ›Mühlenhof‹ an der Ahr. – Kann ich etwas ausrichten? Oder soll ich Sie mit einem unserer Sachbearbeiter verbinden?«

Lupus grinste und schob mit dem linken Zeigefinger seine Nasenspitze hoch.

»Danke«, sagte Freiberg. »Das eilt nicht. Ich rufe in einigen Tagen wieder an.« Damit legte er auf.

Ein Schlag mit der flachen Hand auf den Schreibtisch ließ die Mitarbeiter zusammenfahren. »So, jetzt geht's los! Ahrens, den Wagen und ans Steuer. Nimm die Fotoausrüstung mit. Da scheinen wir gleich ein ganzes Nest zusammenzuhaben. Wir sehen uns die schrägen Vögel mal genauer an. Los, vorfahren!«

Ahrens verschwand wie der Blitz.

»Lupus! Du versuchst in der Zwischenzeit rauszukriegen, woher dieses verdammte Hautöl stammt. – Apotheken, Drogerien, Pharmagroßhandel und weiß der Teufel, wer so etwas unter die Leute bringt. Alles abfragen. Zieh den Peters wieder ein, der kann dir helfen!«

»Hilfe!« stöhnte Lupus.

»Kuhnert, liebes Fräulein! Sie halten die Stellung, bis ich mich wieder melde. Ich komme direkt; das Funknetz ist mir zu durchsichtig. Übrigens, Hautöl kann auch für Damen ganz reizvoll sein. Knobeln Sie mal mit.«

Sie lachte. »Auf die Telefonrechnung kann sich das Präsidium jetzt schon freuen. Wir ermitteln weltweit, ist doch klar.«

»Lupus, noch etwas. Sag den Kollegen von Rheinland-Pfalz, daß wir in ihrem Revier herumschnüffeln. Es soll sich aber keiner von denen sehen lassen. Wir halten sie à jour. Die Comport-Leute haben bestimmt Vorposten draußen. Die Einsatzleitung soll uns nicht weiterreichen. Wir melden uns schon. Aktionen finden nicht statt.«

»CEBI bleibt doof!« freute Lupus sich.

Freiberg zog seine braune Cordjacke über, rückte das immer störende Schulterholster mit der 9-mm-Sig-Sauer zurecht und verabschiedete sich mit einem »so long, Watsonians«.

Kapitel 7

Ahrens wartete in der Tiefgarage und startete den Motor, als sich sein Kommissar auf den Beifahrersitz fallen ließ und sofort den Gurt anlegte. Freiberg wußte, was ihm bei dieser Fahrt an Fliehkräften zugemutet werden würde.

»Los, Ahrens, volle Pulle! Autobahn Meckenheim. Ab Reuterbrücke mit Geheul und Funzel. Zeig, was du beim Grenzschutz gelernt hast!«

Ahrens schaffte die Friedrich-Ebert-Allee und Reuterstraße in Rekordzeit. Rechts der Botanische Garten mit dem Poppelsdorfer Schloß – schon vorbei! Kurz vor der Brücke die tückische, sich immer enger windende Kurve zur Auffahrt auf die Autobahn.

An den Abfahrten zu den Ministerien für Arbeit, Ernährung, Wirtschaft und Verteidigung scherten zahlreiche Fahrzeuge aus. Das machte die Strecke freier. Ahrens fuhr mit äußerster Konzentration und fragte nur kurz: »Ab Meckenheimer Kreuz die Bundesstraße nach Altenahr oder die Autobahn Bad Neuenahr?«

»Autobahn! Das ist zwar etwas weiter, aber die Bundesstraße hat zu viele Kurven.«

»Alles klar!«

»Verdammt«, rief Freiberg. »Jetzt habe ich die Zeitungen mit den schönen Bildern vergessen.«

Ahrens bewies wieder einmal, daß er nicht nur wie der Teufel fahren konnte, sondern auch Umsicht walten ließ. »Drei liegen auf dem Rücksitz – ich hoffe, das reicht.« Freiberg sah nacheinander den »Express«, die »Bonner Rundschau« und den »General-Anzeiger« durch. »Diese Burschen von der Presse haben den Bogen raus«, stellte er anerkennend fest. »Mich wundert nur, daß sich daraufhin nicht mehr Leute gemeldet haben.«

»Scheint ein rarer Typ zu sein, der Tote«, meinte Ahrens und nahm die Abfahrt Bad Neuenahr, daß es Freiberg in den Sitz preßte. Jetzt waren Blaulicht und Martinshorn ausgeschaltet, um die Rheinland-Pfälzer nicht aufzuschrecken. Auch die Touristen durften nicht verwirrt werden, denn wer am Vormittag schon ein paar Schoppen Ahrwein intus hatte, ließ sich durch die Staatsmacht ohnehin nicht beeindrucken.

Auf der neuen Straße längs der hohen Natursteinmauer bis zum Hotel »Hohenzollern« lief es glatt und schnell. Doch das Ahrtal wurde enger. Auf der Sonnenseite erstreckten sich die Weinberge. Schiefer und Grauwacke speicherten Wärme für die Reben. Nach einigen Kilometern tauchte der »Mühlenhof« mit seinem in den Hang getriebenen Parkplatz auf.

»Fahr dran vorbei«, sagte Freiberg, als Ahrens den Blinker betätigen wollte. »Hinter der Kurve anhalten und den Wagen abstellen. Du suchst dir einen Platz mit guter Deckung und fotografierst Reben, Rebstöcke, Rebläuse und die Vögel aus dem Nest dort – alles, was rein- und rausfleucht. Nimm den Rotweinwanderweg, dann kommst du von oben heran.«

»Und Sie – eh – und du, Chef?« fragte Ahrens. So ganz leicht fiel ihm das kollegiale »Du« noch nicht. Aber Hauptkommissar Freiberg hatte bei der Beförderungsfeier darauf bestanden, die letzten Reste des »Sie« aus seinem Kommissariat zu verbannen. Nur Fräulein Kuhnert blieb geadelt, aber die nahm es mit der Anrede ohnehin mit rheinischer Nonchalance, mal so, mal anders. Der läppische »Chef« allerdings schien sich nicht ausmerzen zu lassen.

»Ich klemme mir den ›Express‹ unter den Arm, Schlagzeile und Bild nach außen gefaltet, marschiere schnurstreichs, spornstracks in die Höhle des Löwen hinein und lasse mir ›Herrn Comport‹ rausrufen. Einen so naiven Polizisten hat der in seinem Leben noch nicht kennengelernt.«

Freiberg stieg aus und ging ungefähr zweihundert Meter zurück. Auf dem Parkplatz »Mühlenhof« gaben sich Fahrzeugschilder aus fernen Ländern ein Stelldichein. Man sah in den Ovalen viele F, B, NL, CH, auch zwei DK und blank geputzte D. Dazu die Buchstabenkombinationen der Bundesrepublik. Die Einheimischen mit ihrem AW, die »Armen Winzer«, waren unterrepräsentiert.

In der stilvoll eingerichteten Halle, Holztäfelung, viel Schmiedeeisen, eichene Balkendecke, ein Kamin mit Takenplatte und Funkensieb, fragte der Empfangschef den Gast nach seinen Wünschen.

»Ich würde gern etwas essen.«

»Gewiß mein Herr«, sagte der Livrierte und geleitete Freiberg in die »Winzerstube«. In diesem geschmackvoll gestalteten Raum waren nur drei Tische besetzt. Eine Dame und ein Herr, grau in grau, Geschäftsmann durch und durch, beide mit Essen und Getränken reichlich versorgt, blickten verstohlen auf, als der neue Gast am Nachbartisch Platz nahm.

Freiberg sah sich um, grüßte durch ein unverbindliches Kopfnikken und hielt die Zeitung so, daß auch extrem Sehschwache nicht umhin konnten, die knallige Headline »Mord – Wer ist der Tote?« über dem Dreispalterbild wahrzunehmen.

Es dauerte nicht lange, und die Dame vom Zweiertisch griff nach ihrer Handtasche – echt Krokoleder – erhob sich und schlenderte betont langsam zur Tür. Offensichtlich war Vorposten Nummer eins aufgescheucht. Das würde für Unruhe im Nest sorgen.

Für den »Redakteur« wurde es ein schwarzer Tag.

Gegen alle Grundsätze der Konspiration verstoßend platzte die Dame mit der Handtasche in die soeben wiedereröffnete Gesellschafterversammlung hinein. Sie ließ den Vorsitzenden unbeachtet und ging auf den »Ingenieur« zu. Überraschte Blicke folgten ihr.

Wenig *ladylike* stieß sie die Sätze hervor: »Verflucht, was geht hier vor? Was wißt ihr eigentlich? Artanow ist ermordet worden!«

Der »Ingenieur« fuhr hoch: »Wer sagt das?«

»Der Bonner ›Express‹ – mit einem Riesenbild.«

Der »Redakteur« schüttelte verständnislos den Kopf. Er hatte hier die Bonner Morgenzeitungen nicht zur Verfügung. Die in der Hotelhalle ausgelegten überregionalen Blätter hatten die Nachricht »Wer kennt den Toten?« nur als kurzen Einspalter und ohne Bild gebracht. Daraus ließ sich nicht entnehmen, daß ein Comport-Mann das Opfer war.

»Die Sitzung der Gesellschafterversammlung wird unterbrochen«, stellte der Vorsitzende Baumann ziemlich hilflos fest. Niemand beachtete ihn.

»Wer hat den Toten identifiziert?« fragte der »Ingenieur« scharf.

Die Dame mit der Krokotasche antwortete sofort: »Nach der Schlagzeile – wenn die von den Deutschen nicht getürkt worden ist – offensichtlich noch niemand. Doch das ist nur eine Frage der Zeit. Die Kölner haben unseren Mann bestimmt im Archiv.«

Nun war es der »Ingenieur«, der seine konspirative Erziehung vergaß. »Video!« brüllte er los. »Was ist da für eine Sauerei passiert? Wir sprachen doch ganz klar von einem Unfall.«

Die Gesichter der um den Tisch Versammelten wurden bei diesen Worten bleich. Hier wurde an Fäden gezogen, deren Gespinst sie nicht kannten. Was sie immer vermutet hatten, wurde jetzt deutlich: »Video« war der lange Arm aus dem Dunkel, der in früheren Jahren schon in einigen Fällen für tödliche Linientreue gesorgt hatte.

Der »Ingenieur« schlug mit der Faust auf den Tisch. »Nun, ›Video‹, was habt ihr Dilettanten da angerichtet?«

Der schlanke Mann mit den stechend grauen Augen mühte sich, die Fassung zu wahren. Er schüttelte den Kopf: »Da kann was nicht stimmen. Ich weiß nicht...«

»Du hättest aber wissen müssen!« fiel ihm der »Ingenieur« mit schneidender Stimme ins Wort. »Deine Zeit ist um. Die Zentrale wird über dich verfügen. Im übrigen«, fuhr er gemäßigter fort – wissend, daß er durch seine Unbeherrschtheit selbst einen schweren Fehler gemacht hatte – »alle Anwesenden sind zu absolutem Stillschweigen verpflichtet. Den deutschen Behörden gegenüber wird nur Geschäftsführer Baumann Rede und Antwort stehen. Niemand sonst. Niemand! – Das ist ein Befehl!«

Es ging wie ein Ruck durch die Runde. Jeder wußte, was diese Feststellung bedeutete.

Freiberg hatte eine Karaffe Ahrburgunder serviert bekommen und wartete auf den auch von Gourmets geschätzten »Mühlenhofteller«.

Die Dame mit der Krokotasche kam zurück. Sie trug »Die Welt« und die »Frankfurter Allgemeine« zusammengefaltet in der Hand. Die Zeitungen hatte sie aus der Hotelhalle mitgebracht. Ihr Begleiter schien ungeduldig auf ihre Rückkehr gewartet zu haben. Er erhob sich nur kurz, um sich dann sofort in die Berichte zu vertiefen.

Immer Kavalier alter Schule, dachte Freiberg. Der Osten pflegt die Tradition. Wo gibt es das in meiner verkorksten Generation noch, daß ein Herr aufsteht, wenn die Dame Platz nimmt.

Als der »Mühlenhofteller« serviert wurde, fragte der Kommissar den Kellner so laut, daß es auch am Nachbartisch zu hören war: »Hier soll eine Gesellschafterversammlung der Firma Comport tagen. Kann...?«

»Nicht gut verstehen«, antwortete der Kellner freundlich lächelnd. »Kommt gleich Gérant.«

»Deutsch ist die Ahr«, schmunzelte Freiberg. »Zumindest im Management.«

Es schien, als habe die Dame ihrem Zeitung lesenden Gegenüber ein Zeichen gegeben. Der Kavalier alter Schule erhob sich und ging gewiß nicht zur Toilette, sondern zu den Gesellschaftern, um zu melden, was ein Gast im Sinne hatte.

Der Gérant stand alsbald neben Freiberg, um die Wünsche entgegenzunehmen.

»Ich möchte bitte den Geschäftsführer der Firma Comport sprechen. Hier findet doch die Gesellschafterversammlung statt?«

»Ja, ganz recht. Was darf ich zu Ihrem Anliegen übermitteln?«

»Sagen Sie bitte nur, Hauptkommissar Freiberg von der Kriminalpolizei habe einen Gesprächswunsch. Das wird genügen. – Hätten Sie vielleicht einen kleinen Raum verfügbar, in dem man sich ungestört unterhalten kann?«

Die Dame mit der Krokotasche schien mit größter Unruhe auf die Rückkehr ihres Tischpartners zu warten.

Der Gérant ließ keine Überraschung erkennen. »Ich werde Ihren Wunsch übermitteln. Von der Halle aus erreichen Sie das ›Weinlaubzimmer‹. Es steht zu Ihrer Verfügung.«

»Danke«, antwortete Freiberg. »Bitten Sie doch den Herrn der Firma Comport, in etwa zehn bis fünfzehn Minuten dort zu sein. Und lassen Sie uns auch bitte Kaffee servieren. Für mich auf jeden Fall. Wissen Sie, wie der Geschäftsführer heißt?«

»Ja, selbstverständlich. Er hat mit mir die Arrangements für die Veranstaltung getroffen. Sein Name ist Baumann.«

»Ich danke Ihnen«, sagte Freiberg und wandte sich seinem Essen zu. Dafür würden die Reisespesen nicht annähernd ausreichen. Doch solch ein Treffen war eine gute Mahlzeit wert. Sein Blick wanderte über die kolorierten Stiche, die von der Arbeit in den Weinbergen kündeten und von dem ungeheuren Fleiß, mit dem die Menschen im mittleren Ahrtal auch die kleinste Fläche der sonnigen Hänge zu Wingerten gestaltet hatten. Jetzt waren viele Parzellen großflächig saniert. Der Reiz des Bizarren hatte abgenommen, dafür war die Arbeit leichter geworden.

Freiberg schätzte den Ahrwein, die feine Würze und seine sanftrote Farbe. Solch ein Wein war es gewesen, mit dem er gemeinsam mit seinen Eltern und dem Bruder auf die Zukunft angestoßen hatte, als sich der Vater in dem kleinen Dorf bei Krefeld daran gewöhnte, nicht mehr in seinem ältesten Sohn den Nachfolger in der Apotheke zu sehen. Lehrer hatte Walter werden wollen, nicht Pillendreher.

Darum hatte er Geschichte und Französisch studiert. Dann kam der Bund. Er hatte sich auf zwei Jahre bei den Fernmeldern verpflichtet und war schließlich, ohne es recht zu wollen, noch Leutnant der Reserve geworden. Doch inzwischen waren die Schülerzahlen geschrumpft, die Mehrung des Volkes ließ nach. Um nicht für die Arbeitslosigkeit ausgebildet zu werden, war er schließlich nach vielen Zwischenstationen Kriminalhauptkommissar in Bonn geworden, 1. K., Leiter der Mordkommission.

Freiberg stand langsam auf und trat in die Halle. Dezent gekleidete Herren, eine Dame in grünem Kostüm mit dunklem Haar, zu einem Pferdeschwanz gerafft, sprachen leise miteinander. Sie waren bemüht, Gleichmut zu bekunden. Doch Gesten und Gesichter wirkten angespannt. Aus der Gruppe löste sich ein Herr und ging in das »Weinlaubzimmer«. Damit war klar, daß die Gesellschafterversammlung ein vorzeitiges Ende gefunden hatte. Die Teilnehmer würden sich noch bis zu dem vorbereiteten Mittagessen draußen die Beine vertreten, und Ahrens hatte eine prächtige Gelegenheit, die Nestflüchter auf den Film zu bannen. Diese Art Amtshilfe war eine Sternstunde für den Verfassungsschutz.

Freiberg schritt – die Zeitung in der Hand – demonstrativ langsam durch die Halle und ging zum »Weinlaubzimmer«.

Mit »Baumann, Geschäftsführer der Firma Comport« und »Freiberg, Kriminalpolizei«, wurden die Minimalpositionen ausgetauscht.

»Sie wünschen mich zu sprechen?« fragte Baumann ganz vorsichtig.

»Darum bin ich hergekommen«, antwortete Freiberg. »Wir bemühen uns, den Tod Ihres Mitarbeiters aufzuklären.«

Baumann bot eine nur mäßige Vorstellung, überrascht zu wirken. »Wie kommen Sie darauf? Ich weiß von keinem Todesfall.«

»Nanu! Die Bonner Zeitungen sind voll davon.« Damit schlug Freiberg den »Express« auf und deutete auf das Bild.

»Nach der Überschrift ist der Tote unbekannt«, sagte Baumann lauernd.

Bürschchen, du wirst mir nicht den dummen August spielen, dachte der Kommissar und hakte nach: »Sie wollen also den Mann nicht kennen?«

Baumann tat so, als ob es ihm Mühe mache, das Opfer auf der Bank zu identifizieren. »Der Zeitungsdruck verfälscht sehr. Aber woher haben Sie die Nachricht, daß das ein Mitarbeiter meiner Firma sein soll?«

Dümmer geht's nicht, fand Freiberg und sagte laut: »Ist das nun Ihr Mitarbeiter? Wir haben eindeutige Hinweise aus Leserkreisen.«

»Hm, ja, in der Tat. Ich bin überrascht. Das könnte unser Außendienstleiter Artanow sein.«

»Sehen Sie. Ich wußte doch, daß Sie uns helfen würden, Ihren Mitarbeiter zu identifizieren. Damit ist der wichtigste Punkt schon geklärt. Herr Artanow wurde übrigens in der Nacht von Montag auf Dienstag erschossen. Selbstmord ist ausgeschlossen.«

Baumann klammerte sich an seine Rolle. »Sie sehen mich überrascht und fassungslos. Und wo ist das geschehen? Hat die Polizei Hinweise auf den Täter?«

»Leider nicht! Ich dachte, Sie könnten vielleicht zur Aufklärung beitragen.«

»Da muß ich Sie enttäuschen. Die Gesellschafter von Comport sind seit Montag abend hier im Hotel. Ich erfahre erst durch Sie, was passiert ist. Dabei kann es sich doch nur um einen Raubmord handeln.«

Freiberg merkte auf: »Hatte Herr Artanow viel Geld bei sich?«

»Ich weiß es nicht genau, aber er ist Leiter des Außendienstes und holt die Aufträge für Transporte und Lagerhaltung herein. Er wird schon einiges Geld bei sich gehabt haben.« Baumann sah sich das Bild noch einmal an. »Der trägt ja keinen Anzug.«

»Nein, nur Hemd, Hose, Unterwäsche und Strümpfe.«

»Und die Polizei hat keinerlei Papiere gefunden?«

»Nichts war in den Taschen, weder Geld noch Papiere. Wie alt ist Herr Artanow gewesen? Hat er Angehörige?«

»Er ist Mitte Vierzig und nicht verheiratet. Einzelheiten habe ich jetzt nicht parat.«

»Nun, das werden Sie mir alles sagen können, wenn ich Sie in Bonn aufsuche. Wann paßt es Ihnen?«

»Ich komme gern ins Präsidium«, erklärte Baumann.

»Und ich komme gern zu Ihnen«, stellte Freiberg fest. »Ich werde morgen früh um zehn bei Ihnen in der Firma sein. Sollten Sie hier festgehalten werden, möchte ich Sie bitten, jemanden zu beauftragen, der sachdienliche Auskünfte geben kann.«

»Ich werde selbstverständlich persönlich zur Verfügung stehen.«

»Danke. Ach, bitte – welche Art von Geschäften betreibt die

Firma Comport?«

»Vorwiegend Ost-West-Transporte.«

Freiberg nickte. »Und was bedeutet das ›Com‹ im Firmennamen?«

»Ableitung von COMECON.«

»Aha, Rat für gegenseitige Wirtschaftshilfe des Ostblocks.«

»Das stimmt«, bestätigte Baumann. »Aber wir sind ein rein deutsches Unternehmen.«

Freiberg hätte am liebsten laut gelacht, doch treuherzig-ernst meinte er: »Diesen Mordfall aufzuklären, wird nicht ganz leicht sein. Bitten Sie doch auch Ihre Kollegen um Mithilfe. Für uns kann jeder Hinweis wichtig werden.«

Baumann bekundete eifrig Zustimmung. »Aber gewiß. Wir werden alles tun, damit dieses Verbrechen seine Sühne findet.«

Freiberg ahnte, wie das gemeint war.

Der Kellner kam, um Kaffee zu servieren.

»Nehmen Sie auch eine Tasse?«

»Bitte, haben Sie Verständnis dafür, daß ich nein sage, die Sache ist mir doch zu sehr auf den Magen geschlagen.« Baumann hatte gewiß Order, nicht zuviel zu sagen.

»Ich verstehe«, nickte der Kommissar. »Herr Ober! Ich trinke den Kaffee dann doch an meinem Tisch in der ›Winzerstube‹.«

Die Gesprächspartner verabschiedeten sich mit einem Händedruck.

Beim anschließenden Kaffee sah Freiberg die Comport-Leute draußen spazierengehen. Die Sonne schien strahlend hell. Ahrens würde auch beim 200-mm-Tele mit kleinster Blende arbeiten können. Exzellente Fotos waren gewiß.

Die Dame und der Herr vom Zweiertisch blieben verschwunden.

Im Nebenraum war die Tafel für acht bis zehn Personen gedeckt. Ein Kellner stand bereit, um die Aperitifs anzubieten. Wie auf ein geheimes Kommando strebten die Spaziergänger herein. Der erste Schreck schien noch nicht ganz gewichen zu sein.

Freiberg trank seinen Kaffee in Ruhe und Gelassenheit. Die Rechnung war erträglich und sein Trinkgeld angemessen. In der Halle ergab sich die Gelegenheit, Baumann noch einmal freundlich zuzunicken. »Bitte, hier die Zeitung. Sie können Sie gern behalten.«

Der Geschäftsführer griff zaghaft danach und murmelte einen Dank. Er schien den Aperitif besonders nötig zu haben.

Freiberg überquerte die Straße und trat an das Geländer, hinter dem die Uferböschung steil abfiel. Die Wasser der Ahr hatten sich wie in einem Canyon tief in den Boden eingefräst. Bei Blankenheim in der Eifel entsprungen, floß sie jetzt harmlos perlend zum Rhein. In den Höhlen unter den Steinen standen Forellen. Doch bei der Schneeschmelze oder wenn schwere Gewitter niedergingen, konnte der Fluß grob und reißend werden. Gesteinsbrocken und Geröll waren die Spuren des Unheils.

Langsam schlenderte der Kommissar talaufwärts, freute sich an der Natur und stellte zufrieden fest, daß ihm niemand folgte.

Ahrens begrüßte ihn mit triumphierend erhobener Faust: »Diese Geierversammlung! Ich habe sie alle im Kasten.«

Freiberg schlug ihm begeistert auf die Schulter: »Bestens – und ich habe gut gegessen.«

Ahrens verzog nur den Mund.

Der Kommissar drängte zum Aufbruch. »Jetzt zum gemütlichen Teil. Wir fahren über Altenahr und kehren im Hotel ›Zum schwarzen Kreuz‹ ein. Du bist mein Gast. Ich gönne mir noch einen Schoppen Roten.«

»Echt gut. Angenommen. Und wie lief es im ›Mühlenhof‹, Chef?«

»Wie geplant. Der Geschäftsführer von Comport, ein Herr Baumann, schien doch ziemlich überrascht zu sein, daß die Kripo so schnell da war. Und dann hat er mir erst mal einen Raubmord unterjubeln wollen, so wie man einen Hund täuscht, indem man den Knüppel in die falsche Richtung wirft. Dabei dürfte er in Wirklichkeit an Methoden gedacht haben, die Menschen in seinem Metier am wirksamsten zum Schweigen zu bringen. Sei es von der eigenen oder von der anderen Seite.«

»Toter Indianer, guter Indianer!« stellte Ahrens fest, als er sanft durch die Kurven zog.

Freiberg seufzte: »Schade, die ganze Bande scheint ein Alibi zu haben. Und wir Biedermänner stecken als Angler tief im Sumpf. Wenn wir nicht bald festen Boden unter die Füße bekommen, wird's uns die Schuhe ausziehen.«

»Geister des Rheins«. Unter dieses Motto hatte Tuffi Falkenhorst ihre Vernissage gestellt. Skizzen, Pastelle, Handzeichnungen, Aquarelle und einige Versuche in Öl, alles sorgfältig plaziert, gaben dem Salon ein sehr ansprechendes Flair. Die Türen zum Zwischenraum vor dem Atelier standen weit offen, so daß Tuffis Werkstatt geschickt in die Ausstellung mit einbezogen war. Sie hatte lange gezögert, das unfertige Tableau »Drachenschlucht« auf der Staffelei zu belassen. Doch sie wußte, wie sehr ein unfertiges Bild zu Fragen und Gesprächen über Motive und Maltechniken anregen konnte. Also behielt es seinen Platz.

Tuffi wußte auch, daß der heutige Schritt in die Öffentlichkeit für ihr Renommee in Bonner Künstlerkreisen entscheidend sein würde. Zuviel Sachverstand gab es in der Bundeshauptstadt. Nur mit einer großen Show oder gar einem Schickimickibluff ließ sich die Hürde der Kunstkritik und des Feuilletons nicht überwinden. Auch Galeristen erwarten Qualität, denn nur dadurch konnte der Umsatz gesteigert werden. Tuffi hoffte, daß die Präsidentin des von wohlhabenden Mäzenen getragenen »Fördervereins für die Kunst« erscheinen würde; dann durfte sie mit einem nicht nur symbolischen, sondern auch gut honorierten Ankauf rechnen. Dieser erste rote Punkt würde bestimmt weitere rote Punkte nach sich ziehen.

Tuffi hatte alle Vorbereitungen allein getroffen. Andreas schien durch ihren Teppichkauf in einen Zustand milden Irrsinns verfallen zu sein. Seine Hektik und Zerfahrenheit waren für sie ein neues Erlebnis. Am Montag und Dienstag war er völlig unausstehlich gewesen. Selbst nachts, bis in die frühen Morgenstunden, hatte sie ihn in seinem Arbeitszimmer herumlaufen hören.

Für den heutigen Tag hatte sie sich entschlossen, Andreas nicht zu provozieren. Sie durfte ihm keine Gelegenheit geben, von seiner Zusage abzurücken, daß er sich bei dieser Veranstaltung gemeinsam mit ihr zeigen wollte. Er hatte Wort gehalten, wirkte aber sehr bedrückt.

Die Einladung war schon auf siebzehn Uhr terminiert, um den berufstätigen Interessenten Gelegenheit zu geben, noch anderweitige Termine wahrzunehmen. Wer wollte, durfte gern bleiben –

open end – bis spät in die Nacht. Für Trinkbares war reichlich gesorgt.

Dr. Benkiser, anerkannter Kritiker, als Privatdozent vertraut mit den Strömungen der Gegenwartskunst, jovialer Fünfziger, weißgraues Haar, mit einem kurzgehaltenen Bärtchen, gab sich als einer der ersten die Ehre. »Ich danke für die Einladung.« Sein Handkuß verhieß Wohlwollen. Mit einem Aphorismus von Felix Timmermanns erhob er diese Vernissage auf die Ebene des künstlerisch Anspruchsvollen, indem er sagte: »Schreiben ist zur Beichte gehen – Malen ist Kommunizieren!«

»Ein treffendes Wort«, unterstrich Tuffi den Satz und warf mit einer Wendung des Kopfes die halblangen Haare zurück. Auch Andreas Falkenhorst war beeindruckt. Er spürte, wie Tuffis Körper in dem nach seiner Meinung sündhaft teuren »Nichts von einem Kleid« das Signal empfing. Ihre Bereitschaft zu jedweder Kommunikation mit den Strömungen der Gegenwartskunst war unverkennbar.

Margot Stettner, die »in Auflösung begriffene« Chefsekretärin des Ministers, begrüßte Tuffi mit der Andeutung eines Wangenkusses. Gesellschaftliche Unverbindlichkeit – mehr hatte das Zeremoniell nicht zu bedeuten. »Ich gratuliere Ihnen zu diesem großen Tag. Die Präsentation muß ein Erfolg werden. Sie haben es verdient. Und das liebe Wesen hier«, damit stellte sie ihre Begleiterin vor, »ist meine Mitarbeiterin Hanne Sommer, die gerade dabei war, sich an die Reize der Macht zu gewöhnen, und schon steht sie mit mir auf der Abschußliste.«

Tuffi reichte auch der strammen Brünetten mit der gebändigten Fülle in der Bluse die Hand und konnte dabei nicht umhin, die Wirkung dieser Versuchung auf Andreas abzuschätzen. Manchmal bedauerte sie, daß von ihrer Ehe nur die gespannte Versorgungsbeziehung geblieben war. Aber auch Andreas hatte ihre Empfindungen nicht geweckt. Kein Mann hatte das bisher vermocht. Darum würde sie immer nach dem nächsten suchen, denn für frigide hielt sie sich nicht.

Drei oder vier Wagen fuhren gleichzeitig vor. Männer mit Ehefrauen, Emanzen und Studenten, Lebensgefährtinnen mit Fährtensuchern ließen keinen Zweifel daran, daß sie der Einladung gern gefolgt waren. Eine schlanke Dame mit schwarzer Mähne, promovierte Autorität vom Feuilleton, gefürchtet wegen ihrer spitzen Feder, hielt sich nicht lange mit unverbindlichen Worten auf, sondern ging langsam durch den Salon und musterte jedes Bild.

Dr. Benkiser, der einige Schritte voraus war, verhielt und schaute sie fragend an: »Nun?«

»Mehr Talent, als ich zu hoffen gewagt habe«, erklärte sie gönnerhaft. »Diese stimmungsvolle Überlagerung des naturalistischen Raumes durch mystische Sagenbilder etwas gewagt, aber in der Disposition und im Ansatz schon gekonnt.«

»Doch, doch, durchaus eine beunruhigende Inhaltlichkeit der Bilder, ein Schweben zwischen Natur und Traum. Vielleicht fehlt noch etwas Spontaneität und Direktheit«, gab Dr. Benkiser kund. Zuviel Lob von seiner Seite hätte die Feder vom Feuilleton unnötig kritisch gestimmt.

»Mir gefällt die Transparenz der Fabelwesen und das Gefühl für Licht und Farbe. Wo hat sie studiert?«

»In München. Professor Grundhammer hätte sie gern als Meisterschülerin gehabt«, erläuterte Dr. Benkiser. »Aber der flotte Student Andreas hat sie weggeschnappt und in die Ehe geführt. Ich weiß, daß sie an diesem Bruch in der künstlerischen Entwicklung krankt.«

»Sie hat Talent und wird wachsen.« Roma locuta. Das Feuilleton – und damit die Autorität – hatte gesprochen.

Dr. Benkiser nickte. »Ich teile durchaus Ihre Auffassung, Frau Kollegin. Man darf auf die Ausreifung gespannt sein.«

Der Chef der Cassius-Galerie war unauffällig hinzugetreten und hatte das Gespräch verfolgt. »Wirklich ein Talent, das gefördert werden sollte. Ihre Darstellung ist schon sehr gefestigt, vielleicht noch ein wenig verhalten.« Jetzt, da erkennbar wurde, welche Resonanz Tuffi bei der Kunstkritik haben würde, war es sicherlich kein Risiko mehr, sich mit ihr zu identifizieren, und so tönte es hochgestochen weiter: »Diese schwebenden Figurationen auf realistischem Hintergrund ohne konstruktivistische Etüden – Respekt.«

Margot Stettner hatte Hanne, ihr »Jammerbaby«, an die Hand genommen, um sie bei der ersten Berührung mit dieser Welt der bemühten Selbstdarsteller nicht verlorengehen zu lassen. Hanne hatte den letzten Satz des Cassius-Galeristen mit verständnisloser Verwunderung vernommen. Fragend wandte sie sich ihrer Begleiterin zu: »Was meint der damit?«

»Laß diese Wortartisten reden – manche quatschen viel, wenn der

Tag lang ist. Sieh dir alles an und verweile bei dem, was dir gefällt. Es ist dein gutes Recht, die Bilder oder die gedrechselten Worte, oder sogar beides für Firlefanz zu halten. Aber dann sag lieber nichts. Schweigen mit staunenden Augen steht einer Frau in deinem Alter immer gut.« Mit diesen Worten schlenderten sie weiter zum Atelier.

Hanne atmete dankbar auf. »Weißt du, woran mich die Bilder erinnern?«

»Du darfst es mir leise sagen.«

»An Fuchur und die anderen Fabelwesen aus dem Film ›Die unendliche Geschichte‹.«

»So, so, du gehst ins Kinderkino, also doch noch ein richtiges Baby. Nur oben rum sieht's reifer aus.«

»Hach, daß die Dinger auch so groß sind«, seufzte Hanne. »Ich wär so gern schlank.«

»Soll ich Tuffi mal fragen, ob sie diese Art Stilleben auch malt?« Hanne errötete verlegen. »Untersteh dich. Ich dachte immer, das sind Bilder mit Blumen oder Früchten.«

Margot Stettner lachte leise. »O Baby, du darfst dich nicht so leicht ins Bockshorn jagen lassen. Es stimmt schon, was du sagst. Das hat weder mit dem Stillen noch mit dem Stil zu tun, sondern mit der Stille. Die Franzosen drücken das viel schöner aus: *nature morte.*«

Hanne war erleichtert und versuchte, ihre Verlegenheit durch einen Scherz zu überspielen. »Aber als Mordfall möchte ich auch nicht auf die Leinwand.«

Wohl fünfundzwanzig oder dreißig Besucher waren erschienen und gaben einige »Ahs und Ohs« und so treffende Bemerkungen von sich wie: »Beachtlich, welche Intensität, was für eine Inspiration«, oder ein auf Insiderjargon deutendes »Donnerwetter!«

Der Bekanntheitsgrad von Tuffi und Andreas Falkenhorst in Bonner Gesellschaftskreisen hatte auch einige höhere Beamte aus den Ministerien, Attachés aus befreundeten Botschaften und zwei Erste Sekretäre der Kulturabteilung aus Botschaften der Gegenseite herbeigeführt. Die Besucher hatten sich ihre ersten Drinks genommen, das Mitteilungsbedürfnis wuchs und die Kommunikation nahm zu.

Tuffi wollte nicht den Eindruck erwecken, daß sie es sich schon leisten konnte, einen Partyservice für das Wohl ihrer Gäste sorgen zu lassen. Sie hatte im Atelier zwei große Tischlerplatten auf Holzböcke gelegt und mit Tafeltüchern abgedeckt. Hier standen Getränke in reicher Auswahl, Softdrinks und die härteren kurzen Sachen, von Whisky über Cognac bis hin zu den Geistern von Quetsche, Himbeere und Williams-Christ, und für die ganz Süßen noch Benedictine, Chartreuse und Grand Marnier.

Sie hatte Brote mit Schinken, Roastbeef, Mortadella und Cervelatwurst belegt und in Häppchen geviertelt. So hatte man die Hand sehr schnell wieder frei. Auf die schnell pappig werdenden halben Brötchen hatte Tuffi ganz verzichtet. Dafür stand ein riesiger bunter Brotkorb neben den Käsehäppchen. Teller und Bestecke waren bei diesem Arrangement nicht vonnöten.

»Bitte, liebe Gäste, greifen Sie herzhaft zu. Hier im Atelier steht wohl für jeden Hunger und jeden Geschmack etwas bereit. Ich hoffe, daß ich Ihnen nicht zuviel zumute, wenn ich Sie bitte, sich selbst zu bedienen.«

Die Umstehenden bekundeten freudig ihr Einverständnis und bewegten sich langsam aber zielstrebig zur Futterkrippe.

Wie von den Geistern des Rheins herbeigezaubert stand Presse-Mauser im Salon. Er hatte vom Referenten des Fördervereins den Tip bekommen, daß die Frau Präsidentin kurz nach achtzehn Uhr erscheinen werde. Mit einem demonstrativen Ankauf sei zu rechnen.

Tuffi wußte Mausers Part richtig zu deuten und blühte förmlich auf, als sie den Pressemann begrüßte. Die Winder-Kamera mit Blitz und Zoomoptik baumelte lässig an seiner linken Hand. Tuffi machte den neuen Gast mit Andreas bekannt. »Mein Mann. Er steht mir zur Seite, obwohl wir nicht immer gleiche Interessen haben.« Sie warf kurz das Haar zurück. »Herr Mauser, Journalist, heute im Dienste der Kunst. Bitte keine Sensationsreportagen.«

Andreas Falkenhorst reichte Mauser die Hand und fragte direkt: »Die Bilder vom unbekannten Toten auf der Bank an der Jugendverkehrsschule – die haben Sie doch geschossen, nicht wahr?«

»Richtig, ich war draußen am Kletterschiff. Kein so schöner Anblick. Die Polizei hatte ihre liebe Last, die Kinder aus den Wanten zu verscheuchen.«

»Na, na«, ging Tuffi zielstrebig dazwischen. »Das ist heute kein Thema im Hause ›Falkenlust‹. Bitte, lieber Herr Mauser, sehen Sie sich um. Auch für das leibliche Wohl ist gesorgt, allerdings Selbstbedienung.«

»Ausgezeichnet! Ich habe seit einem späten Frühstück nichts gegessen.«

Andreas wollte mit ihm hinübergehen ins Atelier, um das Gespräch fortzusetzen, wurde von Tuffi jedoch energisch zurückgehalten. »Bitte nicht jetzt. Schau nach draußen, die Präsidentin kommt. Wir müssen ihr als heiles Paar gegenübertreten. Sie mag desolate Zustände nicht.«

Andreas nickte zustimmend und ging mit seiner Frau einige Schritte zur Eingangstür.

Frau Präsidentin trat nicht nur ein, sondern auch auf. Freifrau von Trossenheim wußte ihre neunzig bis hundert Kilo in Positur zu bringen. Ihr silbergraues Haar, zur Adelsrolle nach außen geschlagen, rahmte ein Gesicht mit den glatten Zügen der Wohlbeleibten. Der Mund war nur leicht konturiert, und das Rouge auf den Wangen unterstrich den Ausdruck zupackender Lebensbejahung. Ihr anthrazitfarbenes Kleid mit den streckenden Streifen verzichtete auf die modische Schulterbetonung, um die Figur nicht zu athletisch erscheinen zu lassen. Die Streifenstruktur sollte schlanker machen, doch das Gewicht war geblieben und die Wülstchen an den Handgelenken auch.

Die große Dame der Kunst war auch des Wortes mächtig. »Liebe Frau Falkenhorst, ich freue mich, wieder einmal bei einer ernsthaften Künstlerin zu Gast sein zu dürfen. Ich weiß, daß Sie in erster Linie ihre Erfüllung an der Staffelei im Atelier finden und nicht zu früh nach dem Lorbeer des Ruhmes greifen. Und ich begrüße auch den Gatten, der seine Frau fördert und ihr den Freiraum läßt, den jeder Künstler sich wünscht.«

Andreas neigte leicht den Kopf. »Baronin, wir sind beglückt, Sie heute bei uns zu sehen. Das Haus steht zu Ihrer Verfügung, und die Arbeiten stellen sich der Kritik.«

Die Malerin bat bescheiden: »Bitte sagen Sie Tuffi zu mir. Ich komme mir sonst so fremd vor zwischen meinen Bildern.«

Freifrau von Trossenheim gab sich verständnisvoll, winkte aber ab, als Tuffi sich erbot, sie bei der Besichtigung zu begleiten. »Nicht böse sein, liebe Tuffi. Ich bleibe auch bei den charmantesten Gastgebern meinem Prinzip treu. Erst einmal gehe ich allein und sehe mich um. Wir werden später noch Gelegenheit haben, unsere Gedanken auszutauschen.« Damit ließ sie Tuffi und Andreas stehen.

Presse-Mauser hatte die Kamera umgehängt und das Objektiv auf

40 Millimeter gezoomt. Er brachte das Kunststück fertig, ein Schinkenbrot zu verspeisen, sich an einem kräftigen Whisky mit ganz wenig Sodawasser zu laben und die Kamera schußbereit zu halten.

Als Freifrau von Trossenheim vor dem »Stein der Drachen« verhielt und wie durch Zufall die lange Mähne vom Feuilleton und Dr. Benkiser hinzutraten, um diesem Bild ihre besondere Aufmerksamkeit zu widmen, drückte Mauser mit einem »Halten Sie mal bitte!« der Nächststehenden sein Glas in die Hand. Nun konnte das verwundert dreinschauende Baby Hanne bei Bedarf beidhändig trinken.

»Ich werde diese Tusche im Namen des Fördervereins ankaufen«, erklärte die Baronin und fand damit volle Zustimmung. »Hier hat unsere Künstlerin Lord Byrons Dichtung ins Gleichnishafte umgesetzt«, begeisterte sie sich und zitierte aus *Childe Harold's Pilgrimage*: »Der Drachenfels zerklüftet, burggekrönt, am Strom ragt er empor mit trotz'gem Sinn...«

Mit zartem Pinsel hatte Tuffi den »Großen Vogel Freiheit«, in den leuchtenden Farben des Sonnenlichts, den Himmel über dem Felsen beherrschen lassen.

»Ja, das Bild ist schön, das gefällt mir auch«, sagte Hanne und nahm in der Begeisterung einen so kräftigen Schluck aus Mausers Glas, daß sie einen Hustenanfall bekam. Whisky hat auf zarte Kehlen nun mal eine andere Wirkung als Orangensaft.

Mauser hatte mit ein paar ordnenden Handbewegungen die gewichtige Präsidentin, die Dame vom Feuilleton und Dr. Benkiser so um die Gastgeberin gruppiert, daß der »Stein der Drachen« und die Kunstbeflissenen im Ausschnitt des Suchers Platz fanden. Drei- bis viermal Blitz und Klick. Damit war das Ereignis festgehalten.

»Sie haben den Bogen raus«, bemerkte Margot Stettner anerkennend. »Wie lernt man, so mit Menschen und mit der Kamera umzugehen?«

»Überhaupt nicht«, antwortete Mauser fröhlich. »Scheint ein Geburtsfehler bei mir zu sein«, und griff nach seinem Glas.

»Ich habe aus Versehen daraus getrunken«, klärte Hanne ihn kleinlaut auf.

»Warum auch nicht?« Mauser sah sie genauer an. Da hatte doch die Natur ein überzeugendes Kunstwerk geschaffen. »Die Damen werden mir gewiß die Freude machen, jetzt und gleich Modell zu stehen.« Schon dirigierte er sie zum Fenster und gegen das Licht.

»So ist's recht.« Der Verschluß klickte. »Mal sehen, was sich daraus machen läßt. Und Ihre Adresse bitte?«

Bevor Hanne den Mund aufmachen konnte, gab Margot die Dienstanschrift an.

»Sie hören von mir und erhalten Abzüge«, erklärte Mauser und ging in den Salon, wo Tuffi durch den Ankauf geehrt werden sollte.

»Baby, ich glaube, der ist auf dich angesprungen«, interpretierte Margot Stettner die Szene. »Fotoreporter haben die beste Masche, Mädchen aufzureißen und ihre Adressen zu erfahren. Paß nur auf! Diese drahtig-quicken Burschen sind scharf auf Stilleben.«

»Ich dachte, der will *dich* anmachen«, erwiderte Hanne. Margot winkte ab. »Ach du meine Güte, was soll ich mit dem? Erfahrene Schlachtrösser verlangen nach starken Rittern.«

Der Cassius-Galerist hatte sich an Tuffis Fersen geheftet und sprach auf sie ein. »Ich werde Sie ganz groß herausbringen«, schmeichelte er ihr. »Aber Sie sollten nicht nur schöpferisch tätig sein, sondern Ihr so hervorragendes Können auch im Kunsthandel verwirklichen.«

»Meinen Sie?« griff Tuffi den Gedanken auf. »Reizen würde es mich schon, auch der Anregungen wegen. Aber dann fehlt mir die Zeit im Atelier.«

»Im Gegenteil. Sie wären doch keine Verkäuferin mit festen Geschäftsstunden, sondern sachverständige Beraterin. Ich habe immer schon mit dem Gedanken gespielt, die Galerie zu erweitern. Mir sind die Geschäftsräume nebenan sehr günstig angeboten worden.«

»Dann nutzen Sie die Chance«, drängte Tuffi. »Ich wäre durchaus interessiert.«

Der Galerist witterte ein Geschäft. »Hervorragend! Sie könnten Ihr Œuvre einbringen – dann ließe sich die Einlage kleiner halten.«

»Einlage?« fragte Tuffi weniger begeistert. »Reicht es denn nicht, wenn ich meine Bilder einbringe?«

»Ohne Bargeld geht es leider nicht. Achtzigtausend – mit weniger läßt es sich kaum machen. Rechnen wir fünfzig Prozent für Ihre Bilder; das hieße dann vierzigtausend Verfügbarkeiten.«

Tuffi ließ enttäuscht die Schultern sinken. »Das bringe ich leider nicht. Ich muß das Geld ja erst verdienen.«

»Überlegen Sie es. Die Chance kommt so schnell nicht wieder. Doch unabhängig davon, mein Angebot steht: Die ›Geister des Rheins‹ werden in der Cassius-Galerie ihre Heimat finden.« Tuffi reichte ihm dankbar die Hand.

Andere Hände suchten auch Kontakt. Dr. Benkiser griff gleich mit beiden nach Tuffis rechter und sprach auf sie ein. »Schon haben Sie das Herz der Kunstkritik gewonnen. Sie verdienen es, heute gefeiert zu werden und morgen berühmt zu sein. Ich bekunde meinen Respekt vor Ihrem Werk und Ihrer Persönlichkeit.«

Tuffi empfing dankbar die Signale und legte ihre freie Hand auf Benkisers Arm. »Sie sehen mich glücklich. Ich hoffe, daß wir nachher noch Gelegenheit haben werden, uns zu unterhalten.«

»Gewiß, ganz gewiß«, bestätigte er mit einem Händedruck. »Aber jetzt müssen wir erst der Baronin lauschen.«

Freifrau von Trossenheim hatte sich auf dem Schiras postiert und gewann sofort die Aufmerksamkeit der Anwesenden.

»Liebe Tuffi!« hob sie an, »ich freue mich, Ihnen sagen zu können, daß der »Förderverein für die Kunst« Ihre so überaus beeindruckende Tusche ›Stein der Drachen‹ durch mich ankaufen wird.« Mit großer Geste fuhr sie fort: »Obwohl die geschäftliche Seite dem wahren Künstler ein Greuel ist, wird er doch eine materielle Anerkennung gern annehmen, wenn dadurch die Unabhängigkeit seines Schaffens gefördert wird. Wie allgemein bekannt sein dürfte, kauft der Förderverein nur bei der ersten Präsentation eines Künstlers ein exemplarisches Werk an. So darf ich Ihnen in diesem Umschlag achttausend Mark im Namen der Kunstfreunde Bonns überreichen. Das soll Anerkennung und Ansporn zugleich sein.«

Presse-Mauser stand schon in der richtigen Position, um die Übergabe des Kuverts durch die große Vorsitzende und die Gesten der Dankbarkeit im Bild festzuhalten.

Andreas gratulierte seiner Frau mit einem Kuß auf die Stirn, die Umstehenden spendeten Beifall, und die Dame vom Feuilleton rief laut: »Bravo!«

Tuffi ging mit der Baronin zum »Stein der Drachen« und klebte den ersten roten Punkt auf den Rahmen.

Freifrau von Trossenheim wechselte noch ein paar Worte mit dem Cassius-Galeristen, machte ermunternde Bemerkungen über das noch nicht fertige Bild auf der Staffelei und ging, begleitet von Tuffi, zum Ausgang.

»Wann darf ich Ihnen das Bild überbringen?«

»Oh, das hat Zeit«, erklärte die Baronin. »Geben Sie es ruhig mit in die Galerie. Sollte sich ein Interessent finden, bitte ich um Anruf.

Der Förderverein will die Ankäufe ja nicht auf Dauer behalten. Ein Mehrerlös würde selbstverständlich der Künstlerin zufallen.«

»Noch einmal ganz, ganz herzlichen Dank«, sagte Tuffi. »Sie waren heute meine Glücksfee!«

Die Federn ächzten, als sich die Fee in den Fond des Wagens sinken ließ. Der Fahrer hatte selbstverständlich draußen warten müssen. Heute würde es für ihn eine nicht zu lange Nacht werden, denn Freifrau von Trossenheim wollte sich in Muffendorf oberhalb der Kommende absetzen lassen. Sie war zum Essen mit einem vortragenden Legationsrat Erster Klasse verabredet, der seit langem von seiner magersüchtigen Frau getrennt lebte. Die Baronin würde aus Gründen der Diskretion die letzten Meter bis zur Villa zu Fuß gehen.

Den Cassius-Galeristen drückte ein Termin in Schweinheim bei der Gattin eines Botschaftsangehörigen, die wirklich nur die Werte der Kunst im Sinn hatte und sich einige Stücke in Öl ansehen wollte. Ihr Mann, der Herr Botschaftsrat, war nach Südamerika in die Zentrale zurückgerufen worden, um Karriere zu machen. So konnten die mit einigen Kokaingeschäften erworbenen harten D-Mark in Form von Gemälden als Umzugsgut wertbeständig in die Heimat transferiert werden.

Der Galerist zog Tuffi galant mit einer Halbumarmung an sich. »Leider – leider muß ich zu einem unaufschiebbaren Geschäftsabschluß zum Millionenhügel nach Schweinheim raus. Ich bin sicher, wir werden uns schon sehr bald wiedersehen. Zwanzig Prozent der Geschäftseinlage haben Sie ja schon eingenommen – und mich zu hundert Prozent. Überlegen Sie es bald. Sie können mich jederzeit anrufen, immer. Hier bitte meine Karte, und denken Sie dran, wirklich zu jeder Zeit.«

Tuffi dankte mit einem Wangenkuß.

»Los, Ihre Frau ist beschäftigt. Sie haben sich jetzt um zwei Damen zu kümmern«, knuffte Margot Stettner den nervös hin und her hastenden Hausherrn in die Seite. »Das Baby hat Hunger, ich habe Durst und der Herr Künstlergatte hat's nötig! Gehen wir endlich zum gemütlichen Teil über!«

Andreas Falkenhorst konnte dem geballten Charme nicht widerstehen und fühlte sich nach einigen Whiskys zwischen der vertrauten Margot und dem üppigen Baby auf dem »Loriot«-Sofa in der entferntesten Ecke des Ateliers sehr viel wohler.

Dr. Benkiser schlürfte seinen dritten oder vierten Drink und stand vor der unvollendeten Drachenschlucht. Er brannte darauf, mit Tuffi über den Sinngehalt der Kunst in dieser sinnentleerten Welt zu plaudern.

Um das Kuvert der Baronin nicht im zunehmenden Trubel der Vernissage verlorengehen zu lassen, eilte Tuffi hinüber in das Arbeitszimmer. Der Safe hinter der Chagall-Lithographie wurde nur selten benutzt, denn außer den von Andreas verwalteten Familienpapieren war dort nichts von Belang deponiert. Ihren Schmuck verwahrte sie im Schlafzimmer.

Der Safe war nur durch ein Zahlenschloß gesichert. Tuffi hatte die Zahlenkombination im Kopf, und die Stahltür war in Sekunden offen. Eine große Plastiktasche füllte das untere Fach. Tuffi zog sie ein wenig hervor, schaute hinein und fuhr erschreckt zurück: Geld! Geld, eine Unsumme Geld, offensichtlich nur Tausend- und Fünfhundertmarkscheine.

»Das kann doch nicht wahr sein«, sagte sie laut und griff in die Wundertüte. Ihre Hand hielt ein Bündel brauner Fünfhunderter. Auf der Banderole waren einhundert Scheine als Inhalt angegeben.

Tuffi hatte nur einen Gedanken und flüsterte: »Fünfzigtausend, das ist mehr als die Einlage.« Damit nahm sie das Bündel an sich und schob das übrige Geld in den hinteren Teil des Fachs zurück. Dann hob sie den Rock und steckte das Geldbündel in ihren Strumpf. »Wie gut, daß Strapse wieder der Verführung dienen.« Sie brauchte nicht höher zu greifen, um zu fühlen, daß Geld sinnlich macht. Das Kuvert behielt sie in der Hand. Da der Abend mit Dr. Benkiser noch vielversprechend werden konnte, wollte sie diese Art der Versuchung lieber nicht auf ihn einwirken lassen. Sie ging hinüber in ihr Schlafzimmer und schob den Briefumschlag der Baronin und die ihr so unverhofft zugefallene »Einlage« kurzerhand unter den Spannbezug der Matratze. Dann ging sie leichten Schrittes zurück zu ihren Gästen. Ihre Abwesenheit war weder Andreas noch den anderen aufgefallen.

Auf dem »Loriot«-Sofa hatten sich die Dinge so weit entwickelt, daß Andreas sich der Qual der Wahl nur durch ein sowohl-als-auch entziehen konnte.

Dr. Benkiser strahlte, als Tuffi zu ihm trat. Seine Worte des Bemühens, dem unvollendeten Bild auf der Staffelei einen Sinn zu geben, schnitt sie liebenswürdig ab. Sie hakte sich bei ihm ein und ging hinüber zu den leiblichen Genüssen. »Jetzt bitte einen strammen Gin Orange.«

Dr. Benkiser mixte den Drink eins zu drei in einem hohen Glas und stieß mit Tuffi an. »Salut. – Sie sind faszinierend!«

»Danke«, sagte sie. »Sie machen es mir leicht, glücklich zu sein.«

»So schön es für Sie ist, so viele Gäste zu haben, ich würde mich viel lieber mit Ihnen allein unterhalten«, schmeichelte Dr. Benkiser. »Sie sollten sich einmal meine Pastelle ansehen. – Und danach plaudern wir bei einer schönen Tasse Tee.«

»Sehr gern«, antwortete Tuffi und hatte den übermächtigen Wunsch, von diesem Mann berührt zu werden. »Morgen, am späten Nachmittag vielleicht?«

»Vorzüglich, wenn es Sie nicht schreckt, mit mir allein zu sein. Meine Frau reist seit Wochen in der Ägäis von Insel zu Insel, das Land der Griechen mit der Seele suchend. Sie dürfte jetzt mit einem Archäologen auf Santorin eingetroffen sein.«

Tuffi hatte die Andeutung verstanden und lächelte. »Ich lebe auch nicht in der Furcht des Herrn. Sie dürfen mir morgen sogar einen Likör anbieten.«

Dr. Benkisers freie Hand strich über ihren Unterarm. »Ich freue mich.«

»Verzeihen Sie, ich muß mich wohl auch um meine anderen Gäste kümmern.«

»O Kümmernis«, scherzte Dr. Benkiser schwach und ließ Tuffi frei.

Als sie sich dem Gesprächsgrüppchen der Emanzipierten und Studierten zugesellt hatte, deren dozierender Mittelpunkt die Dame vom Feuilleton bildete, klingelte das Telefon. Tuffi war versucht, es läuten zu lassen, doch das hätte die Gäste noch mehr gestört als ihre kurzzeitige Abwesenheit. So ging sie ins Arbeitszimmer und nahm den Hörer ab.

»Ja, bitte?«

»Wer ist dort?« kam die forsche Frage. »Frau Falkenhorst?«

»Ja, und wer ist am Apparat?«

»Ein Freund Ihres Mannes – ich muß ihn dringend sprechen!«

»Aber...«

»Kein Aber. Los, holen Sie Ihren Mann ans Telefon und zwar sofort.«

»Moment bitte!« Tuffi legte verärgert den Hörer auf die Schreibtischplatte.

Andreas, mit beiden Händen rechts und links voll beschäftigt, sah wenig begeistert aus, als seine Frau sich näherte.

»Na, was ist?«

Baby Hanne machte Anstalten aufzustehen, denn ein knutschiges Arm-in-Arm mit dem Ehemann der Gastgeberin schien ihr nicht ganz angemessen zu sein. Andreas hielt sie zurück. »Also, was ist?«

»Telefon!« Kürzer konnte ihre Antwort nicht sein.

»Wer?«

»So ein Widerling ohne Kinderstube. Er will dich sprechen, und zwar sofort.«

Andreas löste sich aus der wärmenden Nähe und ging hinüber in sein Arbeitszimmer.

Schon nach zwei oder drei Minuten war er zurück und wirkte ernüchtert, wie aus einem Traum gerissen. Zu den Damen auf dem Sofa sagte er nur: »Tut mir leid, ich muß euch allein lassen, eine dringende Angelegenheit, die keinen Aufschub duldet.«

»Oh, wie schade«, seufzte Hanne. »Gerade jetzt, wo es so gemütlich wird. Dies ist die erste Party, auf der ich mich wohlfühle.«

Margot Stettner war aufgestanden. Sie war über Andreas Gesichtsausdruck erschreckt und fragte besorgt: »Ist etwas passiert?«

»Nein, nein, schon gut. Ein Freund hat angerufen. Er braucht Hilfe.«

Sie sah ihn prüfend an. »Du kannst jederzeit zu mir kommen, wenn du dich aussprechen willst. Du weißt, ich bin immer für dich da – auch heute nacht noch.«

»Danke, vielleicht komme ich. Bitte jetzt kein Aufsehen. Ich werde einfach auf französisch verschwinden.«

Nach rechts und links einige Worte austauschend, schlenderte Andreas hinüber zu Tuffi.

»Tut mir leid – ich werde dringend gebraucht und muß gehen. Aber das hier läuft ja auch ohne mich.«

»Bestens!« stellte Tuffi fest und sah ihrem Mann nicht einmal nach, als er den Raum verließ.

Kapitel
9

Während sich Tuffis Vernissage auch ohne Andreas zu einem Künstlerfest von hohen Graden entwickelte, hatten die Comport-Leute vergeblich versucht, das Erscheinen von Kriminalhauptkommissar Freiberg zu deuten. Mehr als Aufregung war dabei nicht herausgekommen, und die »Gesellschafterversammlung« wurde vorzeitig beendet. Der »Ingenieur« hatte angeordnet, daß am nächsten Tag jeder an seinem Arbeitsplatz zu erreichen sein müsse. Nur durch das eigene Nachrichtennetz konnten jetzt noch die Fäden zusammengehalten werden. Darum mußte die Datenzentrale in Bonn funktionsfähig sein.

Die Fahrt vom »Mühlenhof« nach Altenahr bot Freiberg Gelegenheit, seine Gedanken zu ordnen und laut zu überlegen.

»Was meinst du, Ahrens, ist das nun alles Zufall, oder haben diese Geier sich mit dem Treffen ein gegenseitig abgestimmtes Alibi verschaffen wollen? Ich traue den Burschen nicht über den Weg!«

Ahrens nahm den Faden auf. »Wenn die Alibis stimmen, kann es keiner von denen gewesen sein.«

»Richtig, die kennen sich alle. Unbemerkt hätte sich niemand davonstehlen können, um uns den entseelten Außendienstleiter auf die Parkbank zu legen.«

Ahrens mußte seine Aufmerksamkeit auf die sich zwischen den Bergen dahinwindende Straße konzentrieren. Als der Gegenverkehr nachließ, meinte er: »Vielleicht wollen die Comport-Leute sich durch die Versammlung im ›Mühlenhof‹ versichern, daß niemand aus ihrem Kreis die Hand im Spiel hatte, als ihr Mann vom Leben zum Tode befördert wurde. Wie heißt er noch?«

»Artanow.«

»Na, sehr deutsch klingt das nicht.«

»Warum auch? Comport ist eine Ostblockfirma, allerdings nach deutschem Recht. Der Geschäftsführer hat mir, ohne zu zögern, bestätigt, daß sie für das COMECON arbeiten. Da dürfen solche Namen schon mal auftauchen.«

»Sind wir nun schlauer geworden, Chef?«

»Hm, jedenfalls ist das Opfer identifiziert, und du hast die ganze

Versammlung auf dem Film. Wie sagtest du? Da sollte vielleicht deutlich gemacht werden, daß keiner von denen der Killer sein kann. Dann allerdings müßte jemand vorausgesehen haben, daß etwas passiert.«

»Und das könnte nur jemand sein, der das Recht hat, Termine festzulegen und Sitzungen einzuberufen – also ein Führungsoffizier.«

»Puh, Ahrens! Und wir hängen mittendrin. Wer in dem Geschäft zuviel weiß, wird umgelegt. Kein so gutes Gefühl für tapfere Demokraten.«

»Wir sollten mal unsere westlichen Dienste fragen, vor allem die harten Knochen vom CIA, ob Artanow im Wege war.«

»Du meinst, Schuß ins Herz als Schuß vor den Bug?«

»So ähnlich.«

»Damit wären aber unsere früheren Überlegungen bezüglich der Gesellschafteralibis passé. Ich denke, da sollte mal Sörensen vom 19. K. seine Fühler ausstrecken.«

Am Ortseingang von Altenahr angekommen, konnte Ahrens nur noch Schrittempo fahren. »Hier ist immer Saison!« stellte er fest.

Die Touristen legten den Verkehr nahezu lahm. Sie hatten die Fahrbahn zur Promenade gemacht. Holländer und Belgier beherrschten das Bild der gewundenen Straßen und Gassen – mit Strohhut und Gesang, versteht sich. Auch aus deutschen Kehlen erklangen Lieder.

»Die Ruine der Burg Are, hoch auf dem Fels«, dozierte Freiberg, »erinnert daran, daß der Krieg der Vater seltsamer Dinge ist. Des Sonnenkönigs Grenadiere hatten die Feste 1702 erobert. Die Kriegsbesatzung streunte alsbald im Ahrtal herum und wurde als ein Verein von Wegelagerern gefürchtet und gehaßt. Ein Dutzend Jahre später hatte der Lehnsherr Kurfürst Josef Clemens von Köln das Spiel satt, ließ Kämpfer anrücken und zerstörte mit Hilfe der Bevölkerung das böse Räubernest«.

»Und so ist Altenahr zu einem malerischen Wahrzeichen und zu einem schönen Aussichtspunkt gekommen – Amen«, schloß Ahrens. »Der Schulmeister läßt wieder einmal grüßen!«

Freiberg lachte. »Ja, du hast recht. Aber jetzt«, entschied er: »Keine Experimente, links raus auf den bewachten Parkplatz. Im Ortskern kannst du nicht mal einen Kinderwagen abstellen.«

Ganz weit unten an der Schleife des Flusses waren noch zwei

Stellplätze frei. »Holland in Not«, frotzelte Ahrens beim Betrachten der dominierenden NL-Schilder.

Gemeinsam drängelten sich die beiden Bonner durch die bummelnden Touristen Richtung Hotel »Zum schwarzen Kreuz«. Das Haus schien uralt zu sein, war aber für Freibergs Geschmack zu farbenprächtig restauriert. Oben am Giebel die Sonnenuhr, darunter rechts und links der Fenster einfache Schlagläden mit großen bunten Holzfiguren und Jahreszahlen, die bis ins Mittelalter zurückreichten.

Drinnen war es dämmerig, voll und gemütlich. Der Ober brachte es fertig, ihnen zwei Plätze zuzuweisen. Ahrens schob vorsichtig ein paar leere Teller zur Seite und blätterte durch die Speisekarte. »Nicht ganz billig«, stellte er fest.

»Nun schlag schon zu, nur Lumpen sind bescheiden«, ermunterte ihn der Kommissar.

Ahrens bestellte Geschnetzeltes und dazu eine Flasche Wasser. Er mußte ja wieder ans Steuer. Freiberg nahm nur einen Ahrburgunder. Nach dem ersten Prosit sagte er: »Ruf doch mal bei unserer Kuhnert an. Ich bin gespannt, ob die herausgefunden haben, was es mit dem Hautöl des Toten auf sich hat.«

»Soll die Mannschaft im Präsidium auf uns warten?«

»Nein, wir treffen uns morgen früh halb acht, aber pünktlich. Wir müssen die Sache durchkakeln. Und um zehn fahre ich mit Lupus zu Comport hinaus. Ich will in dieser Nacht endlich mit der Pinselei in meiner neuen Wohnung fertig werden.«

»Kann ich helfen?« fragte Ahrens spontan.

»Ganz bestimmt! Du mußt nur mit deiner Kuhnert ausmachen, wann und wo ihr euch treffen wollt. Dann dürft ihr auch mal an mich denken.«

Ahrens wußte, daß der Chef ihm mit dem Telefongespräch Gelegenheit geben wollte, ein paar liebende Worte mit seiner Herzdame zu wechseln.

Der Kellner brachte das Essen. »Für Sie?« fragte er und sah Freiberg an.

»Stellen Sie's nur hin, mein Kollege kommt gleich zurück.«

Doch es dauerte länger, bis sich Ahrens durch eine Gruppe von Neuankömmlingen schob, die von einem dienstbaren Geist auf eine spätere Stunde vertröstet werden mußte.

»Fräulein Kuhnert läßt grüßen. Lupus, Peters und die anderen klappern in Bonn und Umgebung bis hin nach Köln die Friseure, Drogerien, Kosmetiksalons und Studios ab. Das Öl kommt über mindestens zwei Großhändler aus England herüber. Doch dann wird's schwierig, die Verteiler zu lokalisieren. Manche geben die Tütchen auch für Werbezwecke ab.«

»Gebräunt in die Ferien. Also nichts mit Laxativum, Abführmittel. Relax! – England ruft: Entspannt euch! Aber du ißt jetzt bitte brav deinen Teller leer.«

Ahrens stopfte die wohlgeratenen Speisen achtlos in sich hinein.

»Diese Relaxerei werden wir nie aufklären«, unterbrach er abermals sein Essen.

»Wart's ab. – Bums mal wieder!«

»Wie bitte?« Verwirrt sah Ahrens auf. Das war nun wirklich nicht Freibergs Art, auf die Beziehungen seiner Mitarbeiter zum anderen Geschlecht anzuspielen.

»Sachte, keine Panik. Ich spreche von Artanow. Ein Einzelgänger ohne Weib, als Außendienstmitarbeiter viel unterwegs. Der müßte doch hin und wieder auch mal wollen dürfen. Und dann finden wir ihn als Leiche ohne Schuhe auf der Bank. Gibt's da vielleicht Zusammenhänge?«

Ahrens sah auf und nahm einen Schluck Mineralwasser. Wie er seinen Kommissar kannte, würde auch dieser Gedanke abgeklopft werden müssen. »Schöne Aussichten! Die Ermittlungen wären etwas für Presse-Mauser. Der kennt doch jedes Sumpfloch in Bonn und Umgebung.«

Freiberg lachte. »Wenn wir uns Tag für Tag, oder besser noch, Nacht für Nacht in den Bars und ›Massagestudios‹ herumtreiben, dann werden die uns liebenden Frauen große Freude erfahren.«

»Die Kuhnert schmeißt mich in den Rhein«, stellte Ahrens resignierend fest und ließ damit deutlich werden, daß seine Beziehung zu ihr mehr war als die Verlängerung einer Bürofreundschaft bis in die Nacht.

»Kannst du gegen den Strom schwimmen?«

Das war nun wieder so eine Freiberg-Frage ohne erkennbaren Hintergrund. Der Teller mit dem Geschnetzelten wollte nicht leer werden.

»Ich kann wohl besser Auto fahren«, meinte Ahrens vorsichtig.

»Also gut. Drüben auf der anderen Rheinseite in Königswinter soll es so ein Etablissement der Spitzenklasse geben. Dort kannst du ja mal aufkreuzen, um zu relaxen.«

»Das ist bestimmt nichts für Anfänger. Ich wüßte nicht, wie ich mich dabei verhalten sollte. Vom Geld einmal ganz abgesehen. No Sir, ich plädiere auf Chefsache!«

Ahrens hatte es schließlich doch noch geschafft, seinen Teller leer zu essen. Auf der Rückfahrt nach Bonn blieb sein Kommissar ziemlich stumm. Nicht tiefschürfende Gedanken über den Mordfall ließen ihn schweigen, sondern der so sanft und behäbig stimmende Rotwein. In den Kurven neigte sich sein Kopf zur Seite, und ab Autobahnkreuz Meckenheim schlief der Gerechte tief und fest. Erst als Ahrens hart abbremste und zweimal scharf nach links einbog – Schumannstraße, Ritterhausstraße – tauchte Freiberg wieder auf.

»Nanu, schon vor der Tür? Ich muß wohl geschlafen haben.«

»Ja, selig und süß. Ich bin auch schön vorsichtig gefahren.«

»Ich weiß deine Rücksichtnahme zu schätzen. Und jetzt den Wagen in den Stall. Wir treffen uns morgen wie besprochen, pünktlich bitte. Wenn's bis dahin brennt wißt ihr, wo ich zu finden bin – in meinem Keller. So long, Ahrens.«

»Bis dann, Chef.«

Freiberg wunderte sich, daß im Souterrain Licht brannte. Sabine Heyden, seine »studentische Hilfskraft«, wie er sie nannte, war schon seit Stunden am Werk, um Farbe auf die Wände zu bringen. Der weißbekleckerte Papierhelm stand ihr besonders gut. Sie schob ihn mit einem Finger nach hinten und stieg von der Leiter. Aus dem Radio kam ein Bolero.

»Oh, mein Waldi. Bevor du an mir schnupperst, leg lieber deine zivile Dienstkleidung ab. Immer hübsch sauber bleiben für die Republik.«

Er hängte die Cordjacke im Vorraum über einen spanischen Stuhl mit hoher Rückenlehne. Dann zog er Sabine an sich, die ihre beiden mit Farbe bekleckstеn Hände weit von sich streckte. Dank langjähriger Übung gelang der Begrüßungskuß auch bei dieser Position. Nur der Papierhelm fiel auf den Boden. Die 9-mm-Sig-Sauer im Schulterhalfter trug nicht dazu bei, den Eindruck trauter Innigkeit zu vermitteln. Doch Sabine hatte sich daran gewöhnt, ihren »Waldi« im Geschirr zu sehen.

»Du bist lieb und eine wahrhaft fleißige studentische Hilfskraft«, gab er ihr den »Waldi« nach dem ersten Luftholen zurück. Sie hatte wie immer zuviel Dackel hineingelegt. Das alte Spiel der beiden Verliebten.

»Und du hast wieder so tüchtig arbeiten müssen. Hm, den Duft kenne ich: Wein vom Rhein. Wie schwer ist doch euer Dienst!«

»Recht hast du – doch diesen Wein gab's an der Ahr. Ich werde dir später alles ganz langsam erklären.«

Sabine Heyden und Walter Freiberg kannten sich schon seit der gemeinsamen Studentenzeit an der Rheinischen Friedrich-Wilhelm-Universität. Bei einem Sommerfest auf der Hofgartenwiese hatte es begonnen. Die Zweierkiste war einige Male wieder zusammengenagelt worden und hielt jetzt ganz gut. Sabine war der Universitas Literarum treu geblieben und fristete ihr Leben aus einer halben studentischen Hilfskraftstelle. Wenig Geld, und überall war es knapp. Große braune Augen standen in einem schmalen Gesicht, Augen, die das Leben suchten.

Walter Freiberg streichelte mit einer Hand über ihren Rücken. Sie streckte sich.

»Wer so arbeitet, muß mehr essen.«

»Du weißt, wie wenig ich brauche – Essen, meine ich.«

»Reine Schutzbehauptung! Das sagt dir dein Kommissar. Jetzt, wo deine Dissertation fertig ist, solltest du nicht auf der Leiter herumturnen, sondern Päuschen machen und Fett ansetzen.«

»Ich zweifle doch, ob dir das so recht wäre: warmes Gänseschmalz? Heute gibt's übrigens Butterbrote. Deine Bude muß fertig werden. Schließlich möchten sich auch Damen darin wohl fühlen! Du kannst schon mal die Kaffeemaschine anwerfen – es ist alles vorbereitet.«

Freiberg ging die paar Schritte bis zur Kochnische, die im Mietvertrag hochtrabend als »Pantry« bezeichnet wurde und sah sich zufrieden um. Immerhin hatte der Architekt hier beim Umbau eine kleine Küchenzeile mit Spüle, Herd und Kühlschrank untergebracht. Nur die Arbeitsplatte war zu winzig. Die »Pantry« war es, die dem Souterrain-Appartement den Pfiff gab.

Freiberg hatte lange in Bonn suchen müssen, um eine solche Wohnung zu einem leidlichen Preis zu finden. Allerdings versprach das Souterrain Fußkälte; und die Gitter vor den Fenstern gaben dem Raum den Charme eines Gefängnisses.

Dank Sabines Mitarbeit war die Pinselei bald geschafft. In dieser Nacht konnte »aufgeklart« werden.

»Überleg es dir, du solltest die Beethovenstraße aufgeben und hierher ziehen. Wir hätten Platz genug, und es wäre billiger für dich.«

»Wem sagst du das! Die Kohlen sind knapp, doch die Freiheit wäre futsch, wenn ich erst hinter diesen Gittern säße. Aber im Ernst: Ich möchte nicht alles umkrempeln vor der mündlichen Doktorprüfung. Nach dem Rigorosum darfst du mich erneut befragen.«

Walter Freiberg war nicht so begeistert von der Antwort. »Und bis dahin: Getrennt marschieren, getrennt schlafen?«

»Kommissar Waldi, du kennst wohl deinen Moltke nicht mehr: ›...vereint schlagen‹ hat der die Kriegskunst gelehrt. Heute kann ich sowieso nicht zurück. Gissy hat ihren Computerfreak bei mir einquartiert und hilft ihm programmieren. Ich habe mir gedacht, hier sei die Nacht über genug zu tun.«

»Großes Bravo meiner Hilfskraft. Jetzt erstellen wir ein Ablaufdiagramm. Vielleicht so: Erst Kaffee trinken, Bütterchen mampfen – ich habe schon gegessen –, dann noch etwas den Pinsel schwingen, danach ›klar Schiff machen‹ und schließlich die erste Housewarmingparty – zu zweit. Mal sehen, was das neue französische Bett hergibt.«

»Siehst du, mein abgebrochener Historiker, so ähnlich muß der Feldherr Moltke gedacht haben: ›Vereint schlafen – das sichert den Sieg‹.«

»Deine Art zu zitieren, ist eine wahre Freude.«

»...schöner Götterfunke«, ergänzte Sabine und dachte an den letzten Teil des Ablaufdiagramms.

Am nächsten Morgen hatten die beiden Pinselquäler verschlafen. Einige Nachtstunden mußten weniger als sechzig Minuten gehabt haben. Die beiden sprangen mit dem Blick auf die Uhr erschreckt in die Ungewißheit des neuen Tages.

Das Apartment sah recht proper aus und das »Grand-Lit« hatte seine Bewährungsprobe bestanden. Sabine kämpfte mit dem niedrigen Blutdruck, so daß die Nachbetrachtung zu dem Moltke-Zitat nicht so recht gelingen wollte. Für ein Frühstück blieb keine Zeit. Heute mußten ein Glas Milch und eine Tafel Schokolade aus der Notstandsreserve genügen.

Freiberg überließ es Sabine, die Tür abzuschließen und sprintete los, um den R 4 zu holen. Er wollte Sabine am Historischen Seminar beim Alten Zoll absetzen, wo die studentische Hilfskraftstelle zu verwalten war. Er schaffte es in dreizehn Minuten.

Die Fahrt zum Präsidium über die Adenauerallee kam Freiberg endlos vor. Mit schlechtem Gewissen hastete er die Treppen zum dritten Stock hinauf. In seinem Zimmer warteten die Mitarbeiter seit einer halben Stunde auf das pünktliche Erscheinen ihres Kommissars. Doch schien ihnen die Zeit nicht lang geworden zu sein. Ahrens hatte über die Vorgänge im »Mühlenhof« berichtet. Als sich Fräulein Kuhnert mal kurz »jenseits des Ganges« befand, deutete er auch die Möglichkeit an, daß sich die Ermittlungen demnächst auf gewisse »Etablissements« erstrecken könnten.

Freiberg trat mutig unter seine Mannen. Das »Guten Morgen« von Ahrens, Peters und den anderen verband sich mit dem unvermeidlichen Liedchen von Sangesfreund Lupus: »...da kommt er ja, der Maler mit dem Pinsel ohne Haar.«

»Tut mir leid, Leute. Ich habe verschlafen. Die ganze Nacht geschuftet. Das Kommissariat ist hiermit feierlich zur Einweihungsparty eingeladen. – Aber erst, wenn wir diesen Fall hinter uns haben.«

»Er lebe hoch, er lebe hoch...« entwickelte Lupus die Melodie weiter. Er wußte nicht, daß ein wesentlicher Teil der Party schon gelaufen war, sonst hätte sein Text mit Sicherheit anders gelautet.

Fräulein Kuhnert kam zurück. Sie konnte sich die aufgekratzte Stimmung nicht erklären. Lupus erläuterte: »Der Chef hat Nachtarbeit geleistet und das Erste Kommissariat ist eingeladen, sein Etablissement einzuweihen.«

»Sie natürlich auch«, ergänzte Freiberg seine Einladung.

»Das dürfte eine Kommissarin ehrenhalber auch stark erwarten«, stellte Fräulein Kuhnert energisch fest. »Ohne wen geht's denn hier wohl nicht?«

Ahrens war bei dem Wort Etablissement unruhig auf seinem Stuhl hin und her gerutscht. Doch Lupus hatte keine Gelegenheit, zu dem Thema Fragen zu stellen. Jetzt ging es zur Sache.

Freiberg arbeitete die Linie heraus. »Wir werden zu klären haben, ob die Gesellschafterversammlung dieser Comport-Leute eine Alibifunktion haben sollte. Wenn ja, müssen wir davon ausgehen, daß der Tod des Außendienstleisters Artanow für mindestens einen Verantwortlichen nicht unvorhergesehen war. Wenn wir die Alibifunktion verneinen können, müssen wir herausfinden, ob Artanow von der westlichen Konkurrenz ausgeschaltet worden ist. Darüber muß mit dem 19. K. gesprochen werden; ohne Sörensen kommen wir an die Dienste nicht heran.«

»Das dürfte ein schweres Stück Arbeit werden, von denen etwas zu erfahren«, seufzte Lupus. »Ich wette, die Comport-Typen verduften rechtzeitig. Jetzt wissen sie ja, daß wir Witterung aufgenommen haben.«

»Vielleicht haben die gar nichts damit zu tun und es war ein Raubmord oder so was ähnliches«, meinte Peters zum Erstaunen aller.

Lupus schüttelte mißbilligend den Kopf. »Noch so jung und schon eine eigene Meinung. Das wird böse enden.«

Freiberg winkte ab und bat Lupus zu berichten, was gelaufen war.

»Also: Relax-Öl wird in Drogerien, bei Friseuren und in Sonnenstudios verkauft oder zu Werbezwecken abgegeben. Die Einfuhr erfolgt aus England. Wir haben bisher zwei Großhändler ermittelt, die gleichzeitig Importeure sind. Einer sitzt in Hamburg, der andere in Köln. Mit dem Kölner habe ich Kontakt aufgenommen.«

»Der ist hilfsbereit«, bestätigte Fräulein Kuhnert. »Er hat gestern noch angerufen, daß er heute seinen Computer bitten wird, für uns die Kundenlisten – zunächst für das letzte Jahr – auszudrucken. Der Hamburger weiß noch nicht, ob er uns helfen kann.«

»Sehr gut«, lobte Freiberg. »Peters, du fährst im Anschluß an diese Besprechung nach Köln und holst den Kram ab. Der Postweg dauert mir zu lange.«

Fräulein Kuhnert ging nach nebenan in ihr Zimmer, um der Firma telefonisch den Besuch von Peters anzukündigen.

»Ahrens«, fuhr der Kommissar fort, »du bleibst im Stall und wirst die Dinge hier ordnen. Dabei kannst du der Kommissarin ehrenhalber schonend beibringen, welche Art von Ermittlungen auf uns zukommen. Lupus und ich, wir nehmen uns den Herrn Baumann von Comport zur Brust. Ich habe uns für zehn Uhr angesagt. Alles klar?«

Niemand hatte weitere Fragen.

»Ahrens, du solltest dich mit Sörensen und den Verfassungsschützern kurzschließen«, fuhr Freiberg fort. »Deine Fotos dürften bestens geeignet sein, Geschäfte auf Gegenseitigkeit anzubahnen.«

»Können wir über das 7,65er Projektil weiterkommen?« fragte Lupus.

Freiberg verneinte. »Zunächst wohl kaum. Oder sieht jemand

eine Möglichkeit?«

Schweigen, Kopfschütteln.

»Also, tummeln wir uns!« läutete Freiberg die nächste Runde ein.

Kapitel 10

Die Comport-Transport- und Lagergesellschaft mbH wirkte äußerlich wie ein kleines, aber gepflegtes, mittelständisches Unternehmen. Mehr als zwei oder drei Lastzüge ließen sich auf dem gepflasterten Platz vor der Halle nicht unterbringen. Die Lage an der alten B 56 konnte kaum besser sein: nur wenige hundert Meter bis zu den Autobahnauf- und -abfahrten.

Freiberg und Lupus hatten das Ramersdorfer Kreuz passiert, das mit der ganzen Wucht moderner Technik in den dicht bewaldeten Ennert hineingetrieben worden war. Mancher Baum, der nie die Leiden des sauren Regens kennengelernt hatte, war den Kettensägen zum Opfer gefallen. Gegen die Verlängerung des unvollendeten Straßenstücks quer durch das Naturschutzgebiet zur Autobahn nach Frankfurt hin standen die rechtsrheinischen Bürger auf den Barrikaden; aber sie würden buchstäblich »in die Röhre« schauen, denn durch solch einen Betonschlund sollte sich künftig der Lindwurm aus Blech bewegen.

Lupus parkte Uni 81/12 direkt vor dem Büroeingang der Firma und gab mit dem entsprechenden Kommentar durch Knopfdruck für CEBI den Status ein.

Beim Aussteigen legte Freiberg ihm die Hand auf den Arm. »Du denkst daran: Drinnen wird jedes Wort, das wir sagen, abgehört. Vielleicht müssen wir die Taktik ändern und anders vorgehen.«

»Ich dachte, die Spionage bleibt draußen vor.«

»Grundsätzlich ja, aber ... na, mal sehen, wie der Bursche zu packen ist.«

Die kleine Eingangshalle vermittelte den Eindruck von Solidität. Rechts vom Eingang grenzte eine in Juramarmor gehaltene Brüstung den Arbeitsbereich der Empfangssekretärin ab. Auf dem Schreibtisch stand ein Monitor, dessen Bildschirm von den Besuchern nicht einzusehen war. Eine moderne Anlage für die Vermittlung von Telefongesprächen war in die anschließende Arbeitsplatte integriert.

Die Dame zeigte sich pastellfarben und oxydblond. Ihre zarte Stimme deutete Schutzbedürfnis an. Doch dieses Wesen würde zubeißen, wenn sein Revier in Gefahr geraten sollte.

Freiberg hatte nur seinen Namen genannt. Wie von einem leicht im Winde bewegten Glasperlenspiel tönte es lieblich: »Herr Kriminalhauptkommissar Freiberg, Sie werden von Herrn Baumann erwartet. Wen darf ich als Ihren Begleiter melden?«

»Kriminalhauptmeister Müller.«

Die Oxydblonde schaltete an Knöpfen und gab die Anmeldung über eine Sprechanlage weiter.

Nur zwei Minuten später erschien Herr Baumann, um seine Besucher zu begrüßen. »Ach bitte, gehen wir doch gleich in mein Büro, dort sind wir ungestört.«

Die Ausstattung hätte Lupus eine lautstarke Anerkennung entlockt, wenn er nicht an die Lauscher hinter der Wand gedacht hätte. Die Sitzgruppe in braunem Büffelleder ließ beste Handarbeit erkennen. Sie gab dem Raum Ruhe. Die textile Spanntapete zeigte eine feine Kordelstruktur. Hohe gerahmte Felder waren deckenhoch aneinandergesetzt, alles leicht demontierbar. Und dahinter der ideale Platz für die Abhöranlage mit empfindlichen Mikrofonen!

Der schwere Schreibtisch in Palisander wirkte eine Idee zu unruhig. Ein niedrig gehaltenes Bücherregal im gleichen Holz lief von Wand zu Wand. Zwei Schauvitrinen boten Besonderes: in der einen kostbare Trinkgefäße, wunderschöne Glasgravuren aus Böhmen, 18. und 19. Jahrhundert, dann geschnittene Pokale aus dem alten Rußland. Die andere Vitrine barg ein geradezu revolutionäres Kontrastprogramm: Miniaturkraftfahrzeuge nach Art der Matchboxserien, nur ausgesuchte Stücke wie Sattelschlepper, Tankwagen, Rettungsfahrzeuge, Holztransporter, Schleppzüge mit Pipelinerohren, kyrillisch beschriftet.

Baumann sah nicht zum erstenmal die verwunderten Blicke der Besucher hin und her wandern und meinte: »Jeder Mensch braucht ein Hobby – ich sammle Extremes.« Diese Einstimmung und Gesprächseröffnung dürfte schon manchen Geschäftsabschluß erleichtert haben. Schließlich war Comport auch ein seriös arbeitendes Unternehmen mit weltweiten Geschäftsbeziehungen.

»Ich würde lieber mit den Fahrzeugen spielen«, lenkte Freiberg das Gespräch in die vorgesehene Richtung, »doch wir müssen uns

leider mit dem Tod Ihres Außendienstleiters Artanow befassen.«
»Ja, das ist bitter. Die Firma hat einen sehr tüchtigen Mitarbeiter verloren. Hat die Polizei schon Erkenntnisse?«
Freiberg kannte die Tour. »Nein, wir stehen immer noch ganz am Anfang. Bitte, was für ein Mensch war Herr Artanow?«
Der Geschäftsführer spulte seine Walze ab: »Artanow wäre im nächsten Monat fünfundvierzig Jahre alt geworden, ein Kind des Krieges, im bittersten Sinne des Wortes. Der Vater war als deutscher Soldat in Rußland und hat die Geliebte aus der Ukraine mit dem gemeinsamen Kind nach Deutschland schaffen können. Nach dem Kriege hat er das Verhältnis aber nicht legalisiert. Artanow ist zweisprachig aufgewachsen. Sein betriebswirtschaftliches Studium hat er in Köln absolviert und war Stipendiat an der Lomonossow-Universität in Moskau. Deutsche Staatsangehörigkeit und perfekte russische Sprachkenntnisse – geradezu ein Glücksfall für eine Firma, die Ost-West-Geschäfte beachtlicher Größenordnung abwickelt.«
»Und wo wohnte er?«
»Gemeldeter Wohnsitz ist Köln. Aber er mußte dauernd unterwegs sein, in Deutschland und im europäischen Ausland. Ich habe für Sie ein Dossier gefertigt. Daraus läßt sich alles entnehmen, was hier in der Firma über den Toten bekannt ist. Das könnte manche Frage überflüssig machen.«
»Und die Eltern?«
»Beide sind schon lange tot.«
Freiberg warf einen Blick auf das Dossier. Sauber geschrieben stand dort wenig mehr über Artanow als der Geschäftsführer bisher mitgeteilt hatte, so noch die genaue Anschrift, Telefonnummer, Geburtsdatum und der Hinweis »Außendienstleiter«.
»Darf ich mal telefonieren?« fragte der Kommissar.
»Aber gern, bitte bedienen Sie sich.« Damit schob Baumann seinem Besucher den zweiten Telefonapparat zu. »Die Neun vorweg gibt das Ortsnetz frei.«
Freiberg wählte die Einsatzleitstelle. »Bitte laßt von den Kollegen in Köln die Wohnung des Mordopfers Michail Artanow am Römerturm überprüfen. Kriminalobermeister Peters kann sich dranhängen. Ahrens soll die Angelegenheit koordinieren und mir berichten.« Die Angaben aus dem Dossier folgten.
»Unsere Polizei arbeitet schnell«, stellte Baumann anerkennend

fest.

Freiberg nickte. »Wer von Ihren Mitarbeitern hatte besonderen Kontakt zu Artanow?«

»Eine schwer zu beantwortende Frage. Außendienstleiter ist bei uns eine Art, wie könnte man sagen, also eine Art Titel, der ein höheres Einkommen rechtfertigt. Damit ist aber kein Weisungs- oder Aufsichtsrecht gegenüber anderen Mitarbeitern verbunden. Diese werden von unserem Marketingchef betreut. Artanow hatte vor allem den Kontakt zu unseren ausländischen Kunden zu halten, von Paris bis London und vor allem in Prag, Warschau, Moskau und Budapest. Wissen Sie, die Verzahnung zweier so unterschiedlicher Wirtschaftssysteme wie unsere freie Marktwirtschaft mit dem Staatshandel im COMECON-Bereich ist schwierig, erfordert viel Sachverstand und vor allem ständige Präsenz bei den ausländischen Kunden.«

»So, so, der Artanow war also selten hier und bekam dafür viel Geld«, stellte Lupus trocken fest.

»Das könnte man sagen«, konterte Baumann ganz ruhig. »Zuletzt hatte Artanow in Rotterdam zu tun, um einen Transit von petrochemischen Erzeugnissen nach Warschau auf den Weg zu bringen.«

Freiberg hob den Kopf. »Artanow hätte also gar nicht hier sein dürfen?«

Baumann zögerte. »Doch – schon. Er dürfte seinen geschäftlichen Part in Rotterdam bis zum Wochenende erledigt haben und zurückgekommen sein. Ich hatte ihn für gestern, also am Mittwoch, zu unserer Gesellschafterversammlung erwartet. Doch dann kamen Sie mit der Todesnachricht.«

»War Herr Artanow inkassobevollmächtigt?«

»Ja, er hatte dafür die eingeschränkte Prokura.«

»Aber Bargeldzahlungen dürften für internationale Geschäfte dieser Größenordnungen nicht gerade üblich sein – eher doch Schecks, Wechsel und Akkreditive.«

Baumann lächelte. »Es gibt Fälle, da wird lieber bar bezahlt, auch in größeren Beträgen. Das dürfte mit dem Steuerrecht der einzelnen Länder zusammenhängen. Wir kümmern uns nicht darum, es sei denn, dadurch würde deutsches Recht verletzt. Das zu wahren ist unser oberstes Ziel.«

Heilige Einfalt, dachte Lupus, der muß uns für völlig unterbelichtet halten.

»Wie darf ich das verstehen?« fragte Freiberg.

»Wir sind auch als Makler, also im fremden Namen und für fremde Rechnung tätig, und wir erledigen gewisse Geldgeschäfte.«

Freiberg nickte. »Jetzt wird mir Ihr Hinweis auf Raubmord verständlich. Artanow könnte größere Mengen Bargeld bei sich gehabt haben, nicht wahr?«

»Ich weiß es nicht, aber es wäre denkbar.«

»Und wie sieht es mit Freundschaften und anderen Kontakten aus?«

»So gar keine Liebe im Büro?« setzte Lupus nach.

»Im Betrieb? Wo denken Sie hin? Das ist nicht der Stil des Hauses. Und Freundschaften? Davon weiß ich nichts.«

Lupus wunderte sich, daß sein Kommissar diesen Schleiertanz so geduldig hinnahm.

Freiberg wollte den nächsten Punkt abhaken. »Ich hätte gern noch die Anschrift der Firma in Rotterdam.«

»Kein Problem: Petrol-Production, Société anonyme mit dem Hauptsitz in Marseille. Ich lasse Ihnen die genauen Daten, Anschrift, Telefon, Telex und so weiter aufschreiben.«

»Sieht alles sehr legal aus«, meinte Freiberg. Doch Lupus vernahm den Unterton. Baumann auch.

»Zweifeln Sie etwa daran?«

»Herr Baumann, ich bin verpflichtet, *alle* Umstände in Betracht zu ziehen.«

»Und was soll das besagen?«

»Zum Beispiel, daß Artanow in illegale Geschäfte verwickelt gewesen sein könnte.«

»Sie meinen Devisenvergehen oder vielleicht Goldtransaktionen?«

»Oh, nein«, dehnte Kommissar Freiberg die Antwort, und Lupus wußte, was kam.

»Ich denke an nachrichtendienstliche Tätigkeiten, Spionage.«

Wumm, das saß! Der Geschäftsführer zuckte zusammen. Der Mann an der Elektronik hinter der Wand dürfte auch einen Schlag mitbekommen haben.

»Sie wollen doch nicht die Firma Comport mit Landesverrat in Verbindung bringen. Dagegen müßte ich mich energisch verwahren.«

»Das sollte mir fernliegen«, antwortete Freiberg mehrdeutig.

»Aber können Sie Ihre Hand für Artanows Unschuld ins Feuer legen?«

»Dabei hat sich schon mancher verbrannt«, heizte Lupus nach und blickte Baumann aus listigen Augen an.

Der Herr Geschäftsführer schien endlich zu begreifen, daß er es nicht mit Einfaltspinseln zu tun hatte, sondern mit einer besonders sanften Sorte von harten Kripoprofis aus dem Bonner Stall. Er antwortete vorsichtig: »Ich kann mich nur zu Artanows geschäftlichem Verhalten äußern. Das war stets einwandfrei. Ein ganz vorzüglicher Akquisiteur; er dürfte kaum die Zeit gehabt haben, sich als Kim Philby zu betätigen.«

»So weit, so gut, Herr Baumann; man muß ja weder aus dieser Branche kommen, noch muß man sie lieben, um einiges zu wissen. Wir haben Möglichkeiten, schon bald klarer zu sehen. Unsere Dienste haben lange Ohren.«

Obwohl Baumann sich vorher jede Störung von außen verbeten hatte, war er jetzt offensichtlich froh, als das Telefon summte. »Für Sie, Herr Kommissar, es scheint dringend zu sein.«

Ahrens war am Apparat. »Chef, kann ich offen sprechen?«

Baumann konnte die leise gestellte Frage nicht verstehen, aber auch sie würde sich auf dem Comport-Tonband wiederfinden.

»Moment«, antwortete Freiberg, »wir führen hier ein interessantes Gespräch. Ich habe jetzt wirklich keine Zeit. Lupus meldet sich gleich vom Wagen aus.«

Ahrens hatte den Hinweis verstanden.

»Sie können hier ungestört sprechen. Ich ziehe mich solange zurück«, diente sich Baumann eifrig an.

»Sehr liebenswürdig«, lächelte Freiberg und dachte, Polizeiinterna auf Comport-Tonbändern, das hätte noch gefehlt. »Mein Kollege übernimmt das schon. Wir haben ja unseren Wagen draußen.«

Lupus hatte sich erhoben und grinste breit. Er freute sich, daß dem scheinheiligen Rechtswahrer endlich klar wurde, wie die Kripo über ihn und den Comport-Laden dachte – und das alles ohne ein kränkendes Wort.

»Also«, nahm der Kommissar den Faden wieder auf, »Sie haben keinerlei Erkenntnisse, daß Artanow nachrichtendienstlich tätig gewesen sein könnte? Er hatte doch einen geradezu idealen Beruf, um Ausspähungsaufträge abzudecken. ›Offizielle Reisekader‹ nennt man das wohl im Geheimdienstjargon.«

»Wirklich, Herr Kommissar, wir Deutsche denken zu schnell an Spionage und Verrat, wenn geschäftliche Beziehungen zum Ostblock unterhalten werden. Dabei liegt Comport voll im Trend der Bundespolitik. Wir helfen, den wirtschaftlichen Freiraum unter dem Spannungsbogen der Großmächte zu erweitern.«

»Anerkannt«, stellte Freiberg fest. »Dieses Land braucht solche Unternehmer. Ich habe ja auch nur sehr hypothetische Überlegungen angestellt. Immerhin *wäre* es denkbar, daß Artanow auf Grund eines begründeten oder falschen Verdachts von der eigenen oder von der anderen Seite ausgeschaltet worden ist.«

Geschäftsführer Baumann sah Freiberg schräg von unten an. »Von deutscher Seite? Was für eine schreckliche Vision in unserem Rechtsstaat. Dafür gibt es doch wohl kein Indiz?«

Der Kommissar winkte ab. »Vergessen wir es. Ich habe nur ein paar spekulative Gedanken geäußert. Die Mordkommission wird sich an die Fakten halten.«

Baumann sah aufmerksam hoch, als Lupus zurückkam.

»Chef, tut mir leid. Vorrangsache. Es gibt neue Erkenntnisse. Wir müssen sofort zurück.«

Der Kommissar strahlte Zufriedenheit aus. Einen besseren Abgang hätte er sich gar nicht wünschen können. Geschäftsführer Baumann dürfte in jeder Hinsicht verunsichert sein. Und die Lauscher hinter der Wand ebenso.

»Tja, leider müssen wir das Gespräch abbrechen, die Pflicht ruft. Ich werde mich sicherlich noch einmal melden. Für heute vielen Dank für Ihre Hilfe – und auf Wiedersehen.«

»Ja, gewiß, danke«, stotterte der Hausherr und reichte zum Abschied die schlaffe Hand. Die Sicherheit des königlichen Kaufmanns war ihm verlorengegangen.

Draußen fragte der Kommissar: »Nun?«

»Einsteigen bitte!« dröhnte Lupus. Er wollte in diesem Nest mit tausend Ohren kein Risiko eingehen. Leiser meinte er: »Chef, mit Verlaub, du kannst ein ganz falscher Hund sein.«

Freiberg ließ sich auf den Beifahrersitz plumpsen. Dann zog er die Tür zu. »Also, rede! Was ist los?«

»Anschnallen ist Beamtenpflicht«, sagte Lupus seelenruhig.

»Nun verdammt, rede endlich!«

Lupus bog auf die alte B 56. »Höre und staune: Ahrens hat eine Vorabinformation von Peters aus Köln. Weißt du, wer auf der Kun-

denliste des Relax-Großhändlers steht?«
»Comport doch wohl nicht?«
»Nein, viel schöner für die ermittelnden Beamten: unser Prominentenpuff, der ›Sonnentiegel‹ in Königswinter am Rhein.«
»Auf geht's, Lupus, Südkurs!«
»Liegt schon an, Chef. Mit dem größten Vergnügen!«

Kapitel 11

Am Herz-Jesu-Kloster bog der Wagen links auf die Autobahnrampe Richtung Köln. Im freien Feld tauchten die rotbunten Klötzchen der Gesamtschule Beuel auf. Planerisches Genie hatte dieses Bauwerk, mit dem Notlazarett für Katastrophenfälle im Keller, weit ab von den Wohnsiedlungen entstehen lassen. So muß eben zur Schule der Bus genommen werden; – wer geht denn schon noch zu Fuß!
»Halt! Was soll das? Du kurvst ja nach Norden«, fuhr Freiberg seinen Kollegen an.
»Kenntnis des Gesetzes erleichtert die Rechtsfindung, und Kenntnis des Straßennetzes den richtigen Kurs. Dieser Umweg verkürzt!« Damit nahm Lupus die nächste Ausfahrt, zog auf die Autobahnüberführung der B 56 – und fuhr in Gegenrichtung auf die Zufahrt nach Süden.
»Bonn für Kenner«, stellte Freiberg anerkennend fest. »Ich nehme alles zurück.«
Schon tauchte rechts von der Strecke wieder die Firma Comport mit Halle und Vorplatz auf, dann auf der anderen Seite die Ausläufer des Siebengebirges. Der Ennert wußte sich gegen unerwünschte Bauherren selbst zu verteidigen: Der Berghang arbeitete; Erde rutschte nach. Darum war dieser Autobahnabschnitt so teuer geworden. Jetzt kam die Steinbruchstrecke: Dornheckensee, Blauer See, Rabenlay und Kuckstein.
Freiberg erinnerte sich an ein Seminar über den Kirchenbau im Mittelalter: Die Gesteine des Siebengebirges, Trachyt, Andesit und Basalt stärkten den Kölner Dom, ebenso das Bonner Münster und manch anderes Bauwerk im Westen Europas. Die Urkunde über die Nutzungskonzession an das Kölner Domwerk aus dem 13. Jahr-

hundert liegt heute in London im Britischen Museum. Der Herr über das Vulkangestein, der Burggraf vom Drachenfels, hatte den Hochmütigen jener Zeit eine Lektion erteilt. Beim Festbankett in Köln trug er zum ganz einfachen Kleid einen schmalen Goldring mit einem unbedeutenden Stein aus seinen Bergen. Auf die Häme der Edelmänner in gestickten Gewändern wußte er zu antworten: »Ihr bezahlt die Steine – mein Stein bringt mir Gold.«

Doch die Natur ging bei den Geschäften schon früh zum Teufel. Erst das Zeitalter der Romantik war es, die Gesänge der Dichter und das Geld der Hohenzollern – zehntausend Taler aus Berlin –, wodurch der Drachenfels seinem Steinbruchschicksal entgehen konnte. Aber was wiegen schon 60 Millionen Jahre, wo die Natur sich formte, und hundert Jahre Schonung!

Das Kripofahrzeug nahm den Weg, den auch Andreas Falkenhorst genommen hatte. Abfahrt Königswinter, hinter der Mauer an der Allee am Rhein schon bald der »Sonnentiegel«.

»Chef, muß ich nun auf höheren Befehl meine Unschuld verlieren?« fragte Lupus.

»Jetzt wird nicht kopuliert, sondern recherchiert«, stellte Freiberg klar. »Und im übrigen, bei dem Ansehen in Bonns besseren Kreisen dürfte der ›Tiegel‹ wohl keimfrei sein.«

Uni 81/12 umrundete das Viertel. Für Uneingeweihte war die eiserne Tür in der mannshohen Mauer an der Rheinseite nicht als diskreter Zugang zum »Sonnentiegel« zu erkennen. Doch an der Hauptstraße wies ein Zufahrtsschild mit Sonne und Strahlenkranz auf den Parkplatz des Hauses hin: »Essen, Trimmen, Sauna, Schwimmen und Entspannen – wir verwöhnen auch Anspruchsvolle«.

»Frau daheim, steh mir bei, und große Tochter verzeih deinem Vater«, seufzte Lupus.

»Du kannst ja auch beim Heiligen Stuhl um Absolution bitten«, tröstete Freiberg. »Wo viel Sünde, da viel Vergebung.«

»Warum übernimmst du die Ermittlungen nicht gemeinsam mit Ahrens? Euch beide verpflichtet zur Treue kein güldener Reif.«

»Oh, wie du wieder sülzt! Stell dir bitte vor: Spurenakte XY. Unser Ahrens macht hier im ›Tiegel‹ rum und unsere, also seine Kuhnert muß den Vorgang schriftlich festhalten. Das steht die nicht durch. Junge Liebe braucht Vertrauen – und die Fürsorge des Dienstherren.«

Lupus stöhnte laut: »Jetzt möchte ich nur noch Amen sagen, aber ich will nicht lästern.«

Auf dem Parkplatz warteten zwei Mercedes, ein Ford und ein Oldsmobile auf ihre »verwöhnten Anspruchsvollen«.

»Mit denen stellen wir uns nicht auf eine Ebene. Die Statuseingabe ›Puff‹ darf CEBI von mir nicht erwarten«, erklärte Lupus kategorisch und parkte den Dienstwagen zwei Häuser weiter auf der Hauptstraße. Über Funk bat er die Leitstelle, ihren Standort »Königswinter« an Ahrens weiterzugeben. Mit geübten Augen musterten die beiden die wuchtige Fassade der Villa. Sie erhob sich auf einem Sockel aus gesägten Sandsteinen. Breite Treppen führten zum Portal, neben dem rechts und links Halbfässer mit gestutzten Thujabäumen standen. An der Tür blitzten Messinggriffe und versteckt, ganz oben im Winkel, überwachte das Auge einer Fernsehkamera die Schritte der Besucher.

»Vom Comport-Regen direkt in die Tiegel-Traufe«, bemerkte der Kommissar dazu trocken.

Die Eingangstür öffnete sich wie von Geisterhand. Ein Riese von Mann im Smoking, mit schwarzweiß gestreifter Fliege, blockierte den Weg und musterte die Ankömmlinge. Dann suchte sein Blick auf dem Parkplatz nach dem »Statussymbol«, damit er die Gäste einordnen konnte. Vergeblich. Nicht sehr einladend kam dann auch die Frage: »Bitte?«

Freiberg nahm es als Aufforderung und schob sich an dem Riesen vorbei ins Haus. »Danke. Wir möchten gern gut essen.«

»Vorerst nur eine Kleinigkeit«, ergänzte Lupus. »Essen und Trimmen – beides muß stimmen.«

Der Riese zeigte kaum Wirkung. »Sie nehmen bitte den Vierertisch am linken Fenster. Drinks an der Bar.« Von den neuen Kunden schien der gestreifte Fliegenträger nicht viel zu halten. Er ging zurück und ließ seinen Blick nochmals über den Parkplatz wandern.

»Hallo, neue Gesichter«, grüßte die Dame an der Bar. »Willkommen im ›Sonnentiegel‹.« Das zumindest klang einladend. Sie wies mit einer Handbewegung auf die Batterie von Flaschen in den mit Spiegelglas hinterlegten Regalen. »Sie dürfen gern wählen.«

Zwei Herren, die sich in der Belle Epoque als Stutzer qualifiziert hätten, saßen nebenan auf schwingenden Hockern und plauderten mit zwei Puppengesichtern. Das eine Köpfchen erfreute sich wallender blonder Haare, das andere trug eine luftgetrocknete rote

Pracht. Das Vierergespann sah sich die neuen Gäste kurz an. Zumindest die Damen schienen von deren Zahlkraft nicht überzeugt zu sein und verankerten ihren Zauberblick wieder in den Augen der Typen an ihrer Seite.

Freiberg bestellte. »Einen kräftigen Scotch bitte, mit einem Däumchen Wasser.«

»Für mich ein Däumchen Scotch mit viel Wasser«, schloß Lupus sich an.

Die Drinks standen Sekunden später auf der Bar. »Und Sie?« fragte Freiberg. »Darf ich Sie einladen, etwas mit uns zu trinken?«

Die Hüterin der Flaschen nickte. »Zwei Däumchen Wasser auf Kosten des Hauses. Sagen Sie ruhig Evelyn zu mir. Wir sind ein Haus der Vornamen. Zum Wohl!«

Aus der Tiefe der Lounge tönte von einem Tischchen das leise, gurrende Lachen einer dunkelhaarigen Schönen herüber. Sie erhob sich gleichzeitig mit einem Herrn mittleren Alters und strebte der Seitentür zu, die offensichtlich den Aufgang in die obere Etage erschloß. Der gereifte »Anspruchsvolle« hatte die schulterlangen Haare der Dunklen so um seine linke Hand geschlungen, daß es aussah, als führe er eine rossige Stute zur Hengstparade. Ein Kurzhaarschnitt dürfte unter dem Gesichtspunkt der Sicherheit am Arbeitsplatz in dieser Branche zweckmäßiger sein, aber lang war nun mal gefragter.

»Urlaub am Rhein oder nur auf der Durchreise?« erkundigte sich Evelyn leicht irritiert, weil die Gäste den Austausch der Vornamen vermieden hatten.

»Urlaub in den sieben Bergen bei den sieben Zwergen – schön wär's. Wir sind viel unterwegs«, lenkte Freiberg ab.

»Vertreter?«

»Ja, so könnte man sagen. Hier gibt es ein gutes Essen, hat man uns erzählt.«

»Auch die Auswahl an anderen Köstlichkeiten soll groß sein«, ließ Lupus vernehmen. »Was wird denn so geboten?«

Evelyn blieb bei dem lockeren Ton: »Sie haben mehrere Möglichkeiten, sich zu ruinieren: gut essen im ›Gourmet‹ nebenan, Sport bis zur Erschöpfung im ›Studio‹ auf der anderen Seite, und oben im ›Parcours‹ die exquisite dritte Möglichkeit...«

Sie brauchte den Satz nicht zu Ende zu führen, denn wie auf einen geheimen Knopfdruck hin öffnete sich eine Tür und herein traten zwei voll durchgetiegelte Sonnengestalten. Die kurzgekräuselte Blonde schien Freiberg im Auge zu haben, während die reife Brünette ihre Aufmerksamkeit Lupus zuwendete. Die Damen lächelten herüber, blieben aber diskret in der Tiefe der Lounge und setzten sich an einen der kleinen Tische. Es schien, als sei von den Kolleginnen an der Bar Vorsicht oder Zahlungsschwäche signalisiert worden, so daß sich die Präsentation in Grenzen hielt.

»Jeder Ruin hat seinen Preis. Wie sieht es hier damit aus?« fragte Lupus die Bardame.

»Speisen im ›Gourmet‹ nach der Karte. Drinks bei mir recht zivil. Trimmen, Saunen, Schwimmen – pauschal fünfzig. Die Verwöhnung im ›Parcours‹ ist mindestens viermal so viel wert und beim Multiplikator zehn beginnt das wahre Glück. Auf Wunsch werden die Rechnungen von mir komponiert – zielgruppengerecht! Unsere Kunden haben noch nie über Schwierigkeiten mit dem Finanzamt geklagt.«

»Sind Sie die Chefin?« wollte Freiberg wissen.

»Leider nicht. Hier herrscht Freddy Nelson, ein Meister seines Fachs. Ich helfe ihm nur.«

»Wie schön. Nun wollen wir uns mal von Ihrem Riesenzwerg füttern lassen.«

»Die Kalbsmedaillons sind heute sehr zart. – Speisen Sie allein?«

»Ja«, sagte Freiberg sehr bestimmt. »Heute speisen wir allein.«

»Aber sehr ungern«, fügte Lupus hinzu und ging mit seinem Chef zum Vierertisch mit der Aussicht auf den Rhein und Bad Godesberg am jenseitigen Ufer.

Der gestreifte Fliegenträger nahm, ohne ein Wort zu sagen, zwei der vier Gedecke vom Tisch. »Sie wünschen Medaillons, nicht wahr – und welchen Wein?«

»Medaillons ja – Glykol nein. Wir nehmen Bier vom Faß.«

»Nur Flaschen! Original Pilsener, Tuborg oder Elsässer.«

»Danke, dann bitte Mineralwasser«, beschied Freiberg.

Als der Kellner gegangen war, knurrte Lupus ungehalten: »Hast du gemerkt, wie der uns angesehen hat? Nur Flaschen! Der kann sich noch auf einiges gefaßt machen.«

»Die scheinen sich hier sehr erhaben zu fühlen, vielleicht riechen sie, daß wir nicht zur zahlungskräftigen Kundschaft gehören.«

»Der Riese mit der Fliege hat in uns sicherlich schon längst die Ordnungsmacht gewittert. Der dürfte einschlägige Erfahrungen haben. Ich sehe es schon kommen: Den müssen wir voll vor die Hörner schlagen – symbolisch natürlich. Nur dann wird so ein Rausschmeißertyp umgänglich.«

»Klar, nach dem Essen werden wir die Samthandschuhe ausziehen.«

»Wer bezahlt eigentlich die Extras? Der ›Sonnentiegel‹ ist nichts für die Besoldungsgruppe A.«

Freiberg versuchte zu trösten. »Wir exerzieren das, womit sich unsere Politiker die Wampe anfressen, damit sie alle Jahre wieder fernsehgerecht abspecken können.«

»Du meinst Arbeitsessen?«

»Genau! Im Wege der Rechtsfortbildung deklarieren wir unser Mahl als ›Ermittlungsessen‹. Die Haushälter werden Augen machen und Kommentare wälzen, wie sie uns die häuslichen Ersparnisse von den Spesen abziehen können.«

»Hoher Chef – hätten wir für diesen Fall nicht Puffreis bestellen müssen? Soll ich den Fliegenfritzen mal danach fragen?«

Während des Essens blieb die Stimmung am Tisch heiter. Das Fenster war zur Hälfte hochgeschoben. Draußen auf dem Rhein tuckerten Frachtschiffe vorbei, und die Dampfer der weißen Flotte hatten Touristen und Urlaubsgruppen geladen. Fetzen von Musik drangen aus den Bordlautsprechern herüber bis zum »Sonnentiegel«. Ein gemischter Chor hatte seine Kehlen dazugeschaltet; hell klangen Frauenstimmen »... erst kommt das Binger Loch, und dann kommt Mainz.« Vater Rhein wunderte sich schon längst nicht mehr über das Treiben auf seinen Wellen.

Mit starkem Schlag zogen Ruderboote den Strom hinauf. Ein Einer führte die Gruppe von Vierern und Zweiern an, alles ganz junge Leute. Blau-weiß – das konnte die Mannschaft vom Beethoven-Gymnasium sein. Doch die Entfernung war zu groß, um Einzelheiten zu erkennen.

Wieder stand der Fliegenträger am Tisch. Er fragte gar nicht erst, ob er nachlegen dürfe, sondern servierte die leeren Teller kurzerhand ab. Dann fragte er: »Weinspeise oder Zitronenparfait?«

Lupus schüttelte den Kopf. »Danke, keine Nachspeise. Zweimal Kaffee bitte.«

Alsbald standen zwei Tabletts auf dem Tisch. »Zahlen Sie hier oder später?«

»Wir zahlen hier. Die Rechnung bitte.«

Der Riese schrieb etwas auf einen Zettel; es dauerte eine Weile. »Das macht zweiundneunzig.«

Freiberg gab einen Hundertmarkschein.

»Danke«, knurrte der Schnellrechner und ging.

Die Geduld des Kommissars war erschöpft. Leise, aber scharf rief er: »Herr Ober!«

Überrascht drehte sich der Angesprochene um.

»Sie sagten zweiundneunzig. Die Abrechnung bitte!«

Lupus grinste und klopfte mit dem Fingerknöchel Stakkato, um den Wunsch seines Chefs zu unterstreichen.

Wortlos wurden acht Mark in kleinen Münzen auf den Tisch gelegt.

»Dieser Service ist ein Trinkgeld nicht wert«, stellte Freiberg klar. »Aber sagen Sie dem Küchenchef unseren Dank – die Medaillons waren delikat.«

Ein geschnaubtes »Phhh« war der einzige Kommentar.

Nach dem Kaffee gingen Freiberg und Lupus zur Bar hinüber. Evelyn warf ihnen einen fragenden Blick zu. »Hat es Schwierigkeiten gegeben? Das Haus legt Wert darauf, alle Gäste zufriedenzustellen, auch wenn sie nur im ›Gourmet‹ verweilen.«

»Das Essen war sehr gut, aber der Service…«

Lupus unterbrach: »…wie mit der Brechstange. Das Metier scheint Ihr Gorilla wohl zu beherrschen.«

Evelyn verhielt sich abwartend. Sie spürte, daß noch nicht alles gesagt war. »Möchten Sie vielleicht eine andere Sektion kennenlernen?«

Lupus griff die Anregung sofort auf. »Aber ja – das Studio! Trimmen, Saunen und Wasserspiele! Ist das ernstgemeint oder nur der Vorhof zur Hölle?«

Evelyn lächelte nachsichtig. »Sowohl – als auch. Sie können sich gern umsehen. Jetzt ist kein Betrieb.«

Lupus wollte losstürmen, doch Freiberg legte ihm die Hand auf den Arm. »Warte noch, wir wollen erst Klarheit schaffen.« Zu Evelyn gewandt fuhr er fort: »Sie müssen wissen, woran Sie mit uns sind: Kriminalpolizei – Hauptkommissar Freiberg und Hauptmeister Müller.« Damit zeigte er seine Dienstmarke. Sein Kollege nickte nur gönnerhaft.

Evelyn biß sich auf die Unterlippe, um keine Überraschung erkennen zu lassen. »Mir war schon längst klar, daß Sie sich nicht verwöhnen lassen wollten. Aber was führt Sie her? Der Betrieb ist ordnungsgemäß konzessioniert und wird ärztlich überwacht. Das Haus hatte bisher noch niemals Probleme mit der Polizei.«

»Hoffentlich bleibt das so«, knurrte Lupus. »Dürfen wir einen Blick in den Trimmraum werfen?«

»Ich kann Sie nicht daran hindern«, antwortete Evelyn steif.

»Doch, das können Sie«, erklärte Freiberg. »Sie brauchen nur nein zu sagen. Wir haben keinen Durchsuchungsbefehl. – Also? – Anschließend hätten wir dann noch ein paar Fragen zu stellen.«

»Bitte sehen Sie sich um. Ich werde inzwischen versuchen, den Chef zu erreichen.«

»Bitte tun Sie das.«

»Aber lassen Sie ihren gestreiften Gorilla vor der Tür«, ergänzte Lupus. »Sonst gibt's Ärger. Wir sind nämlich eine sehr empfindliche Sorte Mensch. Bullen mit Gemüt darf man nicht ungestraft reizen.«

Die Sektion »Studio« war als Trimmraum komplett ausgestattet, doch die Geräte schienen wenig gebraucht zu sein. Der Trockenruderbock und zwei Heimtrainer blockierten das Klettergestell. Die Sonnenbänke allerdings zeigten Spuren von Benutzung. Auch das Viermeterbecken dürfte Schwimm- und Turnübungen erlebt haben – schließlich müssen sich auch Gunstgewerblerinnen fit halten.

Kommissar Freiberg registrierte die Sauberkeit und Frische. Ein Hauch von Chlor zur Reinhaltung des Wassers lag in der Luft. Dann ging er zu den Sonnenbänken hinüber und zog die Tür eines flachen Wandschranks auf. Alles wohlgeordnet: Frottiertücher und Bademäntel, Tuben und Töpfchen, Flaschen mit Lotionen und Shampoos. Schließlich ein offenes Kästchen mit versiegelten Plastiktütchen. Erfrischungstüchlein und – Sonnenöl »Relax«, etwa fünf mal sechs Zentimeter im Geviert.

»Genau das, was wir suchen«, stellte Lupus fest und hatte schon drei Relax-Tütchen in seiner Tasche verschwinden lassen, bevor Freiberg überlegen konnte, ob man Evelyn um die Herausgabe bitten müsse.

Nach einem Tatort sah die Sektion »Studio« ganz und gar nicht aus. Zuviel Sauberkeit und Klarheit, zu wenig Anhaltspunkte, warum gerade hier einem Menschen der Garaus gemacht worden sein sollte. Zu viele Personen im Haus, die Zeugen sein könnten. Doch jetzt galt es, Fragen zu stellen.

Durch die gegenüberliegende Tür trat der gestreifte Fliegenträger in das »Studio« und durchquerte mit schnellen Schritten den Raum. »Sie haben hier nichts zu suchen. Hier gibt's keine Besichtigung wie im Zoo.«

»...aber ein Affe ist mir doch schon über den Weg gelaufen«, sagte Lupus überaus freundlich.

Der Gorilla pustete sich auf. In den nächsten Sekunden würde er mit den Fäusten auf seine Brust trommeln. Schon brüllte er los: »Raus hier – aber sofort!«

Freiberg griff in die Tasche, um die Dienstmarke zu zeigen.

»Stehenbleiben und Maul halten!« rief Lupus. Es schien, als griffe er in die Brieftasche, doch im nächsten Moment hatte er die 9-mm-Sig-Sauer in der Hand: »Kriminalpolizei!«

Der Riese war zur Salzsäule erstarrt und hob langsam die Hände.

»So ist's recht. Ich wußte doch, daß du Übung darin hast, die Pfötchen zu heben. Handschellen würden dir auch gut stehen.«

»Und damit Sie nicht wieder übermütig werden«, setzte Freiberg hinzu, »dies zur Kenntnis: Wir ermitteln in einer Mordsache. So, und jetzt können Sie die Hände wieder runternehmen.«

So schnell wie Lupus die Pistole gezogen hatte, so schnell war sie auch wieder verschwunden. Er konnte sich die Bemerkung nicht verkneifen: »Vorsicht Bursche, ich habe eine Lizenz zum Töten – in Notwehr versteht sich.«

Freiberg gab Order: »Sie halten sich bitte im Gastraum zu unserer Verfügung. Unterhaltung ist untersagt. Wenn Sie versuchen uns Schwierigkeiten zu machen, werden wir das Gespräch im Präsidium fortführen.«

Der Riese war geschrumpft. »Nein, ich mache bestimmt keine Schwierigkeiten. Mit einem Mord habe ich nichts zu tun.«

»Abtreten!« befahl Lupus und gab den Ausgang frei. Er grinste den Kommissar an. »So, das war die Retourkutsche für die ›Flaschen‹.«

Evelyn hatte den dramatischen Abgang mitbekommen und wirkte völlig verstört. Freiberg wandte sich ihr zu: »Wir müssen mit Ihnen und allen anderen Bewohnern des Hauses sprechen. Haben Sie dafür einen geeigneten Raum?«

»Drüben das Séparée. Inzwischen kann Janus hier aufpassen.«

»Janus? – Etwa der da?«

»Nein, unser zweiter Kellner. Er hilft im Moment in der Küche aus.«

Freiberg nickte. Evelyn bediente sich der Sprechanlage, und gleich darauf betrat ein anderer Riese die Bar.

Lupus schüttelte den Kopf. »Himmel hilf! Nur abgebrochene Schornsteine, wie beim Soldatenkönig.«

Im Séparée, wo ein Sofa mit zwei Sesseln den Mittelpunkt bildete, ließ sich die Beleuchtung über Dimmer stufenlos schalten, doch über ein mildes Schummerlicht kamen die Luxwerte nicht hinaus.

Kommissar Freiberg ließ Evelyn auf dem Sofa Platz nehmen. Er ging das Thema ohne Umschweife an. »Frau Evelyn...?«

»...Evelyn Wohlfahrt, einundvierzig Jahre alt, verwitwet, wohnhaft hier im Hause«, kam nahtlos die Ergänzung des Satzes.

»Danke. Wir ermitteln in einer Mordsache. Der tote Mann von Beuel war Gast im ›Sonnentiegel‹. Was wissen Sie über ihn?«

»Auch nicht viel mehr, als in der Zeitung stand.«

»Die haben Sie also gelesen und sich nicht gemeldet!«

Evelyn blickte zur Seite und schwieg eine Weile. Dann sagte sie leise: »Hier bleibt alles anonym.«

»Aber Sie kennen den Toten?«

»Ein wenig schon. Er kam selten, meist spät in der Nacht und...« Sie zögerte.

»...und?«

»Werner kam, ohne daß die anderen Mädchen es sahen, zu mir.«

Freiberg merkte auf: »Wie bitte?«

»Ja, er kam nur zu mir. Hat immer ein oder zwei Tage vorher angerufen.«

»Wie war sein Name?«

»Werner Schulze – Stimmt etwas nicht?«

»Schon gut – lassen wir es dabei. Wann war er zuletzt hier?«

Evelyn atmete schwer. Angst stand in ihrem Gesicht. »In der Nacht von Montag auf Dienstag, ziemlich spät.«

Freiberg fragte sehr direkt: »Ist er hier im Hause umgebracht worden? Reden Sie schon! Was war los?«

»Aber nein – nichts.«

»Sie sollten erst nachdenken und dann antworten. Mord ist kein Spaß, und wer mit drinhängt, sitzt lange hinter Mauern. Also überlegen Sie.«

»Da ist nichts zu überlegen, Herr Kommissar, bestimmt nicht. Werner ist kurz nach eins gekommen und vor zwei schon wieder gegangen. Ich bin oben geblieben und habe bis neun geschlafen. Ich war total kaputt. Der Tag hier ist lang, und man ist nicht mehr zwanzig.«

»Und wohin ist äh... Werner Schulze gegangen?«

»Er wollte zurück nach Köln, irgendwelche Sachen für eine geschäftliche Besprechung im Ahrtal vorbereiten, oder auch nur abholen. Ich weiß nicht, habe nicht so genau zugehört. Ich war auch einfach zu müde, um zu verstehen was er vorhatte. Der war als Vertreter viel unterwegs, rief an, kam her und war gleich wieder verschwunden. Aber ein sehr netter und warmherziger Mensch.«

»Mit den anderen Mädchen, sagten Sie, hatte er keinen Kontakt? Aber Nelson und die Kellner müßten ihn doch kennen?«

»Die Kellner vom Sehen vielleicht. Mit Nelson hat er schon mal ein paar Worte gewechselt, mehr nicht.«

»Hat es hier im Hause am Montag oder in der Nacht von Montag auf Dienstag Streit oder Probleme gegeben?«

»Nein, alles lief wie sonst auch. Montags ist nicht viel los.«

»Wer waren die anderen Gäste?«

Evelyn zögerte. »Muß ich darüber reden? Das wird dem Lord nicht recht sein.«

»Wem nicht?«

»Ach so, das können Sie nicht wissen. Freddy Nelson hat es ganz gern, wenn er Lord Nelson oder auch von Freunden kurz Mylord genannt wird.«

»Schön, aber jetzt weiter«, drängte Freiberg. »Wir brauchen Auskünfte – über alles, was Sie wissen.«

»Ich will mich ja nicht sperren, aber der Chef erwartet doch, daß die Mitarbeiter verschwiegen sind.«

»Gut, das soll er auch. Doch hier geht es nicht um Geschäft und Konkurrenz – hier geht es um Mord. Also bitte!«

Sie gab sich einen Ruck. »Zwei Herren haben im ›Sonnentiegel‹ zu Mittag gegessen, haben sich verwöhnen lassen und sind dann bald gegangen.«

»Verwöhnen heißt doch wohl bumsen?« fragte Lupus knallhart.

»Diese Sprache wird dem Hause nicht gerecht. Wir sind keine billige Absteige, um die Freier auszunehmen. Wir kümmern uns um die Gäste. Manche brauchen viel Zuwendung, Gespräche, Trost und Rat. Sie wissen vielleicht nicht, wie einsam Männer sein können!«

Freiberg spürte, daß Evelyn ihre Bestätigung suchte. »Sie mögen recht haben – doch wer waren die Herren, und wie ging es weiter?«

»Ein Geschäftsmann aus Frankfurt, Meiniger oder so ähnlich. Er schaut regelmäßig so alle vierzehn Tage bei uns herein. Ich vermute, er fuhr am Nachmittag immer schon so früh wieder ab, damit er abends rechtzeitig bei seiner Familie sein konnte.«

»Und der andere Mittagsgast?«

»Aus Bonn. Ein jüngerer Diplomat aus einem der Ölländer. Die Typen sind oft bei uns. Letzten Freitag war großer Auftrieb. Eine Delegation hatte das ganze Haus besetzt.«

»Gut. Die Mittagsgäste sind also nach der Verwöhnung gegangen – und dann?«

»Etwas Laufkundschaft am frühen Abend, kleine Essen, ein paar Drinks – aber keiner von denen war oben im ›Parcours‹.«

»Jetzt also zu den Nachtgästen.«

»Na schön. Ein gut gekleideter dunkelhaariger Mann, tiefbraune Augen, glatt rasiert, aber mit dem für dunkle Typen charakteristischen bläulichen Schimmer auf den Wangen. Der war zum erstenmal hier, und nach dem Abendessen längere Zeit bei Dorothee.«

»Sein Name?«

»Mir unbekannt. Der ist genausowenig wie Sie auf unseren Vorschlag mit den Vornamen eingegangen. Man erfährt ja sonst nichts. Schließlich sind wir kein Haus, in dem Meldeformulare ausgefüllt werden. Und mancher bleibt eben gern anonym.«

»Wann ist der Blaubart gegangen?«

»Ich weiß es nicht so genau. Auf jeden Fall nach Mitternacht, kurz vor eins vielleicht.«

»Und der nächste Herr?«

»Ein Stammkunde, den wir alle gern mögen, höherer Beamter. Genügt das nicht?«

»Nein – genügt nicht. Es ist schon besser, Sie selbst machen uns schlau. Sonst müssen wir uns die Mädchen vorknöpfen.«

»Ach, die Schäfchen dürfen Sie nicht aufscheuchen. Also, unser Stammkunde ist Andreas Falkenhorst, ein Ministerialrat. Der kommt oft zu uns.«

»Zu wem?«

»Zu allen – wie es sich gerade ergibt.«

Lupus wunderte sich. »Hält dieser ministerielle Unschuldswurm den ›Sonnentiegel‹ für seinen Harem?«

Evelyn winkte ab. »Sex ist nicht die Hauptsache. Bei dem hängt der Haussegen schief. Die Frau ist Künstlerin; sie malt und bringt das Geld durch.«

Lupus wurde hellwach. »Doch nicht Tuffi Falkenhorst aus Godesberg, die gestern ihre Vernissage gehabt hat?«

»Ja, die«, bestätigte Evelyn. »Diese Künstlerin ist das Problem von Andreas Falkenhorst. Aber bei uns sucht und findet er immer Trost. Der Lord kennt ihn auch ganz gut.«

»Und wann hat sich Falkenhorst verabschiedet?«

»Moment«, überlegte Evelyn, »am Freitag, als die Ölscheichs aufgedreht haben, war er bis zum Morgengrauen dabei. Von Montag auf Dienstag ist er wohl so um ein Uhr herum gegangen; Angelina hat ihn verwöhnt.«

»Danke«, sagte Freiberg. »Sie sehen, wir haben doch nichts Unmögliches von Ihnen verlangt. Aber mit den Abendgästen müssen wir uns schon noch eingehender befassen. Dieser ›Blaubart‹ ohne Namen, – bei Dorothee war er, sagten Sie. Hatte er sonst noch Kontakte?«

»Das müßte Freddy Nelson wissen. Ich habe eben hinter ihm hertelefoniert. Er war bei seiner Bank und müßte bald zurück sein.«

»Ist Dorothee im Hause?«

»Aber ja. Die Blonde, die Sie vorhin so schmachtend angeschaut hat.«

»Ich wäre dankbar, wenn Sie das Mädchen herbitten würden. Aber sagen Sie gleich, wer wir sind, damit keine Hoffnungen enttäuscht werden.«

Evelyn ging zur Bar zurück, wo Janus vergeblich versuchte, seinen verschreckten Kollegen aus dem ›Gourmet‹ durch ein Handzeichen herbeizuwinken.

»Mach hier keine Faxen«, flüsterte sie ihm zu. »Am besten verschwindest du wieder. Die beiden sind von der Kripo und ermitteln wegen des Toten in Beuel. Der Mann war Gast des Hauses.«

Janus sah spöttisch über Evelyn hinweg zum Séparée. »Damit sagst du mir nichts Neues. Den kennen wir alle und wissen auch, wen er besucht hat.«

»Mistkerl – verschwinde«, fauchte Evelyn. Dann rief sie über die Sprechanlage Dorothee herunter und gab ihr die richtigen Worte mit auf den Weg: »Beantworte der Kripo jede Frage, aber stell dich nicht dümmer als du bist.«

Die zierliche Blonde mit der Figur eines Mannequins Größe 38 war alsbald zur Stelle und versuchte es mit dem Charme, den sie in diesem Hause gelernt hatte: lieb, zart und ein wenig verhuscht. »Wie schön, daß auch die Polizei den Weg hierher gefunden hat«, säuselte sie. »Ich will gern auf Ihre Wünsche eingehen, wenn sie nicht zu abwegig sind.« Ihr Blick richtete sich auf Freiberg. »Für Sie bin ich Dorothee.«

»Und wer sind Sie für mich?« fragte Lupus.

Ihre blauen, kunstvoll bewimperten Augen wanderten verunsichert von einem zum anderen.

»Mein Kollege«, half Freiberg aus der Verlegenheit, »möchte gern Ihren richtigen und vollständigen Namen wissen. Ich übrigens auch. Die Polizei nimmt das sehr genau, wenn ein Verbrechen passiert ist.«

»Aber ich habe wirklich nichts verbrochen«, hauchte sie. »Ich bin unschuldig.«

Bei dem Wort »unschuldig« sah Freiberg seinen Mitarbeiter so durchdringend an, daß die unvermeidbar scheinende Frage im Ansatz stecken blieb.

»Also, wie ist Ihr Name?«

»Wilma Engelmann – aber hier heiße ich Dorothee.«

»Schön, Dorothee, Sie haben am Montag einen Abendgast verwöhnt. Erzählen Sie uns bitte alles, was Sie über ihn wissen.«

»Er war ein ganz dunkler Typ, sehr kräftig, volles Haar und so blauschimmernde Wangen.«

»Sein Name – und woher kam er?«

»Hans Sachs, hat er gesagt. Aber ob das stimmt, weiß ich nicht. Viele nennen uns einen anderen Namen. Von Nürnberg hat er gesprochen, von Geschäften mit Computerspielzeug.« Sie lächelte. »Komisch, was manche Männer für Geschäfte machen.«

»Hat er gesagt, warum er hier in der Gegend war?«

»Gesprochen hat er nicht viel – er gab auf meine Fragen kaum Antwort. Spielzeughändler, wirklich komisch!«

»Hatte er – hm, wie sagt man? – vielleicht seltsame Wünsche?«

»Nein, absolut nicht. Der wollte es ganz normal.«

»Hat er sich für die anderen Gäste interessiert?«

»Nein, ganz bestimmt nicht.«

»Was hat er bezahlt?«

»Dreihundert bei Evelyn – und mein Geschenk habe ich ordnungsgemäß zur Hälfte abgeliefert.«

»Sie kassieren nicht selbst?«

»Nur ausnahmsweise, wenn der Lord es anordnet. Wir sollen damit nicht belastet werden. Unser Einkommen am Monatsende ist wirklich gut. Später gehen wir ja noch in die Schweiz – dafür werden Rücklagen gebildet.« Sie plapperte, wie sie es gelernt hatte. »Auf den Lord und Evelyn lasse ich nichts kommen. Die haben ja auch große Unkosten und sorgen für uns.«

»Wann ist der Blaubart gegangen?«

Dorothee kicherte. »Blaubart ist gut, echt. Der ist um zehn vor eins gegangen. Ich habe auf die Uhr gesehen, das tue ich immer.«

»Wohin ging er?«

»Zu Evelyn, abrechnen. Ich war ein paar Minuten später unten und habe ihn nicht mehr angetroffen.«

»Waren noch andere Gäste im Hause?«

»Nein, niemand mehr. Evelyn sagte dann auch: ›Für heute ist Schluß‹. Ich bin wieder rauf und habe bis zehn geschlafen, dann geduscht, geschwommen und mich auf die Sonnenbank gelegt. Zum Mittagessen hat mich ein Gast eingeladen. Na ja, – und dann, na ja.«

Kommissar Freiberg sah sie freundlich an. »Wir danken Ihnen, Dorothee. Vielleicht müssen wir das später alles zu Protokoll nehmen. Jetzt sind Sie für's erste entlassen.«

»Nun wissen Sie ja, daß ich unschuldig bin«, strahlte sie ihn an. »Die Kriminalpolizei hatte ich mir viel schlimmer vorgestellt. – Sie sind richtig nett.«

»Na ja«, seufzte Lupus, als sie gegangen war. »Na ja, Herr Kommissar!«

Freiberg hob den Hörer des Tischtelefons ab. Evelyn meldete sich. Er bat sie, Angelina herunterzuschicken.

»Die hat noch einen Gast zu betreuen.«

»Dauert das lange?«

»Moment bitte«, antwortete Evelyn und schaltete kurz auf das Zimmermikrofon. Den Geräuschen und Gesprächsfetzen nach zu urteilen, dürfte die Kripo noch eine Weile zu warten haben. Dementsprechend kam auch Evelyns Antwort: »Sie müssen sich schon noch eine Viertelstunde gedulden, vielleicht auch etwas länger. Aber ich sehe gerade, daß Freddy Nelson kommt. Vielleicht wollen Sie erst mit ihm sprechen?«

»Ja, wir möchten uns sofort mit ihm unterhalten«, sagte Freiberg, und zu Lupus gewandt: »Komm, der Chef des Hauses trudelt gerade ein; den werden wir mal in Empfang nehmen.«

Lupus rieb sich die Hände.

Freddy Nelson hatte seinen weißen Mercedes 380 SEL auf dem Parkplatz neben dem Oldsmobile abgestellt und kam durch den Haupteingang herein. Er bemerkte sofort, daß es atmosphärische Störungen gab. Der im »Gourmet« wartende Fliegenträger legte kurz die linke Hand auf den Mund und deutete mit dem Daumen der rechten auf Evelyn an der Bar. Im gleichen Augenblick sah Nelson die beiden Beamten aus dem Séparée kommen. Um sein Erstaunen zu verbergen, sagte er von oben herab: »Nanu, was haben wir denn da für Gäste? Hat man euch belästigt, Evelyn?«

Freiberg und Lupus dachten dasselbe: Was für ein Panoptikum: schöne Frauen, Kellner mit Catcherfiguren und als Chef ein wahrer Koloß mit Stiernacken und Schweinsäuglein.

Lupus flüsterte: »Der Wanst läuft sicher aus, wenn wir richtig hineinstechen.«

Freiberg sah es anders. Er kannte die Typen aus seinen Lehrjahren in Dortmund. »Vorsicht – das ist ein Profi aus dem Milieu und entsprechend gewieft.«

Sie hatten die Lounge durchquert und trafen Nelson in Höhe der Bar. Freiberg trat auf ihn zu. »Ersparen Sie sich und uns Ihre Anzüglichkeiten. Kriminalpolizei: Hauptkommissar Freiberg und Hauptmeister Müller – Mordkommission. Sie sind Freddy Nelson?«

»Ja, getauft und ausgewiesen – und für Sie ›Herr Nelson‹, wenn ich bitten darf.«

Lupus hatte sichtlich mit einem Adrenalinstoß zu kämpfen, der ihm die Wut in den Kopf trieb. Wer ihn kannte, wußte, daß Mylord diese Aufgeblasenheit zu bereuen haben würde. Bedrohlich grollte seine Stimme: »Herr Nelson, Sie werden es noch lernen, sich zu zügeln. Ständig ein Polizei-Streifenwagen vor der Tür wird die Kontaktfreude Ihrer verwöhnten Gäste schnell erlahmen lassen. Wir können gleich damit beginnen – unser Wagen steht ein paar Häuser weiter.«

»Haben Sie einen Durchsuchungsbefehl – oder einen Haftbefehl?« fragte Nelson, ohne auf die Bemerkung einzugehen.

»Was soll die Frage? Rechnen Sie denn damit? Wir führen ganz normale Ermittlungen durch«, antwortete Freiberg.

»Nur so, ich habe gern Klarheit darüber, wer der Herr des Hauses ist.«

Freiberg ließ sich nicht beirren. Er hatte schon andere Scharmützel erlebt und arrogantere Rechthaber zusammensacken sehen.

»Können wir uns nun unterhalten oder möchten Sie lieber vorgeladen werden?«

»Bitte, nur zu. Sie haben ja schon herumgeschnüffelt. Ich höre.«

»Im Séparée wären wir ungestörter.«

»Warum auch nicht. Fühlen Sie sich ganz wie zu Hause. Im Séparée verwöhnen wir unsere liebsten Gäste.« In dieser Bemerkung lag ein verstecktes Friedensangebot.

»Herr Nelson«, sagte Freiberg, als sich die Tür hinter ihnen geschlossen hatte, »Sie wissen, daß ein Gast Ihres Hauses in Beuel an der Jugendverkehrsschule ermordet aufgefunden worden ist?«

»Ich lese Zeitung!«

»Und Sie schwiegen – wie Ihre Mitarbeiter auch.«

»Wir sind nicht die Gehilfen der Polizei. Aber um Ihnen Fragen zu ersparen: Der Tote, ein Werner Schulze, war gelegentlich Gast des Hauses, so auch in der Nacht von Montag auf Dienstag. Nachdem er eine Weile bei Evelyn gewesen war, habe ich mit ihm noch kurz über das Wetter und andere Belanglosigkeiten geredet und ihn zu einem Whisky eingeladen. Vorher war ein Gast, der von Dorothee kam, gegangen. Der Mann war mir unbekannt.«

»Haben Sie sich noch mit anderen Besuchern unterhalten?«

»Aber ja, vor allem mit unserem Freund und Stammgast. Mit ihm habe ich sogar gegessen und mir seine Betrachtungen über die Freuden der Ehe mit einer Künstlerin angehört.«

»Andreas Falkenhorst!«

»Ach so, Sie wissen schon Bescheid. Unser aller Freund hat zu Hause den Kummer und hier die Freude. Sie sehen, wir bieten Hilfe beim Wiederaufbau von angekratzten Persönlichkeiten.«

»Uns interessiert eigentlich mehr, wann die Gäste gegangen sind.«

»Da kann ich ausnahmsweise helfen. Ich war in der Nacht von Montag auf Dienstag nur kurze Zeit hier im Büro.«

»Hinter der Ledertür?« fragte Lupus.

»Ja. Das ist mein Reich. Dort wird das Finanzamt betrogen. Ha-ha-ha, ganz legal natürlich. Aber Sie wollten wissen, wer wann gegangen ist?«

»In der Tat!«

»Ganz einfach: Als erster ging so um eins unser Künstlergatte, den hatte Angelina aufgerichtet; danach ging der neue Dunkelhaarige, der hat noch bei Evelyn an der Bar abgerechnet.«

»Das war um zehn Minuten vor eins – Dorothee hat auf die Uhr geschaut.«

»Sieh an, die paßt also auf. Dieser Werner Schulze hat sich kurz danach oben mit Evelyn – na ja – unterhalten. Ich habe die Bar gehütet. Es war nichts mehr los zu dieser späten Stunde. Noch vor zwei kam Schulze herunter. Wir haben noch einen Drink genommen...«

»...und über belanglose Dinge gesprochen?«

»Ja, so ist das nun mal. Hier werden keine hochgestochenen Reden geführt. Dann ist er gegangen. Er wollte noch ›ein paar Meter frische Luft schnappen‹, wie er sagte, und dann im Ort eine Taxe nehmen.«

»Haben Sie bemerkt, daß der Mann beobachtet oder verfolgt worden ist?«

»Nichts dergleichen. Ich habe noch hinter ihm hergeschaut und dann die Eisentür abgeschlossen.«

Freiberg merkte auf: »Der letzte Gast ist also nicht durch das Hauptportal gegangen? Gab es dafür einen Grund?«

»Es war sein ausdrücklicher Wunsch, und wir sind in jeder Hinsicht bemüht, unsere Gäste zufriedenzustellen. Wie gesagt, ich bin mit ihm durch den Garten zum Rhein runter und habe die Tür verschlossen, nachdem er gegangen war. Wenn der letzte Besucher fort ist, wird dort immer zugesperrt. Diese Tür in der Mauer ist der schwächste Punkt im Sicherheitssystem.«

»Sie haben also das Opfer als letzter lebend gesehen?« stellte Lupus fest.

»Ganz bestimmt nicht! Sie haben den Täter vergessen. Ich habe jedenfalls diesen Herrn Schulze sehr lebendig aus dem ›Sonnentiegel‹ entlassen.«

»Ist Ihnen draußen etwas aufgefallen?« fragte Freiberg.

»Nein, nichts Besonderes. Allerdings war es nicht sehr still. Da waren Rabatz und Lärm. Irgendwo in der Nachbarschaft gab's eine Party mit Kapelle, Gesang und Knallkörpern. Im Ort geht es manchmal so zu wie auf Pützchens Markt.«

»Und wo haben Sie die Nacht verbracht?«

»Na, wo schon; hier natürlich. Der ›Sonnentiegel‹ ist mein Domizil.«

»Wir möchten die Strecke zum Rhein nachher mit Ihnen abgehen und uns umsehen. Oder haben Sie etwas dagegen?«

»Wenn es denn sein muß – ich will keinen Ärger mit der Polizei, obwohl ich nicht weiß, was das Ganze soll. Der Fall dürfte jenseits dieser Mauern zu lösen sein. Aber vielleicht merken Sie das selbst schon noch.«

Freiberg legte seine Hand besänftigend auf Lupus' Arm. »Danke, wir bemühen uns jederzeit darum dazuzulernen. Also dann nachher...«

Freddy Nelson verschwand hinter der lederbeschlagenen Tür. Die beiden Beamten gingen auf den gestreiften Fliegenträger zu. Der erhob sich langsam. Das Mißverhältnis seiner Körpergröße zu der der Kripo wirkte bedrückend.

»Setzen Sie sich«, sagte Lupus denn auch sehr schnell.

Freiberg und Lupus nahmen an der gegenüberliegenden Tischseite Platz und schossen in schneller Folge die üblichen Fragen ab. Der Riese gab wenig nützliche Antworten. Er hatte angeblich vor Mitternacht seinen Dienst beendet und war zu seiner Schlafstelle im Souterrain gegangen. Vom Weggang der letzten Gäste wollte er nichts bemerkt haben.

Evelyn winkte herüber. »Angelina wird in wenigen Minuten frei sein.«

Freiberg und Lupus standen auf; der Riese wollte dasselbe tun.

»Sitzenbleiben!« fuhr Lupus ihn an. Das wirkte: Der Mann knickte sofort wieder ein.

An der Bar schnarrte das Telefon.

»Für den Hauptkommissar!« rief Evelyn und hielt den Hörer hoch.

Freiberg übernahm und erkundigte sich, indem er die Hand auf die Sprechmuschel legte: »Kann das Gespräch hier im Haus mitgehört werden?«

»Nein, wenn zur Bar durchgestellt ist, kann nicht mitgehört werden, nicht einmal vom Büro aus. Das hat Freddy Nelson immer schon bedauert.«

Freiberg nickte beruhigt und meldete sich. Lupus sah, wie sich das Gesicht seines Chefs verwandelte; ein Ausdruck des Staunens prägte dessen Züge.

»Ja, wir kommen ins Präsidium. Erst muß geklärt werden, ob das Dokument echt ist – dann können wir hier weitermachen.«

Freiberg schüttelte mehrfach den Kopf. Er gab Evelyn den Hörer zurück. »Angelina hören wir später an. Wir werden vielleicht auch an Sie und die anderen Mitarbeiter noch einige Fragen haben. Jetzt müssen wir gehen – Lupus komm!«

»Was ist denn jetzt schon wieder los, Chef? Immer wenn es spannend wird, funkt uns die Leitstelle dazwischen. Das nehme ich CEBI langsam übel. Der bekommt wohl das falsche Futter!«

»Komm, nicht hier. Laß uns erst draußen sein.«

Ihr Abgang wirkte wie eine Flucht. Von Freddy Nelson hatten sie sich nicht einmal verabschiedet.

Auf dem Wege zu Uni 81/12 gab Freiberg die Informationen an seinen Mitarbeiter weiter.

»Lupus, hör gut zu! Bei der Durchsuchung der Wohnung unseres ermordeten Artanow, alias Werner Schulze, hat der Kölner Erkennungsdienst eine Quittung über eine Million Deutsche Mark gefunden.«

»Wie bitte – was sagst du da, eine Million – soll das ein Witz sein? Von wem stammt die Quittung?«

»Ganz ruhig bleiben, Lupus. Wir dürfen uns jetzt nicht verwirren lassen. Unterzeichnet hat angeblich unser Künstlergatte Andreas Falkenhorst. Neben der Unterschrift prangt das Dienstsiegel des Ministeriums mit dem Bundesadler.«

»Ach du dicke Neune«, stöhnte Lupus auf. »In welchen Scheiß geraten wir da hinein. Der gesiegelte Pleitegeier hat uns Pastorenkindern gerade noch gefehlt.« Nach einer Pause setzte er resignierend hinzu: »Na ja, Herr Kommissar, und dann – na ja!«

Kapitel 12

Wieder einmal kamen die Beamten des 1. Kommissariats zu spät. Leitender Kriminaldirektor Dr. Wenders hatte zum »Großen Bahnhof« gerufen. Der Sitzungssaal schien vor Spannung zu bersten. Drei Kriminalgruppenleiter, die Chefs der wichtigsten Kommissariate, darunter eine Frau Hauptkommissarin, einige andere Mitarbeiter sowie Kriminalrat Sörensen vom 19. K. nickten anerkennend, als Hauptkommissar Freiberg und Hauptmeister Müller so unerwartet früh zu spät eintrafen.

»Meine Dame, meine Herren. Die Mordsache Artanow!« eröffnete Dr. Wenders die Sitzung. »Wir sind komplett – und bei dieser Zusammensetzung sollten wir auch bleiben. Sie dürfen weitere Mitarbeiter nur dann mit dem Sachverhalt vertraut machen, wenn Sie zuvor die Genehmigung des Gruppenleiters eingeholt haben. Die Hauptbetroffenen Sörensen vom 19. und Freiberg vom 1. K. entscheiden in eigener Zuständigkeit.«

»Au«, flüsterte Lupus, »es geht um Deutschland.«

Dr. Wenders hatte die Bemerkung gehört. »Vielleicht geht es in der Tat um eine hochpolitische Angelegenheit, und wir haben allen Grund, ganz schnell Licht in die Sache zu bringen – und den Mund zu halten. Wie ist der Stand der Ermittlungen im ersten Kommissariat?«

Freiberg gab eine geraffte Darstellung: »Der ermordete Artanow war Außendienstmitarbeiter der Firma Comport in Beuel. Die Firma betreibt Export-Import- und Maklergeschäfte mit dem Ostblock. Wie wir von Kollege Sörensen wissen, ist die Firma zugleich nachrichtendienstliche Legalresidentur und der Kopf von vierzig Handelsunternehmen mit ähnlicher Doppelfunktion. Gestern hat im ›Mühlenhof‹ an der Ahr eine Gesellschafterversammlung stattgefunden. Ich habe dort mit dem Geschäftsführer Baumann gesprochen. Er war – so schien es – von meiner Nachricht über die Ermordung seines Mitarbeiters überrascht und hat erst nach einigem Zögern die Identität von Artanow an Hand des von mir vorgelegten Zeitungsbildes bestätigt. Ahrens hat während der Mittagspause alle Vögel aus dem Comport-Nest fotografiert.«

»Ganz große Gratulation!« rief Sörensen spontan. »Auf eine solche Bildersammlung haben die Kölner schon lange gewartet.«

»Danke«, schloß sich der Leitende an und nickte dem in der vorderen Reihe sitzenden Ahrens zu.

Freiberg fuhr fort: »Kollege Müller und ich haben heute zunächst mit Baumann in seinem Büro in Beuel gesprochen. Er hatte ein wenig ergiebiges Dossier über Artanow vorbereiten lassen. Auf Grund der Angaben zum Wohnsitz des Opfers konnte der Erkennungsdienst in Köln tätig werden.«

»...und der ist fündig geworden – doch darüber später mehr«, unterbrach Dr. Wenders kurz.

»Die Recherchen haben noch folgendes ergeben: in der Tasche des Sporthemdes des Opfers hat unsere Spurensicherung ein Plastiktütchen mit dem Aufdruck »Relax« gefunden. KTU hat den Inhalt als Sonnenöl bestimmt. Diese Tütchen werden über zwei Großhändler nach Deutschland eingeführt und an Drogerien, Friseure und Sonnenstudios verkauft. Durch die Hilfsbereitschaft des Großhändlers in Köln haben wir erfahren, daß der ›Sonnentiegel‹ von Köln aus beliefert worden ist.«

»Das vielgerühmte Etablissement?« fragte Dr. Wenders.

»Unser Prominentenpuff«, stellte Lupus klar.

»Das läßt sich auch diskreter ausdrücken. Mancher hält es für ein Gästehaus der Bundesregierung.« Dr. Wenders lächelte. »Und weiter?«

»Artanow war gelegentlicher Gast des Hauses, angeblich nur bei der Bardame Evelyn Wohlfahrt. Man kennt ihn dort unter dem Namen Werner Schulze. Er war in der Nacht, in der er ermordet worden ist, für eine Stunde bei Evelyn und ist um etwa zwei Uhr gegangen. Kurz vor ihm hat ein anderer Gast, der dem Besitzer des Hauses, Freddy Nelson, nicht bekannt war, den ›Sonnentiegel‹ verlassen. Wie uns Dorothee, die zuständige Verwöhndame, anerkennend mitzuteilen wußte, war es ein kräftiger, dunkelhaariger Mann, angeblich Spielzeughändler aus Nürnberg. Der von ihm genannte Name ›Hans Sachs‹ ist wahrscheinlich falsch. Diesem ›Hänschen‹ werden wir unsere besondere Aufmerksamkeit widmen müssen. Nelson hat Artanow, den letzten Gast also, durch den Hintereingang des ›Sonnentiegels‹ bis zur eisernen Tür in der Gartenmauer zum Rhein hin begleitet und dann hinter ihm abgeschlossen. So sagt er jedenfalls. Artanow habe noch ein wenig frische Luft schnappen und dann im Ort eine Taxe nehmen wollen. Nelson will zum Haus zurückgegangen sein, um zu schlafen.

Freiberg legte eine Kunstpause ein. »Und jetzt kann ich mit einer Überraschung dienen: Ständiger Gast in diesem Etablissement ist Ministerialrat Andreas Falkenhorst.«

Dr. Wenders richtete sich steil auf und schlug mit beiden Handflächen auf den Tisch. »Das ist doch...! Das kann doch nicht wahr sein!«

»Es ist!« bemerkte Freiberg. »Der Herr Ministerialrat war in der fraglichen Nacht ebenfalls ›vor Ort‹. Er hat sich auch so etwa um eins – als erster – verabschiedet. Ihn hat Angelina ›verwöhnt‹. Leider haben wir die Dame nicht mehr befragen können, weil wir abgerufen wurden.«

»Tut mir leid – zu dem Vergnügen werden Sie schon noch kommen. Halten Sie den ›Sonnentiegel‹ für den Tatort?«

»Bisher keine Erkenntnisse«, erklärte Freiberg. »Aber wir stehen mit unseren Ermittlungen ganz am Anfang.«

»Danke«, sagte der Leitende und sah sich um. »Sonst noch Fragen an unseren Kollegen vom 1. K.?«

Sörensen meldete sich: »Gibt es nachrichtendienstlich Interessantes?«

Freiberg erläuterte sein Vorgehen: »Ich habe Baumann gegenüber angedeutet, daß Artanow – der als Deutscher, aber Sohn einer russischen Mutter, in Moskau studiert hat – in eine Spionageaffäre verwickelt gewesen sein könnte und darum möglicherweise von der einen oder von der anderen Seite ausgeschaltet wurde. Baumann hat sich energisch dagegen verwahrt, die Firma Comport mit Landesverrat in Verbindung zu bringen.«

»Pflichtübung!« warf Dr. Wenders ein.

»Interessant war der Versuch«, fuhr Freiberg fort, »unseren Diensten den schwarzen Peter zuzuspielen. Baumann meinte: ›...ausgeschaltet von deutscher Seite – was für eine schreckliche Vision.‹.«

»›...in unserem Rechtsstaat!‹« ergänzte Lupus. »Das hat das Früchtchen tatsächlich hinzugefügt und uns gleich gefragt, ob es dafür Indizien gäbe.«

Freiberg sah von Sörensen zu Dr. Wenders hinüber. »Ich bin sicher, die Comport-Leute gehen davon aus, daß wir ihre Doppelfunktion kennen und machen die Schotten dicht. Bei denen wird nicht mehr viel zu erfahren sein.«

Dr. Wenders nickte. »Danke für den Bericht. Etwas köchelt auf dem Feuerchen. Wir werden von Zeit zu Zeit ein paar Scheite nachlegen. Nun der andere Aspekt: Mein Kollege aus Köln hat mich angerufen und die Vorabmeldung bestätigt. Artanow hatte in der Tat eine Quittung über eine Million Deutsche Mark versteckt. Das Papier war mit Heftzwecken unter der Platte eines Tisches befestigt. Ein übrigens vorsintflutlicher Trick für die kurzfristige Aufbewahrung eines Dokuments, das man nicht in der Tasche tragen will. Die Unterschrift lautet ganz klar: Andreas Falkenhorst, daneben das Dienstsiegel mit dem Bundesadler. Bisher gibt es keinen Grund anzunehmen, daß die Quittung gefälscht ist. Der Sicherheitsreferent des Ministeriums hat bestätigt, daß ein Dienstsiegel mit der Nummer 26 von Falkenhorst geführt wird. Diese Nummer ist deutlich auf der Quittung erkennbar.«

»Und was sagt das Ministerium zu der Million? fragte Sörensen spontan.

»Nichts! Auch der zuständige Abteilungsleiter hat keine Ahnung, worum es sich handeln könnte.«

»Wenn die Herren Ministerialdirektoren von ihren Referenten nicht gefüttert werden, dann sind die genauso schlau wie unser elektronischer... Liebling CEBI«, kommentierte Lupus.

Dr. Wenders wiegte den Kopf. »Das läuft nicht gut für uns. Wir kommen an die politische Leitung nicht heran. Der Staatssekretär ist – wie kann es anders sein – auf Dienstreise im fernen Amerika, und der Herr Minister nimmt nach der verlorenen Wahl Abschied von der Macht und macht Pflichtbesuche bei den Amtskollegen unserer westlichen Nachbarstaaten. Und nun meine Damen und Herren, auch hier die Überraschung zum Schluß: Ministerialrat Falkenhorst ist heute nicht zum Dienst erschienen. Nach dieser Auskunft aus dem Ministerium habe ich vor einigen Minuten telefonisch mit seiner Ehefrau gesprochen. Sie scheint sich nicht sonderlich dafür zu interessieren, wann ihr Mann kommt und geht. Sie wisse nur, sagte sie, daß er gestern abend während ihrer Vernissage am Telefon verlangt worden sei. Danach habe er wohl das Haus verlassen. – So, das wär's. Aus diesem Puzzle werden wir ein Bild zusammenzulegen haben. Ihre Vorschläge bitte!«

Sörensen deutete eine Handbewegung an. »Ich werde mich mit den Diensten kurzschließen und klären, ob Zahlungen gelaufen sind.«

»Einverstanden. Die geheimen Kollegen sollen auch bei unseren Freunden vom CIA, vom MI 5 und beim DGSE rückfragen.«

»Wir werden uns nochmals den ›Sonnentiegel‹ vornehmen«, erläuterte Freiberg. »Ich möchte aber zuerst mit der Ehefrau von Falkenhorst sprechen und mich dort im Hause umsehen.«

»Ja«, stimmte Dr. Wenders zu, »und das 1. K. muß auf alle Fälle anwesend sein, wenn im Dienstzimmer von Falkenhorst der Schreibtisch geöffnet und durchgesehen wird. Das erledigt das Ministerium im Rahmen des Hausrechts. Durchsuchungsbefehl ist nicht erforderlich. Der Erkennungsdienst soll sich in kleiner Besetzung zuschalten. Bitte stimmen Sie das weitere Vorgehen mit dem Sicherheitsreferenten im Ministerium ab, Freiberg. Er wartet auf Ihren Anruf. Nicht vergessen: Für die Fahndung brauchen wir Fotos von Falkenhorst.«

»Die holen wir uns bei seiner Frau«, erwiderte Freiberg. »Dort fangen wir an.«

»Alles klar, meine Dame, meine Herren! Im übrigen, bitte diskrete Ermittlungen im Rahmen Ihrer Zuständigkeiten. Gruppenleiter I koordiniert. Ich werde mit dem Präsidenten gegebenenfalls über unseren Innenminister versuchen, an die politische Spitze des Ministeriums heranzukommen. Doch das wird dauern. – So, damit wissen meine Pastorenkinder wieder einmal, wo's langgeht. Ich bin jederzeit für jeden von Ihnen zu sprechen und bitte nochmals: äußerste Verschwiegenheit! Die Sitzung ist beendet.«

Stühlerücken, Füßescharren und heftig einsetzendes Stimmengewirr. Kommissar Freiberg winkte Ahrens heran.

»Du ziehst gemeinsam mit dem Erkennungsdienst die Sache im Ministerium durch. Lupus und ich fahren zu Frau Falkenhorst. Ruf uns auf alle Fälle dort an für einen Zwischenbericht. Aber bitte keine Sachinformationen über Funk. Die Comport-Leute werden unser Netz bestimmt angezapft haben. Und laß die Fahndung nach Andreas Falkenhorst vorbereiten.«

»Geht klar, Chef«, verabschiedete sich Ahrens, und Freiberg wußte, daß nichts versäumt werden würde.

Auf der Fahrt zum Drachensteinpark blieb der Kommissar schweigsam. Lupus hatte sich durch das Verkehrsgewühl zu kämpfen und fragte: »Musik und Blaulicht?«

»Nein, leise anschleichen und abseits parken.«

Sie brauchten über eine halbe Stunde, um »Falkenlust« zu erreichen. Gerahmt von Büschen und Heistern mit einer dichten Fichtengruppe als Hintergrund, verkörperte das Haus gehobene Bürgerlichkeit. Der Giebel war in Fachwerk gehalten, altes Eichengebälk, das ein Eifelbauer für gutes Geld aus einem Abbruch verkauft haben dürfte, um selbst »modern« zu bauen. Dieser Zug der Zeit hatte über Jahre hinweg häßliche Betonkästen in den Dörfern und Weilern entstehen lassen und gutsituierten Bauherren in der Stadt Gebälk und Türen verschafft, um Rustikalität anzudeuten.

Gewiß hatte Tuffis künstlerisches Talent mitgewirkt, Holz und Stein harmonisch zusammenzufügen. Sie hatte mehrere Entwürfe gefertigt, um dem Namen des Hauses eine überzeugende Struktur zu geben. Im Querträger waren runenartige Buchstaben eingegraben, rot gefärbt und hellblau abgesetzt: »Falkenlust«. – Nach der alten Sterntür mit der durch Ziernagelbeschlag betonten Verbretterung hatte sie lange suchen müssen.

Freiberg und Lupus sahen von ferne, daß diese Tür von einer Frau im sportlichen Ledermantel abgeschlossen wurde, die dann zur Garage hinüberging. Die beiden Besucher beschleunigten ihre Schritte.

»Frau Falkenhorst?« machte sich Freiberg bemerkbar.

»Ja bitte – was wollen Sie? Ich habe es eilig.«

»Kriminalpolizei. Wir brauchen einige Auskünfte.«

Tuffis sonst so beherrschtes Gesicht drückte Ungeduld und Ärger aus. »Sie sehen doch, ich bin im Begriff zu gehen. Ich habe eine geschäftliche Verabredung. Sie werden später wiederkommen müssen.«

»Nein. Wir sind jetzt hier und möchten mit Ihnen sprechen«, fuhr Freiberg sie an. »Oder wir werden Ihre Aussagen im Präsidium zu Protokoll nehmen müssen.«

»Das ist ja stark«, entrüstete sie sich. »Aber ich beuge mich der Gewalt.« Sie schloß die Sterntür auf und ging voran. Im Salon mit dem neuen Schiras hingen noch die Bilder der Vernissage. Nur grob waren die Spuren der nächtlichen Party getilgt. Der dumpfe Geruch von Farbe, Tabakrauch und Alkohol verlockte nicht zu längerem Aufenthalt. Erst im Atelier verhielt Tuffi ihren Schritt. Sie blieb neben dem halbfertigen Tableau »Drachenschlucht« stehen und deutete mit der Hand auf zwei hölzerne Klappstühle.

»Bitte. Was wollen Sie von mir?«

Freiberg fand keinen Gefallen an der Schau. »Wir möchten uns mit Ihnen unterhalten – eingehend unterhalten –, und ich wäre dankbar, wenn Sie Platz nehmen würden.«

Lupus lächelte stumm und schob Tuffi den zweiten Klappstuhl zu. Dann schlenderte er durch den Raum und musterte die Bilder.

Tuffi Falkenhorst dachte nicht daran, sich zu setzen. »Ich stehe bei der Arbeit – also kann ich auch im Stehen antworten.«

»Von mir aus«, bemerkte Freiberg und ließ den anderen Klappstuhl unbeachtet. »Sie wissen, daß Ihr Mann heute nicht zum Dienst im Ministerium erschienen ist. Wir sind bemüht, seinen Verbleib aufzuklären.«

»Pfft, dazu habe ich doch schon diesem Kripomenschen am Telefon Auskunft gegeben. Bei Ihnen weiß wohl der eine nicht, was der andere tut. – Andreas kommt und geht, wie es ihm paßt.«

»Wann hat Ihr Mann das Haus verlassen, und was hat sich vorher abgespielt?«

Tuffis Gedanken folgten der Eingebung ihrer Eitelkeit. »Die Vernissage lief glänzend. Freifrau von Trossenheim hat für den Förderverein den ›Stein der Drachen‹ angekauft; die Kunstkritik war begeistert, und ich habe mit der Cassius-Galerie abgeschlossen. Dort werde ich nicht nur ständig präsent sein, sondern mich auch unternehmerisch beteiligen. Damit ist der Durchbruch geschafft! Meinen Mann hat das alles nur am Rande interessiert.«

»Ich gratuliere zu Ihrem großen Erfolg«, sagte Freiberg, ohne sofort seine Frage zu wiederholen.

Tuffi Falkenhorst strahlte; sie war wie verwandelt. »Kommen Sie, setzen wir uns. Da drüben ist es bequemer.«

Noch bevor Freiberg helfen konnte, hatte sie ihren Mantel abgestreift und ihn über einen der Klappstühle geworfen. Sie kuschelte sich in die rechte Ecke des hochlehnigen Sofas, zog die Beine an und schob den Rock zurecht. Freiberg setzte sich zögernd in die andere Ecke. Mit geübter Bewegung warf sie das glatte, halblange Haar zurück und begann sofort zu sprechen.

»Nach dem offiziellen Teil, als die Präsidentin des Fördervereins und einige andere Besucher gegangen waren, haben wir uns locker vergnügt. Rechtzeitig vor Redaktionsschluß hat sich die Dame vom Feuilleton mit dem größten Bedauern verabschieden müssen, um ihren Beitrag noch für die heutige Ausgabe ›in das System zu geben‹, wie sie sich ausdrückte. Irgendwie läuft das ja alles über Computer, mit Lichtsatz und so. Den Artikel müssen Sie lesen. Ich hätte allen Grund, eitel zu werden.«

Lupus, mit dem zweiten Klappstuhl in der Hand, war herübergekommen. »Ihre Bilder sind große Klasse.«

»Sehen Sie«, sagte Tuffi zu Freiberg, »sogar die Polizei ist beeindruckt.«

Lupus stellte den Stuhl zurecht. Bevor er sich setzen konnte, bat die Hausherrin: »Wenn Sie uns aus den Resten dort auf dem Brett noch einen anständigen Drink mixen könnten, wäre das nett.«

Da Freiberg nicht widersprach, ging Lupus zu der Flaschensammlung hinüber. Bier war noch reichlich vorhanden, es war aber warm. Doch sonst Fehlanzeige bis auf eine halbe Flasche Gin und eine Flasche Orangensaft. Lupus spülte drei Wassergläser am Handwaschbecken und mixte einen Gleichgewichtsdrink.

»Wolfsmilch bitte, Typ Ladykiller!«

»Oh, là là!« kostete Tuffi. »Der macht nicht nur die Zungen lokker. Zum Wohl!«

»Zum Wohl«, tönte es zurück, und der Klappstuhl ächzte, als Lupus sich niederließ und sein Notizbuch zur Hand nahm.

Tuffi hatte die einleitende Frage nicht vergessen. »Neun Uhr wird es gewesen sein; wir waren voll drauf. Andreas saß hier auf dem Sofa und hatte zwei Sekretärinnen im Griff. Da läutete das Telefon. Ich habe mich vom Arbeitszimmer aus gemeldet. Der Anrufer wollte wissen, ob er mit Frau Falkenhorst spreche. Auf meine Frage, wer denn am Apparat sei, antwortete so ein richtiger Widerling: ›Ein Freund Ihres Mannes. Ich muß ihn dringend sprechen.‹ Als ich ihm sagte, daß wir Gäste hätten, hat er mich angeschrien: ›Los, holen Sie Ihren Mann ans Telefon.‹ Das habe ich dann getan. Gleich darauf ist Andreas gegangen. Er werde dringend gebraucht oder so etwas ähnliches hat er beim Weggehen gebrummelt. Das ist alles.«

»Haben Sie die Stimme erkannt?«

»Nein, aber ein Rheinländer war es bestimmt nicht.«

»Jemand vom Ministerium vielleicht?«

»Um die Zeit und in dem Tonfall? Nein. Die Beamten reden ja auch wie halbwegs vernünftige Menschen, und den Ton würde mir gegenüber wohl keiner anschlagen. Aber Andreas muß den Anrufer gekannt haben, sonst wäre er nicht so schnell verschwunden, zumal es hier auf dem Sofa ganz schön zur Sache ging.«

»Könnte Ihr Mann den Damen etwas mehr mitgeteilt haben? Schließlich hat er sie ja im wahrsten Sinne des Wortes ›sitzenlassen‹? Wer waren die beiden?«

»Viel kann er nicht gesagt haben, denn er ist sofort gegangen. Die ältere von ihnen war Margot Stettner, derzeit noch erste Kraft im Ministerbüro. Sie hatte eine jüngere Arbeitskollegin, Hanne Sommer oder so ähnlich, mitgebracht.« Tuffi hob beide Hände, weit geöffnet, als wollte sie einen Handball umfassen: »Hier oben herum dreimal soviel wie bei mir. Es müssen schon gewichtige Gründe sein, wenn Andreas sich solche Fülle entgehen läßt.«

»Ist Ihre Ehe glücklich?« fragte Freiberg geradeheraus.

»Nicht die Spur. Wir leben nebeneinander her.«

»Wo kann sich Ihr Mann aufhalten, Frau Falkenhorst?«

»Ich habe wirklich keine Ahnung. Vermuten Sie einen Unfall oder Unregelmäßigkeiten? Vielleicht mußte er sehr plötzlich eine Dienstreise antreten. Manchmal hat er direkt von ganz oben Aufträge erhalten. Die unmittelbaren Vorgesetzten waren sauer über seine guten Beziehungen zur Chefetage. Er hatte seinen Spaß dabei. Zur Sache hat er mir nie eine Andeutung gemacht. Fragen Sie mal im ›Sonnentiegel‹ nach, vielleicht wissen die Dämchen dort mehr.« Tuffi zeigte keine Spur von Betroffenheit. »Zum Wohl!« sagte sie fröhlich und leerte ihr Glas.

Freiberg zog mit und meinte: »Sie sind sicherlich einverstanden, daß wir uns im Arbeitszimmer Ihres Mannes kurz umsehen?«

»Nur zu«, antwortete sie und stand auf. Gemeinsam gingen sie durch den Salon.

»Ihr Prachtstück von Teppich hat etwas gelitten«, stellte der Kommissar fest. Dann wies er auf den roten Punkt am Rahmen des bevorzugt gehängten Bildes: »Der ›Stein der Drachen‹, nicht wahr?«

»Ja, achttausend bar auf die Hand – ich nehme es als ein gutes Omen.«

Im Arbeitszimmer des Hausherrn sah es nicht nach Arbeit aus. Ein schwerer Schreibtisch beherrschte den Raum. Der von einem ledernen Rand in der Auflage gehaltene grüne Karton zeigte kaum Spuren einer Benutzung. Ein Formularauszug über Grundstücksabgaben und die Mahnung wegen unterbliebener Wassergeldzahlung waren unter den Rand der Auflage geklemmt. In der oberen Schublade das übliche Durcheinander von Bleistiften, Kugelschreibern, Schere, Klebstoff und – ein Umschlag für Fotoarbeiten aus dem Atelier Grüner. Auf der linken Seite im Passepartout das Bild eines Mannes mittleren Alters mit dunklem, leicht gewelltem Haar.

Noch zwei gleiche Bilder rechts in der Klappe.

»Andreas wollte seinen Dienstpaß verlängern lassen«, erklärte Tuffi.

»Die Fotos sind also neueren Datums?« vergewisserte sich Freiberg.

»Ja – nehmen Sie die Bilder nur mit. Mir ist durchaus klar, daß Sie eine Fahndung einleiten wollen. Schließlich möchte ich auch ganz gern wissen, wo mein Mann steckt.«

»Danke«, sagte Freiberg und steckte die Fotos ein. »Damit ist uns sehr geholfen. Nun noch die Frage: Gibt es hier einen Safe?«

Bevor deutlich wurde, daß Tuffi mit der Antwort zögerte, wies Lupus auf die Chagall-Lithographie: »Dort, vermute ich, wegen der Kratzspuren an der Wand.« Damit nahm er das Bild vom Haken und stellte es in einen der Ledersessel.

Tuffi verstand es, ihr Erschrecken in eine Frage des Erstaunens zu verwandeln. »Hätte ein Einbrecher die Stelle auch so schnell gefunden?«

»Mit Sicherheit«, bestätigte Lupus. »Nur müßte er die Zahlenkombination wissen oder ein paar einfache Werkzeuge aus der Tasche zaubern, um das Ding zu öffnen.«

»Nun bin ich doch froh, meinen Schmuck anderweitig deponiert zu haben. Der Safe wird kaum benutzt, von mir schon gar nicht. Nur ein paar Familienurkunden werden drin liegen.«

»Können Sie den Safe öffnen?« fragte Freiberg.

Tuffi nickte: »Aber gewiß doch.« Damit griff sie zum Zahlenschloß, stellte die Kombination ein und zog die Tür auf. Kein Erkennungsdienst hätte jetzt noch feststellen können, daß ihre Fingerabdrücke auch schon seit der vergangenen Nacht am Drehknopf hafteten.

»Was haben wir denn da?« rief sie laut und zog mit einem eindrucksvollen Aufschrei eine Plastiktüte aus dem unteren Fach. Schwungvoll kippte sie den Inhalt auf den Schreibtisch: Tausender und Fünfhunderter – bündelweise!

Was Tuffi Falkenhorst spielte, war bei Kommissar Freiberg und Hauptmeister Müller echt: vollkommene Überraschung.

Lupus fand als erster das treffende Wort: »Da wird doch der Mops in der Pfanne verrückt!«

»Halt!« rief Freiberg, als er sah, daß Tuffi nach einem der Bündel griff. »Bitte nichts mehr anfassen, die Spurensicherung muß her.«

Sie zuckte zusammen und trat einen Schritt zurück.

»Erst werden wir uns einen Überblick verschaffen«, sagte Lupus ungerührt und streifte einen dünnen Plastikhandschuh über, den er, zusammen mit zwei oder drei Beweissicherungstütchen ständig bei sich führte.

»Ich müßte dringend telefonieren«, bat Freiberg und schaute sich um.

Tuffi wies auf das Telefon: »Hier, mit diesem Apparat, oder drüben im Atelier auf der anderen Leitung.«

»Laßt mich nicht mit dem Mammon allein«, forderte Lupus energisch, »sonst heißt es nachher, wir hätten an der Million geknabbert.«

»Wieso eine Million?« wunderte sich Tuffi.

Freiberg ließ die Frage unbeantwortet und sagte: »Bitte bleiben Sie hier im Zimmer. Meinem Kollegen ist die Gesellschaft so vieler Geldscheine nicht ganz geheuer.«

Vom Atelier aus wählte der Kommissar den Leitenden Kriminaldirektor an. Nach der Auskunft aus dessen Vorzimmer hatte sich Dr. Wenders zum Polizeipräsidenten begeben, um Bericht zu erstatten und das weitere Vorgehen abzustimmen.

»Legen Sie das Gespräch bitte zum Präsidenten um«, bat Freiberg. Das Rufzeichen ertönte mehrmals, bis die Sekretärin abhob. Noch bevor er sein Anliegen ganz vorbringen konnte, schnitt sie ihm das Wort ab: »Der Herr Präsident hat eine wichtige Besprechung und möchte nicht gestört werden.«

Freiberg setzte nochmals zu einer Erklärung an, doch die Dame blieb hart. »Es geht nicht. Sie werden sich gedulden müssen. Dr. Wenders ist gerade erst zum Präsidenten hineingegangen.«

Hier konnte nur noch Lautstärke, gepaart mit einer Portion Unhöflichkeit helfen. »Verdammt noch mal, darum rufe ich ja an! Ich habe eine äußerst wichtige Nachricht zum Gesprächsthema der beiden Herren. Bitte, stellen Sie sofort durch, oder Sie werden Ihre Fehlentscheidung zu bereuen haben.«

Es blieb Sekunden still in der Leitung, dann meldete sich der Polizeipräsident. »Ja, bitte?«

»Hauptkommissar Freiberg, Erstes Kommissariat. Herr Präsident, bitte entschuldigen Sie die Störung, aber ich habe für Ihr Gespräch mit Herrn Dr. Wenders eine dringende Nachricht zu übermitteln.«

»Ich höre. – Kollege Wenders hört über Lautsprecher mit.«

Freiberg berichtete: »Die Ehefrau des heute nicht zum Dienst erschienenen Ministerialrats Falkenhorst hat uns den Safe im Arbeitszimmer ihres Mannes geöffnet. In einer dort verwahrten Plastiktüte befindet sich ein hoher Geldbetrag gebündelt in Tausend- und Fünfhundertmarkscheinen. Es könnte sich um die Summe handeln, für die Falkenhorst gegenüber dem ermordeten Artanow quittiert hat. Ich werde zunächst den Erkennungsdienst beiziehen und mit diesem gemeinsam die Höhe des Betrages feststellen und dann unverzüglich berichten. Die Ehefrau scheint von diesem Schatz in ihrem Hause genauso überrascht zu sein wie wir. Sie weiß nichts über den Verbleib ihres Mannes.«

»Gute Arbeit, Freiberg«, sagte der Präsident. »Ich danke Ihnen auch im Namen von Dr. Wenders, daß Sie sich zu mir durchgekämpft haben. Die Nachricht ist den Ärger mit meiner Sekretärin wert. Aber Sie sollten die Dame doch bald mit ein paar freundlicheren Worten bedenken, sie tut auch nur ihre Pflicht. Die dann fällige Einladung zu einer Tasse Kaffee dürfen Sie ihr aber nicht abschlagen.«

Freiberg lachte. »Danke, Herr Präsident. Ich werde Kreide schlukken und den Zucker mitbringen.«

In Falkenhorsts Arbeitszimmer empfing ihn Lupus mit den Worten: »Übrigens, die Häuflein hier auf dem Schreibtisch sind, wenn der banderolierte Inhalt stimmt, keine volle Million. So hundertfünfzigtausend Deutsche Mark dürften daran fehlen. Aber ich will nicht länger im Geld wühlen und mich quälenden Versuchungen aussetzen. Unser Erkennungsdienst wird den Betrag auf Heller und Pfennig aktenkundig machen. Die Banderolen tragen den Stempel eines Bankhauses Eftenberg und Co. Nie davon gehört.«

»Privatbank schätze ich – steht sicherlich auch mit einem Bein im anderen Lager.«

Tuffi Falkenhorst starrte mit zunehmender Verwunderung auf die Geldbündel. »Fast eine Million – was mag das zu bedeuten haben? Soviel Geld auf einem Haufen und dazu noch in Andreas' Safe; da kann man ja Angst bekommen. Ich nehme an, Sie werden hier noch einige Zeit zu tun haben, oder? Meinen Termin kann ich dann ja wohl abschreiben?«

»Leider«, bedauerte Freiberg. »Ich muß Sie bitten, uns noch eine Weile zu ertragen.«

Sie nickte und wollte zum Telefon auf dem Schreibtisch greifen.

»Könnten Sie vom Atelier aus sprechen«, bat Freiberg. »Ich erwarte hier einen Anruf. Und – bitte erwähnen Sie nicht, daß wir im Hause sind und daß Geld gefunden worden ist. Sie müssen sich schon eine andere Begründung für Ihre Absage einfallen lassen.«

»Ja, gewiß. Mein Gott, wenn Andreas ein krummes Ding gedreht haben sollte, dürfte ich mit erledigt sein! Da kennt die Bonner Gesellschaft kein Pardon. Nur ein Verriß im Kulturteil der FAZ wäre noch schlimmer.« Tuffi Falkenhorst hatte alle Farbe verloren und verließ bedrückt das Arbeitszimmer.

Freiberg rief den Erkennungsdienst an. Er legte kurz den Sachverhalt dar und bat dringend darum, ein zweites Team der Spurensicherung zum Hause »Falkenlust« in Marsch zu setzen.

In der Sekunde, als er den Hörer auf die Gabel zurücklegte, schlug die Klingel des Telefons an. Ahrens meldete sich für den Zwischenbericht. Er bemühte sich, seine vor Aufregung stolpernde Stimme ruhig klingen zu lassen. »Chef, hier im Ministerium herrscht große Aufregung. Wir wissen zwar immer noch nicht, wo Falkenhorst geblieben ist – doch es fehlt seine Dienstwaffe. In der Schreibtischschublade haben wir eine leere Pappschachtel, in der die Pistole aufbewahrt wurde, einen ölgetränkten Lappen und eineinhalb Schachteln Munition gefunden. Bei der Waffe handelt es sich um eine 7,65er Walther PPK. Ölspuren in einem Handtuch lassen darauf schließen, daß die Pistole vor nicht allzu langer Zeit damit abgewischt worden ist, sicherlich, um sie in die Tasche zu stecken. Das dazugehörige Schulterholster liegt nämlich noch im Schreibtisch. Der Sicherheitsreferent ist außer sich, weil Falkenhorst die Waffe nicht zurückgegeben – oder, wie vorgeschrieben – in einem Stahlschrank verwahrt hat.«

»War Falkenhorst berechtigt, eine Waffe zu führen?« fragte Freiberg dazwischen.

»Ja, offensichtlich, die sehen hier aber noch alte Akten durch. Das liegt alles Jahre zurück, und niemand hat sich später darum gekümmert. Die Handakten und sonstige Papiere geben nichts her. Wir haben vorsichtshalber alles sichergestellt. Im übrigen wird der Raum abgeschlossen und steht uns jederzeit zur Verfügung.«

»Was ist mit dem Dienstsiegel?«

»Ach ja, das hat seine Richtigkeit. Das Siegel mit der Nummer 26 und ein Stempelkissen befanden sich ebenfalls in der Schublade. Wir bringen die Asservate mit.«

»Gut, Ahrens. Wir treffen uns nachher im Präsidium. Es dürfte eine lange Nacht werden. Bis dann!«

Lupus hatte aus Freibergs spärlichen Fragen auf den Inhalt des Gesprächs geschlossen. »Eine 7,65er, vermute ich?«

»Ja, eine PPK.«

»Na, damit dürfte wohl klar sein, woher der Bolzen stammt, der dem Leben unseres Herrn Artanow ein Ende gesetzt hat.«

»Sieht so aus. Um die Vermutung zur Gewißheit werden zu lassen, fehlt nur noch die Waffe; aber die dürften wir hier nicht finden.« Freiberg überlegte eine Weile. »Wir werden uns trennen. Ich fahre zum Präsidium zurück und nehme die Fotos mit. Die Fahndung nach Falkenhorst muß raus. Du siehst dich bitte mit den Kollegen von der Spurensicherung hier noch einmal um und paßt auf, daß Frau Falkenhorst keine Dummheiten macht. Mich erreichst du in meinem Dienstzimmer oder über die Leitstelle. Komm bald nach! Dr. Wenders werde ich mündlich informieren.«

»Und der ›Sonnentiegel‹?«

»Den nehmen wir uns heute nacht noch vor.«

Hauptkommissar Freiberg hatte auf dem Weg zum Präsidium die Kreuzbauten erreicht, als er auf der anderen Straßenseite seine Sekretärin erblickte, die sich offensichtlich auf dem Nachhauseweg befand. Er schaltete das Blaulicht ein, trat voll auf die Bremse und stellte Uni 81/12 ohne Rücksicht auf den dichten Verkehr am Straßenrand ab.

Durch das rotierende Blaulicht aufmerksam geworden, sah Fräulein Kuhnert ihren Kommissar in lebensgefährlichen Sprüngen zwischen den Fahrzeugen hindurch über die Straße und die U-Strab-Schienen setzen. Er winkte und rief ihr etwas zu. Die Laute wurden vom Verkehrslärm verschluckt.

Als der Kommissar außer Atem vor ihr stand, fragte sie kopfschüttelnd: »Was sind denn das für Manöver?«

Freiberg sah sie bittend an: »Gut, daß ich Sie treffe. Könnten Sie heute noch ein paar Stunden im Präsidium dranhängen? Die Sache

Artanow kocht hoch!«

»...und meine Schwester kocht vor Wut, wenn ich meine Verabredung mit ihr nicht einhalte. In diesem Kommissariat sind wir Frauen ja wohl die letzte Null. Alle schwirren in der Gegend herum, und keiner der Helden denkt auch nur daran, mich auf dem laufenden zu halten.«

»Sie haben ja recht, Kuhnertchen, aber wir brauchen Sie doch. Kommen Sie, der Wagen steht dort drüben. Wir fahren gemeinsam zum Präsidium. Von dort können Sie dann sofort Ihre Schwester anrufen und alle Schuld auf mein Haupt laden.«

»Ich werde doch nicht wie ein verrückt gewordener Ziegenbock über die Straße springen, um die paar Meter mit dem Auto zu fahren. So lebensmüde wie Sie zu sein scheinen, bin ich nicht.« Fräulein Kuhnert konnte wieder lachen. Sie wurde gebraucht, sonst hätte der Kommissar nicht solche halsbrecherischen Unternehmungen gestartet, um sie ins Büro zu bitten.

»Mal sehen, wer schneller ist – bis gleich«, rief sie und eilte im Geschwindschritt zum Präsidium zurück.

Sie kam so viel früher an, daß sie noch Gelegenheit fand, ihren schon an Freibergs Tür wartenden Ahrens mit einem giftigen Blick zu bedenken und sich in seine Arme zu stürzen.

»Ihr Mistkerle könnt einem das Leben ganz schön schwer machen«, seufzte sie. »Wo hast du so lange gesteckt – und was geht hier eigentlich vor?«

»Bitte keine zu heftige Liebe im Dienst«, bremste Ahrens und gab sich amtlich. »Das war eine Stimmung im Ministerium; die höheren Beamten sind herumgesaust, als hätten sie Hummeln im Hintern. Dieser Ministerialrat Falkenhorst ist samt Dienstwaffe verschwunden. Ich habe den Chef schon telefonisch informiert. Er hat mich hierher beordert. Heute nacht geht es rund.«

»Und mit der Waffe wurde Artanow umgebracht«, stellte die Kuhnert ungerührt fest.

»Woher willst du das wissen?«

»Ich bin lange genug im 1. K. und Kommissarin ehrenhalber, vergiß das bitte nicht. Der Chef ist übrigens hierher unterwegs. Auf der Godesberger Allee hat er den Verkehr lahmgelegt, um mich aufzuhalten und herzubitten.«

»So viel Pflichtbewußtsein! Du bist die richtige Frau für einen ehrgeizigen Kriminalbeamten.«

»Und du läßt jetzt deine Fangorgane von mir ab. Ich höre unseren Kommissar heranstürmen.«

Ahrens küßte seine Octopussy noch schnell auf die Nasenspitze und wandte sich dem Tisch zu, um die Asservate bereitzulegen.

Fräulein Kuhnert trat auf den Gang zurück, um ihrem Chef zu zeigen, daß sie es schneller als er geschafft hatte, oben zu sein.

Freiberg winkte ihr kurz zu und drehte in den Quergang ab, um zunächst Dr. Wenders zu berichten. Die Sekretärin hinter der weit offen stehenden Tür deutete mit einer Handbewegung die Abwesenheit des »Leitenden« an. »Der ist noch beim Präsidenten.«

»Danke«, sagte Freiberg und schlug abermals einen Haken im Labyrinth der Gänge. An der Tür des Polizeipräsidenten forderte ein kleines Schild: »Anmeldung bitte Zimmer 312a.«

Freiberg klopfte kurz an.

»Herein«, meldete sich eine energisch klingende Frauenstimme. Im Vorzimmer war nur der rechte Schreibtisch besetzt. Hier schob die zweite Chefkraft, die seinen Anruf entgegengenommen hatte, einen Stapel Akten zur Seite.

»Ach, Sie Grobian sind es!« begrüßte sie den Kommissar.

Der sah sie mit einem jungenhaften Lächeln an: »Ich habe mich tief gebückt und ganz unten an der Fußleiste angeklopft. Leider ist es schon wieder dringend!«

Die Dame war friedlich gestimmt. »Der Chef hat mir gesagt, daß Sie's drucke haben. Aber wir zwei sollten zusammen mal eine Tasse Kaffee trinken. Dabei lernen die Jünglinge den richtigen Umgang mit Damen.«

»Sehr gern, ich bringe auch den Zucker mit. Aber jetzt...«

»Süßstoff – der Linie wegen!« Damit stand sie auf und öffnete die gepolsterte Tür.

Der Präsident und Dr. Wenders hatten es sich in der Sitzgruppe bequem gemacht. Ohne Rücksicht auf die sich listig anschleichenden Joules frönten sie der Unsitte, zum Kaffee Unmengen trockener Kekse zu verzehren.

»Herr Freiberg, setzen Sie sich zu uns«, sagte der Präsident. »Wir resümieren und konsumieren dabei tote Kalorien an Stelle eines vernünftigen Abendbrotes. Meine Frau hält gar nichts von dieser Lebensweise. Wie steht's mit Ihnen?«

»Ich bin nicht verheiratet. – Herr Präsident, gestatten Sie mir...«

»Eins nach dem anderen. Fräulein Niggels, bitte noch eine Tasse

Kaffee für unseren Junggesellen. – So, und nun sind wir gespannt, was Sie über den Schatzfund zu berichten haben.«

Freiberg hatte von Lupus über Funk mit dem vereinbarten Stichwort den genauen Betrag bestätigt bekommen, so daß er jetzt über gesicherte Fakten verfügte.

Die Sekretärin stellte eine Tasse Kaffee auf den Tisch und schob fürsorglich Milch und Zucker zurecht.

»Ist der Friede wiederhergestellt?« erkundigte sich der Präsident.

Fräulein Niggels warf Freiberg einen prüfenden Blick zu und sagte lächelnd: »Alles in Ordnung!«

»Also, was ist mit dem Geld?«

»Genau achthundertundfünfzigtausend Mark in banderolierten Banknoten.«

»Das kann nur mit der quittierten Million zusammenhängen«, meinte Dr. Wenders. Der Polizeipräsident nickte.

»Aber darum bin ich nicht hier«, sagte Freiberg.

Dr. Wenders setzte die Kaffeetasse ab, und der Präsident hörte auf zu kauen. Beide sahen erwartungsvoll auf.

Freiberg fuhr trocken fort: »Eine Nachricht von Ahrens aus dem Ministerium: Im Schreibtisch des verschwundenen Falkenhorst fehlt die Dienstwaffe, Walther PPK, Kaliber 7,65.«

»Verflucht und zugenäht!« entfuhr es Dr. Wenders. »Höherer Beamter erschießt östlichen Topagenten und geht dabei selbst verschütt – und hinterläßt uns eine dezimierte Million. Das hat uns in Bonn nach dem Wahlzirkus gerade noch gefehlt.«

»Haben Sie eine Erklärung für die Zusammenhänge?« fragte der Präsident und rührte mit dem Löffel kleine Wölkchen von Milch unter den Kaffee.

»Leider nein«, antwortete Freiberg. »Wir kennen nur die verwirrenden Fakten. Ich würde gern wissen, ob sich auf der politischen Ebene die Herkunft der Million klären läßt. Das könnte uns weiterbringen.«

Der Polizeipräsident winkte ab. »Nichts zu machen! An die Politiker kommen wir derzeit nicht heran. Auf der einen Seite die verlorene Wahl und der bevorstehende Regierungswechsel, auf der anderen Seite Positionskämpfe um die Teilhabe an der Macht.« Der Präsident hob bedauernd die Schultern. »Freiberg, es tut mir leid, Sie müssen es allein versuchen. Aber bitte keine halsbrecherischen Unternehmungen oder spektakulären Fahndungen – und ja keinem Politiker auf die Füße treten. Denken Sie daran: Jetzt, in diesen Tagen und Stunden werden in Bonn für die nächsten Jahre die Weichen gestellt. Nur nicht mit dem Fuß zwischen die Schienen geraten! Die Auszeichnung der Dummen und die Bestrafung der Unschuldigen; das alles gehört zum mörderischen Spiel um Geld und Macht. Und in diesem Spiel ist die zweite Halbzeit angepfiffen. Also Vorsicht!«

»Wenn wenigstens die Dienste etwas wüßten. Ob Kriminalrat Sörensen weitergekommen ist?«

Auch Dr. Wenders winkte ab. »Vergessen Sie's, Freiberg. Das 19. K. hat mir Fehlanzeige gemeldet. Aber die Burschen vom BND und CIA sind jetzt scharf darauf, von uns zu erfahren, was gelaufen ist. Sie müssen aufpassen, daß Ihnen die geheimen Wichtigtuer nicht in die Quere kommen.«

»Meine Kripo muß schneller sein«, ermunterte der Präsident. Dr. Wenders gab noch seinen sehr hilfreichen Spruch dazu: »Ich weiß, daß ich mich auf meine Pastorenkinder verlassen kann.«

Freiberg verzog nur wenig das Gesicht und rang sich ein Lächeln ab. »Ich danke für den Kaffee und für das Vertrauen in die Arbeit des 1. Kommissariats. Sie gestatten, daß ich mich verabschiede. Als erstes werde ich die Fahndung nach Andreas Falkenhorst einleiten.«

»Muß das sein?« fragte der Präsident. »Ich sagte doch: bitte Vorsicht und Diskretion.«

»Gehen Sie vorerst mal von einer Vermißtenanzeige aus«, bremste auch der Leitende den Eifer seines Kommissars. »Noch gibt es keinen begründeten Tatverdacht gegen Ministerialrat Falkenhorst.«

Freiberg war enttäuscht. Er hatte sich von diesem Gespräch eine größere Unterstützung erhofft. »Herr Präsident, nochmals Dank für den Kaffee. Ich werde alle erforderlichen Maßnahmen nach dem jeweiligen Stand der Ermittlungen treffen.« Leiser fügte er hinzu: »... und dafür die Verantwortung tragen.«

Dr. Wenders nickte: »Gut so. Sie werden es schon schaffen.«

»Aber Vorsicht!« wiederholte sich der Präsident. »Ich denke jetzt allerdings nicht an politische Verwicklungen – die werden wir schon irgendwie durchstehen –, ich denke an Sie und Ihre Mitarbeiter. Der Kampf im Dschungel der Dienste ist gnadenlos!«

Der Kommissar war aufgestanden. »Ja«, sagte er, »was wir brauchen ist Glück.«

Er ging an der aufschauenden Sekretärin vorbei, ohne sie wahrzunehmen.

»... auch noch ein Muffelkopp«, stellte sie fest, ohne daß Freiberg es hörte.

Der Kommissar wandelte langsam und in Gedanken versunken durch die kahlen Gänge. An einem der Flurfenster zum Innenhof verhielt er und blickte auf die gegenüberliegende gleichförmige Fassade des Gebäudes. Die Scheiben reflektierten das Bild der ebenso gleichförmigen Wand, aus deren Fenster er schaute. Langsam glitten die mittleren drei Finger der linken Hand über die Stirn. Ein Gedanke drängte sich vor: Die Zahlung an Falkenhorst muß eine dienstliche Beziehung haben. Für eine Bestechung ist die Summe zu groß – auch für ein Agentenhonorar. Die Verwendung des Siegels spricht für ein legales Geschäft. Freiberg schüttelte den Kopf: kein Lehrbuchfall aus dem »Pitaval«, wohl eher eine Blüte aus dem Bonner Sumpf.

Am Ende des Ganges summte der Aufzug. Die Technik gab mit einem Knacken die Tür frei. Lupus und Peters hatten sich zufällig getroffen und strebten in seltener Einmütigkeit dem Dienstzimmer ihres Kommissars zu.

»Der Mensch denkt und der Leitende lenkt.« Mit diesen Worten riß Lupus seinen Chef aus der Meditation. »Wissen die da oben mehr?«

»Die wissen nichts – und haben es nicht gern, wenn wir durch politische Fettnäpfchen vorwärtsstapfen. Aber ohne in solche hineinzutreten, geht es wohl nicht.« Freiberg gab ein Zeichen mit dem Daumen. »Kommt Freunde, erst zu mir. Wir müssen uns freisprechen. Ahrens und die Kuhnert sind auch schon im Stall.«

Die Kommissarin ehrenhalber begrüßte ihre Männer mit lautem Hallo. »Wie immer?« fragte sie und ging, ohne Antwort abzuwarten, nach nebenan, um die Kaffeemaschine in Gang zu setzen.

Ahrens zeigte auf die ausgebreiteten Gegenstände: »Zutaten für die 7,65er; und hier das ominöse Dienstsiegel Nummer 26 mit Stempelkissen – aber kein Stück verwertbares Papier aus dem Dienstzimmer des verschwundenen Herrn Ministerialrats.«

»Wieso, hat der sich abgesetzt?« wunderte sich Peters und zog einen gefalteten DIN-A4-Bogen aus der Tasche. »Schöne Grüße von den Kriminaltechnikern aus der Domstadt. Die drehen die Quittung durch die Mangel: Suche nach Fingerabdrücken, Infrarottests, Schriftproben und was sonst noch dazugehört. Das hier ist eine Fotokopie von diesem Millionendings aus Artanows Wohnung am Römerturm.«

»Danke«, sagte Freiberg, »sieht verdammt echt aus.«

»Die Schreibmaschine aus dem Aktenschrank von Falkenhorst hat unser Erkennungsdienst bei der KTU abgeliefert. Die werden sich mit den Kölnern kurzschließen«, erläuterte Ahrens und deutete gleichzeitig auf die Asservate. »Wenn Sie, äh, wenn du Chef, das angesehen hast, will sich die KTU damit gründlich befassen.«

»Wie menschenfreundlich, daß du die Leiche nicht auch noch auf den Tisch gelegt hast«, bemerkte Lupus. »Unsere achthundertundfünfzigtausend Mark haben jedenfalls die Hechte vom Erkennungsdienst eingesackt. Tuffi Falkenhorst hat ausgesehen, als ob man ihr das Liebste genommen hätte. – Das ist vielleicht eine Type! Sie hat nur noch von Geld geredet. Das Schicksal des lieben Ehemannes scheint ihr völlig schnurz zu sein. Noch ein paar Stunden Auge in Auge mit der Barschaft und sie hätte jeden Eid geschworen, daß es sich um hart erarbeitetes gemeinsames Vermögen zu ihrer freien Verfügung handelt.«

Peters kraulte durch seine weit hinter die Stirn zurückgewichenen Locken. »Wo habt ihr das Geld gefunden? Und dann nur achthundertfünfzigtausend. Wie denn das?«

Lupus blaffte ihn an: »Wie denn, wo denn? Im Safe von ›Falkenlust‹ natürlich, wo es hingehört. Und der fehlende Rest – außer Spesen nichts gewesen. Nur der Lieferant ist tot, durch eine Kugel aus Falkenhorsts Kanone wahrscheinlich. – Und das macht stutzig!«

»Scherzbold«, konterte Peters. »Der hat seinen Schatz verteidigt.«

»Nun hört auf zu fingerhakeln«, ging Freiberg dazwischen. »Aber so übel ist deine These gar nicht, Peters. An Tötung aus Notwehr hat bisher noch niemand gedacht.«

Fräulein Kuhnert stellte laut klappernd die Tassen auf den Tisch. »Bitte meine Herren, mit einer Portion Koffein fällt das Denken leichter.«

»Notwehropfer ohne Jacke und Schuhe, daß ich nicht lache«, fegte Lupus die Überlegungen beiseite.

»Prost Kaffee«, rief Fräulein Kuhnert. »Ihr beißt euch herum wie junge Hunde. Das bringt keinen Mörder auf's Schaffott.«

»Das nenne ich Kaffee«, lobte Freiberg. »Im Präsidententrunk war das Wasser viel dünner. – Also, laßt mal Ideen kommen.«

»Wir müssen Falkenhorst finden«, stellte Ahrens fest. »Möglicherweise ist er in Gefahr. Vielleicht gekidnappt!«

»Dieses verdammte Geld, woher stammt es? Wofür ist es bestimmt? Das läßt mir keine Ruhe«, knurrte Lupus.

Peters blieb bei seinem ersten Gedanken: »Vielleicht hat Falkenhorst doch in Notwehr geschossen und den Artanow so hergerichtet, daß es wie ein Raubmord aussehen sollte.«

»Du liest zuviel Groschenhefte«, fuhr Lupus ihn an. »Wer in Notwehr handelt, will doch nicht als Mörder gesucht werden. Bei Notwehr legt man am besten seine Visitenkarte daneben und läßt Zeugen aufmarschieren. Der Falkenhorst kriegt doch niemals eine plausible Erklärung für sein Verhalten zusammen, wenn wir ihn erwischen.«

»Herr Falkenhorst hat die Million bestimmt nur verwahrt«, ließ sich die Kommissarin ehrenhalber vernehmen. »Vielleicht hat er im Ministerium den richtigen Mann nicht erreicht, an den er das Geld abliefern sollte.«

Freiberg nickte. »Aber der Fehlbetrag? Es fehlen doch einhundertfünfzigtausend an der Million. – Vielleicht ist Falkenhorst tatsächlich in Schwierigkeiten. – Es sind so viele ›Vielleicht‹.«

»Vielleicht, weil ein anderer zuviel weiß«, ergänzte Peters.

Freiberg setzte langsam die Kaffeetasse ab und ließ die Finger der linken Hand über die Stirn gleiten. »Wenn unsere Bosse ganz oben nicht weiterkommen, müssen wir es auf der unteren Ebene versuchen. Wie heißen die beiden Sekretärinnen des Ministers?«

Lupus hatte die Namen bei dem Gespräch mit Tuffi Falkenhorst notiert: »Margot Stettner und Hanne Sommer.«

Fräulein Kuhnert stand auf und sah auf ihre Uhr. »Dienstschluß – ich sehe ihre Privatnummern im Telefonbuch nach.«

»Gut, versuchen Sie, die Damen zu erreichen«, bat Freiberg.

Die Kaffeetrinker sahen sich lustlos an. Sie hörten, wie Fräulein Kuhnert im Telefonbuch blätterte und alsbald die Wähltastatur bediente. Ein Gespräch kam nicht zustande.

»Beide haben Telefon, aber keine nimmt ab«, rief sie.

»Vielleicht sind die jetzt auch verschwunden«, frotzelte Lupus. »Irgendwo in ein Bett oder gen Osten – hundertfünfzig Mille vernaschen.«

Freiberg hatte die Paßbilder von Andreas Falkenhorst auf den

Tisch gelegt und schob sie weiter.

»Die Fahndung ist vorbereitet«, bestätigte Ahrens. »Es fehlt nur noch das grüne Licht des Chefs.«

Fräulein Kuhnert hatte die Versuche aufgegeben, die beiden Sekretärinnen zu erreichen und sich wieder zu der Runde gesellt. Sie nahm ein Foto auf. »Oh, der sieht ja recht annehmbar aus«, kommentierte sie das Erscheinungsbild des Vermißten. »Wie unser Bonner Ölprinz. Hat der auch die passende Frau?«

»Und ob!« antwortete Lupus kurz.

»An eine Täterfahndung wollen unsere Oberen nicht heran. Das ist ihnen politisch zu brisant. Wir sollen nur von einer Vermißtenanzeige ausgehen«, informierte Freiberg seine Mitarbeiter über das Gespräch beim Präsidenten. »Doch dafür liegt mir das alles zu dick – ich möchte nicht, daß sich die Mordkommission lächerlich macht. Die Vordruckmeldung KP 16 AE an das Landeskriminalamt geht erst morgen ab.«

»Das ist ein Wort«, sagte Lupus.

Freiberg klopfte mit dem Knöchel auf die Schreibtischplatte.

»Jetzt wollen wir doch mal sehen, was in diesem ›Sonnentiegel‹ brutzelt. Ihr drei fahrt voraus. Peters sichert die Rheinseite, Ahrens den Vordereingang und du, Lupus, gehst sehr höflich hinein, siehst dich um und versuchst an Angelina heranzukommen.«

»Das ist die Verwöhndame von Falkenhorst«, klärte Lupus die Runde auf und sah dabei Fräulein Kuhnert an.

»Was für geschraubte Ausdrücke aus einem Wolfsmund!« lachte sie. »Wenn schon nicht Nutte, dann bitte die anerkannte Berufsbezeichnung: Prostituierte. Die Damen vom horizontalen Gewerbe zahlen schließlich Steuern – und aus Steuereinnahmen wird der öffentliche Dienst bezahlt, unser Herr Kriminalhauptmeister Müller auch!«

Lupus schüttelte den Kopf. »Das Kind will mich zum Luden machen. Ahrens, du mußt sehr vorsichtig sein!«

»Euer Gequatsche läßt mich hoffen«, unterbrach Freiberg das Geplänkel. »Also Lupus, du versuchst mit Angelina ins Gespräch zu kommen. Wirf auch ein Auge auf die Bardame Evelyn und den Dickwanst Nelson. Aber höflich und harmlos bitte.«

»Wie ich nun mal bin, Chef.«

Freiberg sah ihn vielsagend an. »Na dann! Ich nehme meinen R4 und schaue beim Ministerium vorbei. Vielleicht weiß man dort, wo die Sekretärinnen zu erreichen sind. Anschließend komme ich zum ›Sonnentiegel‹. Wenn einer das Haus verläßt, egal wer, Personalien feststellen. Wer sich nicht ausweisen kann oder aufmüpfig wird, den haltet ihr fest – ohne Rücksicht auf Rang und Namen.«

»Wird das gefährlich?« fragte Fräulein Kuhnert und sah dabei ihren Ahrens an.

»Kaum, aber seht auf alle Fälle zu, daß ihr die Waffen bereit habt. Für den Telefondienst erbitte ich die Hilfe unserer Kommissarin ehrenhalber. Wir holen noch ein oder zwei Kollegen als Reserve ins Büro. Und keine Mitteilungen über das Funknetz – Notfälle ausgenommen. Es wird telefoniert wie zu Großvaters Zeiten; vergeßt nicht, genügend Groschen einzustecken. Alles klar? Dann also auf und los!«

Kapitel 14

Stunden nach dem Ende der offiziellen Dienstzeit hätte der Parkplatz vor dem Ministerium leer sein sollen. Doch ein Pulk von Fahrzeugen stand kreuz und quer in der Nähe des Eingangs.

Hauptkommissar Freiberg stellte seinen roten R4 dazu. Sein Blick ging die Fassade hinauf. In der zweiten und dritten Etage waren einige Fenster geöffnet. Sein erster Gedanke, daß hier zu außergewöhnlicher Zeit außergewöhnlich hart gearbeitet wurde, ging im Gesang unter, der plötzlich aus den oberen Fenstern ertönte.

Die Eingangstür neben dem rechteckigen Schild mit dem schwarzen Bundesadler stand weit offen. Der Pförtner saß vergnügt in seiner »Loge« aus Panzerglas, aß belegte Brote und labte sich an einem Bier. Ohne die Frage des Besuchers abzuwarten, rief er durch die Sprechklappe: »Zur Abschiedsparty freier Zutritt! Der Leitungsbereich haut auf die Pauke. Nächste Woche ist von denen kein Mensch mehr auf seinem Arbeitsplatz. Dann kommen die Neuen und räumen ab!«

»Sind Minister und Staatssekretär mit von der Partie?«

Der Pförtner machte eine wegwerfende Handbewegung: »... schon lange nicht mehr gesehen. Die Großkopfeten haben längst abgeschnallt. Oben feiert der Troß: persönliche Referenten, Sekretärinnen und Freunde aus der Fraktion. Die haben sogar an mich gedacht. Wer weiß, wie's die Neuen damit halten.«

»Na, dann will ich mich mal dazugesellen«, sagte Freiberg. »Prost und guten Appetit!«

»Danke. – Nur schnell zugegriffen. Von den Repräsentationsmitteln wird bald nichts mehr da sein. Aber die Nachfolger werden auch einen Dreh finden.« Der Pförtner lachte laut. »Ich habe solche Ministerwechsel schon einige Male erlebt. Die finden alle einen Weg, ihre Gäste und sich selbst zu bewirten.«

Freiberg ging die läuferbedeckte Treppe hinauf. Der Gesang wurde immer lauter und die Luft immer dicker. Gleich vorn, an der geöffneten und festgekeilten Tür, welche sonst die Ministeretage sicherte, stand ein Faß Bier. Jemand drückte Freiberg eine Stange Kölsch in die Hand. »Wein und Sekt gibt's am anderen Ende des Ganges, Fressalien reichlich im Vorzimmer vom Parlamentarischen Staatssekretär, heiße Wurst und Brötchen in der Registratur.«

Unversehens zählte Freiberg zur ministeriellen Innenwelt, die allerdings durch den Wahlausgang ziemlich aus den Fugen geraten war.

Aus dem kleinen Sitzungssaal plärrte ein Radiorecorder. Tische und Stühle standen zusammengeschoben in einer Ecke. Fünf oder sechs flotte Mädchen und einige vom Alkohol animierte Referenten versuchten Jitterbug und Jive. Ein Grüppchen mit Gläsern in der Hand drückte sich redend und gestikulierend in der anderen Ecke zusammen. Freiberg hörte Satzfetzen: »...der Falkenhorst eigentlich wieder aufgetaucht? ...soll seine Pistole mitgenommen haben...«

»Der letzte Getreue kämpft für seinen Minister – dabei hat der längst kapituliert«, meinte ein schnellzüngiges Fraktionsmädchen mit heller Stimme. Ihr Gesprächspartner wollte Eindruck machen und zitierte General Cambronne, der es aber gar nicht gesagt haben wollte: »Die Garde stirbt, doch sie ergibt sich nicht.«

Freiberg trat hinzu. Mit seinem gepflegten Bärtchen und dem selbstsicheren Auftreten wirkte er wie ein jüngerer Mitarbeiter, der seine ersten Karriereschritte erfolgreich zurückgelegt hatte. Sehr dazugehörig fragte er: »Wo steckt eigentlich die Stettner?«

Einer der Herren setzte sein Bierglas ab und sah auf. »An der Sektbar, vermute ich. Die braucht mehr Trost als wir. Chefsekretärinnen stürzen am tiefsten, wenn ihr Minister von der politischen Bühne gefegt wird. Heute feiert hier jeder sein persönliches Waterloo.«

»Der holt sie bestimmt in die Fraktion zurück«, vermutete eine gepflegte Mitvierzigerin. »Die Stettner kann ja was!«

»Denkste! Der wird froh sein, daß er sie los ist – jetzt, wo er doch heiratet«, wies eine Jüngere mit flinken Augen hinter der Brille diese Überlegung zurück.

Freiberg hatte genug gehört. Betschwestern waren das alle nicht. Er hob lässig die Hand, sagte »so long« und trat auf den Gang zurück.

»Komm, dahinten soll es echten Champagner geben. Ich glaube, wir haben ein Schlückchen verdient.« Eine kleine Mollige hängte sich an seinen Arm und sah ihn prüfend an. »Kennen wir uns eigentlich?«

»Noch nicht im Übermaß«, antwortete er vage.

»Na ja, egaliter. Hier herrscht Stimmung, richtig schöne Untergangsstimmung.«

An der Sektbar standen ganze Batterien leerer Flaschen. Der Bestand an Champagner ging zur Neige. Der Rest war warm geworden und schäumte in den Gläsern wild auf.

»Sieh an! Was für eine Überraschung!« rief Freibergs Begleiterin. »Margot Stettner steht noch senkrecht. Aber wo ist Hanne, das Küken?«

»Das Baby kann doch nichts vertragen. Es macht mal Pause hinter Schloß und Riegel – im Ministerzimmer auf der Couch.«

»Hallo!« grüßte Freiberg und wandte sich an Margot Stettner, nachdem seine Begleiterin sich einer anderen Gruppe zugesellt hatte. »Ich muß Sie dringend sprechen – Kriminalpolizei.«

Die Chefsekretärin zeigte nicht die geringste Überraschung. Sie stieß mit Freiberg an, dem der Mundschenk ungefragt ein volles Glas in die Hand gedrückt hatte. »Cheerio!« Leiser fügte sie hinzu: »Gehen wir unauffällig in das Ministerbesprechungszimmer, durch die Teeküche. Ich schließe auf.«

Freiberg – mit dem Glas in der Hand – folgte ihr nach einigen Sekunden. Es ließ sich nicht vermeiden, daß ihm etliche Partygäste einen spöttisch-verstehenden Blick nachwarfen. Für ein Tête-à-tête der Stettner mit einem flotten Kollegen war man zu dieser Zeit durchaus bereit, Verständnis aufzubringen. Sie wartete in der Teeküche und schloß sofort ab, als er die Tür hinter sich zugezogen hatte.

Alle aufgesetzte Fröhlichkeit war von ihr abgefallen. »Mein Gott, warum sind Sie hier? Ist was mit Andreas passiert?«

Freiberg wußte in dieser Sekunde, daß er jede mögliche Information von ihr bekommen würde.

Sie setzten sich an die Stirnseite des ovalen Tisches im Besprechungszimmer. Etwa zwanzig dunkel gepolsterte Stahlrohrsessel ließen den Raum streng und abweisend erscheinen. Schwere Flügeltüren aus heller Eiche dämpften die Geräusche der auf dem Gang lärmenden Gäste. Die Lehne des Sessels, in dem Freiberg Platz genommen hatte, war etwa zwei Handbreit höher als die der anderen. Sein Blick fiel auf ein Ölbild des Duisburger Hafens, das die gegenüberliegende Wand beherrschte – ein Riesenformat wie Anton von Werners Historienschinken.

»Sie sitzen auf dem Platz des Ministers. Er liebt das Bild«, erklärte Margot Stettner. »Nur bei offiziellen Besprechungen setzt er sich an die Breitseite des Tisches, dem wichtigsten Gesprächspartner Auge in Auge gegenüber. Aber das ist ja nun alles Vergangenheit. Mehr bedrückt mich das Schicksal von Herrn Falkenhorst. Das Ministerium schwirrt von Gerüchten. Wissen Sie Genaueres, Herr...?«

»Kriminalhauptkommissar Freiberg, Erstes Kommissariat Polizeipräsidium Bonn. Hier bitte, mein Dienstausweis.«

»Schon gut, schon gut«, winkte die Sekretärin ab. »Erstes Kommissariat sagen Sie – bedeutet das nicht Mordkommission? – Um Gottes willen, was soll das heißen?«

»Wir brauchen Falkenhorsts Aussage, wissen aber nichts über seinen Verbleib.«

Sie schluckte heftig.

»Ist Ihnen nicht gut, soll ich Ihnen ein Glas Wasser holen? Solch eine Party strengt an.«

»Danke nein. Ich glaube, ich habe mich nüchtern getrunken. Also, wie kann ich Ihnen helfen?«

Freiberg legte für seine Notizen ein Pappkärtchen im Postkartenformat auf den Tisch, wie er es während seines Studiums für Literaturangaben und Exzerpte benutzt hatte. Dann sah er Margot Stettner an und sagte: »Sie haben wahrscheinlich als eine der letzten mit Herrn Falkenhorst gesprochen.«

»Ich?«

»Ja, Sie und Ihre Kollegin Hanne Sommer, und zwar bei der Vernissage im Hause ›Falkenlust‹. Von dort wurde er telefonisch abgerufen. Wie war das genau?«

Sie antwortete ohne lange zu überlegen: »Es scheint bereits vor einer Ewigkeit gewesen zu sein; dabei war es gestern abend, halb zehn, zehn vielleicht. Wir saßen zu dritt im Atelier auf diesem schönen alten ›Loriot‹-Sofa, ziemlich ausgelassen; trinken, reden, Fingerspiele – wie sich das so ergibt. Da kam Tuffi und rief kurz angebunden: ›Telefon‹. Herr Falkenhorst fragte, wer am Apparat sei, und sie antwortete: ›Ein Widerling ohne Kinderstube. Er will dich sofort sprechen.‹«

»Sonst kein erklärendes Wort?«

»Nein. Herr Falkenhorst ging ins Arbeitszimmer, kam nach ganz kurzer Zeit zurück und sagte ziemlich verstört, er müsse uns allein lassen wegen einer dringenden Angelegenheit. ›Ist was passiert?‹ habe ich noch gefragt. ›Ein Freund braucht Hilfe‹, war seine knappe Antwort.«

»Hat er Freund gesagt?«

»Gesagt ja. Aber ich bin sicher: Das war kein Freund. In Herrn Falkenhorsts Gesicht stand das reine Erschrecken. Ich habe ihm noch angeboten, später zu mir zu kommen. Er ist gegangen – und ich habe nichts mehr von ihm gesehen oder gehört.«

Freiberg sah Margot Stettner prüfend an. »Ich muß leider indiskret sein: Haben Sie ein Verhältnis miteinander?«

Sie zeigte ein schwaches Lächeln. »Keine Angst, ich bin nicht prüde, und wenn es wichtig für Sie ist – ja, wir hatten vor einiger Zeit eine Affäre miteinander. Davon ist so etwas wie Freundschaft geblieben. – Mein Schicksal mit verheirateten Männern.«

»Eine Frage ganz anderer Art, und ich muß Sie bitten, mit niemandem darüber zu sprechen.«

»Das habe ich als erste Kraft des Ministers gelernt.«

»Trauen Sie es Falkenhorst zu, in dubiose Geldgeschäfte verwikkelt zu sein?«

»Geschäfte besonderer Art, ja; das gehört zu seinem Beruf. Privat und dubios? Eher nein.«

»Hat es nach Ihrer Kenntnis solche Geschäfte mit dem Ostblock gegeben, in die Falkenhorst eingeweiht war?«

Sie zögerte sichtlich mit der Antwort. »Hm, Herr Freiberg, ich bin zur Geheimhaltung verpflichtet und brauche wohl die Aussagegenehmigung des Ministeriums.«

Freiberg versuchte eine Brücke zu bauen. »Was nicht als Verschlußsache eingestuft ist, gilt nicht als ›geheim‹. Wenn Sie Ihre Kenntnisse aus dem normalen Bürobetrieb haben, dann sollten Sie sprechen. Einen Toten gibt es bereits. Wir können nur hoffen, daß Falkenhorsts Verschwinden damit nicht zusammenhängt.«

Margot Stettner zeigte Wirkung. Sie zitterte leicht. »Zum Teufel mit den Vorschriften! Menschenleben sind ein zu hoher Preis für Staatsgeschäfte. Ja, da ist eine dicke Sache mit dem Ostblock gelaufen – fein am Haushaltsgesetz und am Parlament vorbei, ohne Akten, nur auf der Ministerebene. Herr Falkenhorst hatte das volle Vertrauen des Chefs und war der Abwickler. Die technischen Zusammenhänge kennt nur er genau – sonst niemand.«

»Der Minister hat Sie eingeweiht?«

»*Nolens volens.* Ganz ohne Bürobetrieb ist so etwas nicht zu machen, und im übrigen – ach, Sie werden es sowieso erfahren –, ich hatte auch eine Affäre mit dem Chef. Auch wir sind immer noch gute Freunde.«

Freiberg nahm demonstrativ seine noch unbeschriebene Notizkarte vom Tisch und steckte sie ein. »Danke – Sie haben Mut. Reden wir ganz offen miteinander. Was in die Polizeiakten kommt, wird später zu entscheiden sein.«

»Dafür danke *ich* Ihnen«, sagte Margot Stettner. »Also: Stattgefunden hat ein nach deutschem Recht völlig illegaler Transfer in Höhe von fünfundzwanzig Millionen Mark. Für dieses Geld hat ein Ostblockland deutsche Überschußware gekauft und im Bereich des COMECON abgesetzt. Der Betrag ist aus dem dort erzielten Erlös nach der vereinbarten Laufzeit zurückgezahlt worden.«

»Die ganze Summe?«

»Das nehme ich an. Gewiß doch. Da fällt mir ein: Am letzten Freitag war Herr Falkenhorst bei mir im Vorzimmer. Fräulein Sommer und ich waren dabei, unsere persönlichen Habseligkeiten und die Handakten des Ministers für den Abtransport einzupacken. Ich habe Herrn Falkenhorst noch im Scherz gefragt, ob seine Partisanen wieder auf der Matte stehen, um neue Geschäfte zu machen. Er hat verneint und noch hinzugefügt, das Staatsgeschäft sei abgewickelt.«

»Hatte er einen besonderen Grund, Sie aufzusuchen?«

»Nein, nicht daß ich wüßte. Er hat sich allerdings ganz nebenbei erkundigt, ob noch Vorgänge erledigt würden. Dumme Frage nach dem Wahlergebnis! Ich habe auch nur laut gelacht.«

»Und doch – hier irgendwo muß der Schlüssel liegen zu den Vorgängen, die uns so undurchsichtig erscheinen.« Freiberg löste seinen Blick von dem Hafenbild an der Wand. »Frau Stettner! Sie müssen auch Ihrem Minister gegenüber über das schweigen, was ich jetzt sage.«

»Ja, wenn Sie es ausdrücklich wünschen.«

»Wir haben im Safe von Falkenhorst, bei ihm zu Hause, achthundertundfünfzigtausend Deutsche Mark gefunden.«

»Um Himmels willen, was ist da gelaufen?«

Freiberg zögerte einige Sekunden und fragte dann: »Haben Sie von dem Mordfall im Jugendverkehrsgarten in Beuel gehört?«

»Gewiß, ich habe in der Zeitung darüber gelesen. Die Identität des Opfers ist unbekannt.«

»Wir wissen jetzt, wer der Tote ist.«

Margot Stettner atmete auf. »Falkenhorst kann es ja wirklich nicht sein, der war gestern noch sehr munter.«

Freiberg blieb ernst. »Es wird Sie erschrecken: Wir haben in der Wohnung des Ermordeten eine Quittung über eine Million Mark gefunden, mit dem Dienstsiegel des Ministeriums und mit der Unterschrift...«

»...von Andreas Falkenhorst«, fiel sie ihm ins Wort.

»In der Tat.«

»Dann haben die noch Geld nachgeliefert – ganz schnell vor dem Regierungswechsel. Anders läßt sich das nicht erklären. Es handelte sich ja nicht um eine Privatsache. Das Geschäft lief direkt zwischen den Regierungen, wenn auch auf deutscher Seite etwas außerhalb der Legalität.«

»Da wurde wohl mal wieder nicht das Grundgesetz unter dem Arm getragen«, sagte Freiberg und erinnerte sich dabei an eine Regierungskrise, die viele Jahre zurücklag.

»Herr Freiberg, Sie vermuten Zusammenhänge mit dem Verschwinden von Herrn Falkenhorst?«

»Leider ja. Der Tote von der Jugendverkehrsschule wurde mit einer Pistole vom Kaliber 7,65 erschossen.«

»Und damit haben Sie jetzt auch den Täter?«

»Nein, den Täter haben wir – noch – nicht. Fest steht aber, daß Falkenhorst eine Pistole mit diesem Kaliber als Dienstwaffe erhalten hat. Mit ihm ist auch diese Waffe verschwunden.«

Margot Stettner erstarrte. Von draußen drangen gedämpft die Geräusche der noch lebhafter gewordenen Party herein. »Nein, das kann nicht sein! Andreas ist kein Mörder! Undenkbar, ganz unvorstellbar ist das.«

»Bei einer Million ist manches denkbar.«

»Aber das meiste Geld war doch im Safe. – Warum...?«

Freiberg atmete tief aus. »Tja, da liegt unser Problem. Vielleicht sollte der Rest des Geldes in Ruhe ›ablagern‹, vielleicht wird Falkenhorst daran gehindert, es abzuholen, vielleicht wird er erpreßt, vielleicht... Wir wissen es nicht.«

Margot Stettner fuhr mit der Hand durch ihr Haar. »Die Politik hat schon manchen auf dem Gewissen. Was für ein Scheißgeschäft!«

»Wir werden alles tun, um Falkenhorst zu finden. Ich danke Ihnen für Ihre Offenheit.«

»Wenn ich Ihnen doch nur helfen könnte!«

Freiberg ergriff ihre Hand. »Mut! Sie haben uns schon sehr geholfen. Jetzt beginne ich langsam die Hintergründe und Zusammenhänge zu erahnen. Könnte das Fräulein Sommer noch etwas wissen?«

»Ach, das Küken! Sie weiß nichts – träumt durch das Leben, macht große Augen und wartet auf den Märchenprinzen. Heute ist sie sowieso nicht mehr ansprechbar.«

»Dann sollten Sie wieder zu den Gästen gehen. Wir werden weiterhin Kontakt halten. Einstweilen Dank und auf Wiedersehen.«

Margot Stettner nickte. »Jetzt werde ich mich vollaufen lassen wie ein Droschkenkutscher nach Feierabend – und dieses verfluchte Staatsgeheimnis ertränken.«

Schon im 14. Jahrhundert war Königswinter durch eine Stadtmauer gesichert. Der zweigeschwänzte Löwe und das Kreuz im Wappen weisen auf weltliche und kirchliche Landesherren hin; die Türme dokumentieren erzstiftische Wehrhaftigkeit.

»Reißt euch am Riemen«, empfahl Lupus seinen Begleitern, als sie den Zielort erreicht hatten. »Das hier ist tausend Jahre altes Kulturland am Rhein. Wo der Wein wächst, wächst auch die Lust. Bei dem Fremdenverkehr unserer Tage und der Nähe der Bundeshauptstadt darf hier so ein Haus für die verwöhnten Anspruchsvollen nicht fehlen.«

»Zur Altstadt?« fragte Ahrens.

»Nein, die Stadtmütter würden sich bedanken. Das süße Laster bleibt vor den Toren. Gleich rechts zum Rhein und wieder rechts.

Wir fahren einmal ums Karree, damit ihr die Straßenführung kennt.«

Die Allee lief schnurgerade am Ufer entlang. Lupus wies auf eine der eisernen Türen in der Steinmauer. »Peters, hier in der Nähe ist dein Standort. Das da ist die Ladeluke des Gästehauses.«

In bürgerlicher Ruhe reihten sich die überdurchschnittlich großen Grundstücke mit ihren Villen und weitläufigen Gärten aneinander. Hohe Bäume ragten über die Mauerkrone.

»Und wieder rechts«, kam die Weisung.

»Zum Parkplatz?« Ahrens deutete auf das Hinweisschild »Sonnentiegel« und nahm das Gas zurück.

»Nicht doch, wir bleiben diskret – dort bei der Litfaßsäule ist unser Standort. Du wirst von der Zufahrt her den Laden im Auge behalten und dabei aufpassen, daß keiner mit unserem Wagen durchgeht. Gib den Status ein, mehr nicht, und melde dich im vereinbarten Zeitabstand bei der Leitstelle. Sag denen klipp und klar, daß ihr elektronischer Blödmann uns in Ruhe lassen soll. Anordnung vom Kommissar.

»Und du wagst dich allein in die Höhle des Löwen?« fragte Ahrens neidisch.

»Löwen? – Lämmchen sind dort, richtig süße dumme Lämmer. Im übrigen sollten junge Kriminalbeamte ihre Phantasie zügeln und sich an die nackten Tatsachen halten.«

Während dieses Wortgeplänkels zog ein weißer Mercedes 380 SEL in rasanter Fahrt an Uni 81/12 in Richtung Autobahnanschluß vorbei. Lupus glaubte, Freddy Nelson am Steuer erkannt zu haben und rief: »Das ist der Tiegel-Boß.«

Ahrens griff automatisch zum Peiker-Mikrofon: »Wenn der abhauen will, haben wir ihn gleich.«

»Bist du verrückt? Laß ihn! Gegen den liegt nichts vor. Außerdem ist es mir lieber, wenn ich mir seine Damen allein zur Brust nehmen kann.«

»Harmlos und höflich«, wiederholte Peters die Worte des Kommissars.

Lupus bestätigte: »Ja, genauso, wie wir beide uns begegnen. Aber jetzt los, Freunde, ab auf die Posten!«

Vor dem »Sonnentiegel« standen einige Fahrzeuge, die hohe Reisespesen und große Kreditwürdigkeiten signalisierten.

Lupus winkte dem Fernsehauge über dem Portal zu. Im »Gourmet« waren die beiden Riesen mit den schwarzweiß gestreiften Fliegen voll damit beschäftigt, die an diesem Tag zahlreich erschienenen Gäste zu bedienen. An der Bar hockten drei Herren und lechzten nach Cocktails. Auch die Lämmchen zur Rechten und Linken hatten durstige Augen. In der dämmerigen Lounge saß Dorothee mit einem erwartungsvollen Gast, der auf seine Verwöhnung hinarbeitete. Sie sah auf, erkannte Lupus und warf ihm eine Kußhand zu, ohne daß ihr Verehrer es merkte. Lupus grüßte zurück und legte den Zeigefinger auf die Lippen. Dorothee strahlte. Sie freute sich über das kleine, verruchte Zwischenspiel mit der Kriminalpolizei. Der Mann an ihrer Seite bezog das Lächeln auf sich; er war im Bunde der ahnungslose Dritte.

Evelyn wirkte nicht so fröhlich und unbefangen. Sie servierte schweigend die Drinks, sah zunächst Lupus an und blickte dann zur Tür.

»Mein Kollege kommt später – mir bitte einen Whisky.«

»Ein Däumchen mehr auf Kosten des Hauses?« fragte sie.

»Danke nein, immer nur auf Kosten des Gastes«, wehrte Lupus ab. »Und dann will ich Angelina sprechen.« Schärfer fügte er hinzu: »Ich bin so verwöhnt, daß ich nicht lange warten möchte.«

Evelyn merkte, daß ihr Gegenüber nicht gekommen war, Heiterkeit zu verbreiten und antwortete schnell: »Das trifft sich gut, Angelina ist frei. Wollen Sie sich oben im ›Parcours‹ mit ihr unterhalten? Auf Zimmer neun wären Sie ungestört.«

Lupus nahm das Whiskyglas und zog den Drink durch die Zähne.

»Für wie naiv halten Sie mich eigentlich? Ich da oben allein mit dem Mädchen, und Sie hier unten an der Abhöranlage. So wird nicht gespielt. Wir nehmen den Raum dort hinten!«

»Aber das Séparée ist vorbestellt. Der Gast speist schon im ›Gourmet‹.«

»Dann disponieren Sie um; oder soll ich das selbst in die Hand nehmen? Wir werden sehr schnell sehr viel Platz haben, wenn ich den Gästen sage, daß die Kripo einen separaten Raum für Vernehmungen braucht. Sogar Lord Dickwanst würde heute meinem Wunsch ganz schnell entsprechen.«

»Der Chef ist nicht hier. Vor zehn Minuten ist er weggefahren.«

»Ich weiß. – Wohin?«

»Geschäftlich nach Köln.«

»Lammfleisch kaufen! Die anderen Läden sind um diese Zeit

doch längst dicht«, stellte Lupus fest.

Evelyn beugte sich ein wenig vor. »Wir brauchen bald Ersatz für Dorothee und Angelina. Die gehen übermorgen in die Schweiz.«

»Oder auch nicht. Jetzt also Angelina zu mir!« Lupus nahm sein Glas und ging hinüber zum Séparée. Dorothee winkte ihm verstohlen zu. Lupus lächelte.

Die Haussprechanlage hatte funktioniert. Angelina stand nach kaum einer Minute in der Tür. Sie klimperte mit den Augenlidern, legte die Hand an den Türrahmen und schob ein Bein vor, so daß der hochgeschlitzte Rock auseinandersprang.

»Ein neuer Gast! Wie nett von Ihnen, daß Sie mich einladen. Es muß sehr schnell gehen? Wie schade.«

Lupus staunte. Evelyn hatte offensichtlich nicht darauf hingewiesen, daß er alles andere im Sinn hatte, als ein Lämmchen zu weiden. »Bitte«, sagte er kurz, aber nicht unfreundlich und wies auf das Sofa. Angelina nahm zu ihrer Verwunderung wahr, daß der kräftige Mann in den besten Jahren sich nicht neben sie setzte, sondern gegenüber auf dem Sessel Platz nahm. Die nächsten Worte trafen sie wie ein Keulenschlag.

»So, Mädchen, Kriminalpolizei. Nun mach mal keine Faxen und antworte ganz präzise auf meine Fragen. Ich habe wirklich nicht viel Zeit, und auf dich warten draußen noch zahlungskräftige Kunden.«

Angelina versuchte, den weiten Ausschnitt ihres Kleides mit der Hand abzudecken und senkte den Kopf, so daß die langen dunklen Haare wie ein Vorhang herabfielen.

»Schau mich an – bist du noch nicht volljährig? Oder hast du was ausgefressen?«

Sie zögerte. »Ich bin zweiundzwanzig – und meine Strafe habe ich abgesessen.«

»Wofür?«

»Diebstahl und Koks.«

»Hast du gedealt?«

»Nein, ich war süchtig und brauchte Geld.«

»Beischlafdiebstahl also?«

»Ja, aber nicht oft.«

»Hier im ›Sonnentiegel‹ auch?«

»Aber nein, bestimmt nicht. Glauben Sie mir. Ich bin wieder clean. Sonst würde mich Lord Nelson nicht in die Schweiz reisen lassen.«

»Übermorgen?«

»Sie wissen es schon? Das kommt so plötzlich. Dabei fühlen wir uns hier sehr wohl. All die feinen Herren aus Bonn und die reichen Ausländer.«

»Wer fährt noch?«

»Nur Dorothee und ich. Das hat uns der Lord gestern gesagt.«

Lupus wollte das Gespräch strukturieren und ging zum »Sie« über. »Wie ist Ihr richtiger Name? Adresse?«

»Angelina – ja wirklich, Angelina Mühlfeld. Ich bin hier gemeldet. Früher war ich in Frankfurt; aber dort darf ich mich nicht mehr sehen lassen.«

»Und warum nicht?«

»Ich hab' den Dealer in die Pfanne gehauen. Den hat das Gericht zu zwei Jahren verdonnert. Wenn dessen Leute mich erwischen... Sind Sie wegen der alten Sache hier?«

»Nein«, sagte Lupus betont freundlich. »Ich möchte von Ihnen nur wissen, was in der Nacht von Montag auf Dienstag gelaufen ist.«

Sie überlegte ein paar Sekunden. »Eigentlich wenig. Ich hatte den ganzen Tag nur drei Gäste. Nach Mitternacht ist der letzte gegangen.«

»Wer war das?«

»Das darf ich nicht sagen. Das hat Lord Nelson strikt verboten.«

Lupus fuhr sie barsch an und fiel in das Du zurück. »Du bist wohl nicht ganz bei Trost! Mir willst du nicht sagen, wer das war? Dann marschierst du gleich mit ins Präsidium. Du weißt ja, wie sich das anhört, wenn der Riegel an der Zellentür zugeschoben wird.«

»Ich will ja reden – aber ich darf doch nicht!«

»Kind, du tust mir leid«, sagte Lupus und griff zum Tischtelefon. Evelyn meldete sich.

»Sagen Sie dem Lämmchen, daß es reden darf. Wenn der Lord versucht, Terror zu machen, kann er was erleben.« Lupus reichte Angelina den Hörer.

Sie hörte angestrengt zu, nickte ein paarmal und murmelte: »Ja.«

»Also?«

»Mein letzter Gast war der Herr Falkenhorst. Der kommt oft zu uns. Wir mögen ihn alle gern.«

»Wann ist er gekommen und wann gegangen?«

»Gekommen? – Ich weiß nicht. Er hat vorher mit dem Lord zusammengegessen. So gegen halb elf habe ich mich mit ihm getroffen.

Kurz vor eins ist er gegangen.«

»Worüber habt ihr euch unterhalten?«

»Och, so über alles mögliche. Vor allem über seine Frau. Die muß ja seltsam sein! 'ne Künstlerin, Malerin, glaube ich. Die läßt ihren Mann am ausgestreckten Arm verhungern.«

»Und hier wird er dann wieder aufgepäppelt. Was war noch?«

»Aufgekratzt war er, wie nie. Hat sogar noch eine Flasche Champagner hochbringen lassen. ›Heute geht alles auf Kosten des Hauses‹ hat er ein paarmal gesagt. ›Und du erhältst ein großzügiges Geschenk‹.«

»Was steckte dahinter?«

»Weiß ich nicht. Der hat richtig aufgedreht. Ganz anders als sonst, und gesungen hat er was von Glückstern und davon, daß er unser Retter oder Ritter sein will.«

»Und sonst?«

»Wir haben nur noch dummes Zeug geredet und« – sie lachte – »Ritterspiele versucht. Dann ist er gegangen.«

»Wie hoch war sein Geschenk?«

Angelinas Gesicht bekam einen Ausdruck von Vorsicht. »Dreihundert – aber er hat gesagt, ich brauchte es nicht abzuliefern. Sonst war er nie so großzügig. So viel Geld haben die Beamten ja auch nicht.«

»Das ist nicht unser Problem. Welche Gäste waren noch im Hause?«

»In der Nacht?«

»Ja, um Mitternacht oder später.«

»Gesehen habe ich nur einen dunklen Herrn, so kräftig wie Sie, etwas jünger. Der war neu hier – bei Dorothee. Ich bin oben geblieben. Der viele Schampus hat mich umgehauen.«

Lupus schob noch eine Frage nach: »Kennst du... kennen Sie Werner Schulze?«

»Nein, den Namen habe ich nie gehört.«

»Schön, das wäre es dann erst einmal – und kein Wort über unser Gespräch, sonst gibt's Ärger. Sie können jetzt gehen.«

Lupus klappte sein Notizbuch zu und steckte es ein. Angelina huschte durch die Lounge zur Tür, die nach oben führte.

Zum erstenmal bedauerte Kommissar Freiberg, daß sein Wagen über einige Kilowatt zu wenig verfügte. Die Konrad-Adenauer-

Brücke war zu dieser Stunde wenig befahren; dafür rauschten die katalysatorbedürftigen Benzinfresser an ihm vorbei, als gäbe es keine Geschwindigkeitsbegrenzung bei der Überquerung des deutschen Rheins.

Vor der Einfahrt zum Parkplatz des »Sonnentiegels« machte sich Ahrens bemerkbar. Freiberg hielt kurz an und fragte: »Läuft was Besonderes?«

»Stinklangweilig. Peters geht unten am Rhein spazieren; wir haben die Handfunkgeräte dabei. Lupus wärmt sich in der Höhle des Löwen. Bei unserer Ankunft ist Nelson in einem weißen 380er an uns vorbeigedüst. Wir haben ihn fahren lassen.«

»Okay, du hältst die Stellung. Ich muß erst dort hinein. Alles andere später.«

Freiberg fuhr auf den Parkplatz. Rechts ein schwerer BMW, links ein schwarzer Rover mit weinroten Lederpolstern. Der R4 befand sich in bester Gesellschaft.

Lupus hockte an der Bar und ließ den neuen Gast, der sich neben ihn setzte, unbeachtet. Evelyn Wohlfahrt begrüßte den Kommissar und fragte: »... mit wenig Wasser?«

Er hob ablehnend den Finger. »Nur Wasser mit einem Schuß Zitrone bitte.«

Sie stellte das Getränk auf die hochglanzversiegelte Platte der Bar und wandte sich den anderen Gästen zu. Sie hoffte, daß der Besuch der Kripo unbemerkt bleiben würde. Noch sah es so aus. Die beiden Kellner blickten einige Male aufmerksam herüber, mußten aber die Gäste im »Gourmet«, die lautstark ihre Wünsche äußerten, weiter bedienen.

Lupus hob das Glas und flüsterte Freiberg zu: »Hier muß irgend etwas mit großem Geld gelaufen sein. Unser Falkenhorst hat sich Angelina gegenüber als Retter aufgespielt. Aber das Dummchen hat sonst keine Ahnung; sie kennt auch Werner Schulze, alias Artanow, nicht. – Lord Dickwanst ist in Köln.«

»Wir müssen uns noch mal mit der Bardame Evelyn unterhalten; aber wenn wir die zur Vernehmung mitnehmen, bricht der ganze Laden zusammen«, stellte Freiberg fest.

»Also hier, locker vom Hocker?«

»Ja, vergessen wir die PDV hundert und nennen wir es Informationsgespräch. Laß dein Notizbuch in der Tasche.«

»Ganz nach meinem Herzen«, stimmte Lupus zu und fragte:

»Bist du fündig geworden im Ministerium?«

»Prost Nachbar«, rief Freiberg laut. Dann beugten sich die beiden über die Gläser und steckten die Köpfe zusammen. »Ich bin in eine tolle Abschiedsparty hineingeraten und habe ein bißchen herumgehorcht. Die Stettner weiß von einem illegalen Geldtransfer in den Ostblock.«

»Volltreffer! Zum Wohl, Herr Nachbar!«

»Du sagst es. Auf höchster Ebene, und unser Mann war der Abwickler. Da könnte noch Geld zurückgeflossen sein, ein paar Tage vor dem Regierungswechsel.«

»Die Million! Das wäre ein Stück aus dem Tollhaus! Dann wissen wir ja, wonach wir hier zu suchen haben. – Evelyn!« rief Lupus.

Sie brach ihr Gespräch ab und kam sofort, um nach den Wünschen zu fragen.

»Ein paar Chips, bitte«, bestellte Freiberg und fügte so leise hinzu, daß seine Worte im Gemurmel der Stimmen untergingen: »Wir müssen mit Ihnen sprechen – und zwar sofort!«

»Ich kann doch die Bar nicht dichtmachen. Sie sehen ja, was läuft.«

»Gut – also dann hier – zwischen den Drinks. Aber nur, wenn die Wahrheit dabei nicht auf der Strecke bleibt.«

»Ich kann auch laut werden«, setzte Lupus mit dem bei ihm so gefürchteten Unterton hinzu.

»Schon gut, ja, ich will keine Probleme haben«, sagte Evelyn hilfsbereit und wandte sich einem Gast zu, der vor der Herausforderung im »Parcours« noch dringend nach einem »Manhattan« verlangte.

Evelyn löffelte gehacktes Eis in das Mischglas, füllte zwei Drittel Maß Canadian Club Whiskey auf, gab ein Drittel roten Vermouth und zwei Spritzer Angostura dazu. Dann rührte sie das Ganze zehn, zwölf Sekunden durch und goß es über den Strainer ab. Das Cocktailglas mit der Kirsche wurde maßgerecht voll. Der Spritzer Zitronenöl hatte mehr symbolische Bedeutung.

Der Gast kippte den so sorgfältig komponierten Drink in einem Zuge in sich hinein und ließ sich – leicht schwankend – von zarter Hand zum »Parcours« führen.

Evelyn schüttelte sich angewidert und notierte den Konsum. Dann stellte sie ein silbernes Schälchen mit Chips vor den Kommissar.

Gleich mit der ersten Frage nahm Freiberg sie hart an: »Warum haben Sie uns verschwiegen, daß hier dicke Geldgeschäfte gelaufen sind?«

»Einen Augenblick bitte«, wich sie aus und reichte einem Gast am anderen Ende der Bar eine Flasche Sodawasser. Mit zwei, drei Schritten war sie zurück. »Sie haben doch nur wissen wollen, ob ich den Toten von Beuel kenne, und wer in der Nacht von Montag auf Dienstag hier im Hause war. Über Werner Schulze habe ich alles gesagt, was ich weiß.«

»Was für Geldgeschäfte sind hier gelaufen?« wiederholte der Kommissar seine Frage.

»Mit Werner Schulze keine«, wich Evelyn abermals aus und nahm zwei leere Gläser vom Bartisch. Ein auf Verwöhnung bedachter Endvierziger half seiner Begleiterin auf den Hocker und bestellte zwei Gin Fizz. Im Nu hatte Evelyn Eis, Zitrone, Zuckersirup und Gin im Shaker und stand, den Freudenbecher schüttelnd, wieder vor den Ermittlern. Fast waagerecht fuhr ihr Arm hin und her – endlos, so schien es.

»Diese Art Vernehmung halte ich nicht durch«, zischelte Lupus und sagte dann zu Evelyn gewandt um einiges lauter: »Verdammt, wir wollen wissen, was gelaufen ist – und nicht, was nicht gelaufen ist.«

Freiberg fühlte sich in gleicher Weise irritiert, blieb aber noch höflich. »Wieviel hat Falkenhorst investiert?«

»Moment bitte!« Noch einige Bewegungen mit dem Shaker, dann füllte sie zwei Limonadengläser zu einem Drittel mit dem kühlen Inhalt des Gefäßes und gab Sodawasser hinzu. Der Verwöhnte und seine Helferin durften nun die Lebensqualität mit dem Strohhalm nuckeln.

Evelyn kam zurück und flüsterte: »Für Geldgeschäfte ist der Lord zuständig.«

Jetzt hatte Freiberg genug. »Mir reicht's! Gleich machen wir den Laden dicht und unterhalten uns allein – mit Belehrung, Protokoll und allem, was dazugehört. Also letztes Angebot und letzte Frage hier an der Bar: Was ist gelaufen?«

Evelyn wußte, das Spiel war ausgereizt und antwortete eilig: »Freddy Nelson konnte seine Rate für das Haus nicht bezahlen. Falkenhorst hat ihm ein Darlehen gegeben – letzten Montagabend.«

»Wieviel?«

»Hundert Mille. – Moment, ich muß eben abrechnen.«

Das war kein neuer Versuch einer Ausflucht. Ein Gast verabschiedete sich von seiner Dame, und Evelyn kassierte einen braunen Fünfhunderter. Ein Beleg fürs Finanzamt wurde nicht verlangt; so war sie schnell zurück.

Lupus insistierte: »Hunderttausend? Stimmt nicht! Hundertfünfzigtausend waren es.«

»Nein, ich weiß die Summe genau. Am Freitag haben mich die beiden ins Büro gerufen, um mich zu beruhigen. Schließlich hatte ich Angst um mein Geld.«

»Also machen Sie auch Geldgeschäfte!«

»Aber nein, ich habe zwanzigtausend, meine ganzen Ersparnisse, in den ›Tiegel‹ investiert, ganz normal, für acht Prozent Zinsen.«

»Und was war am Freitag?« wollte der Kommissar wissen.

Evelyn gab sich Mühe, die Zusammenhänge klarzustellen. »Am Freitag war das Gespräch im Büro, und am Montag hat Falkenhorst das Geld gebracht. Ich war bei der Übergabe nicht dabei; aber er kam kurz an die Bar, um mit mir anzustoßen. ›Alles klar. Jetzt seid Ihr gerettet – und ich auch‹, sagte er fröhlich.«

»Hallo, wie ist das! Werden hier auch noch andere Gäste bedient, oder wird da nur getuschelt?« rief ein offensichtlich Unzufriedener, der aus dem »Gourmet« gekommen war, um sich in der schon ziemlich geschrumpften Herde umzusehen.

Evelyn bat über die Sprechanlage Angelina und Bettina herunterzukommen. Auf die Frage an den Gast, ob es noch ein Digestif sein dürfe, erhielt sie zur Antwort: »Das Essen war teuer genug, und die billigen Damen kosten auch noch zuviel.«

»Typen gibt's hier«, bemerkte Freiberg.

»...und Ärsche, in die man kräftig hineintreten möchte!« ergänzte Lupus.

»Vorsicht, Schutzmann, das könnte leicht falsch ausgelegt werden«, wiegelte Freiberg ab und prostete seinem Kollegen zu.

Als Evelyn wieder neben ihm stand, fragte er scharf: »Also, wie hoch war die Summe? Da muß wirklich mehr im Spiel gewesen sein – vielleicht doch hundertfünfzigtausend?«

Die Antwort kam ohne Zögern: »Am Freitag war von hunderttausend die Rede und keiner Mark mehr. Ob das dann am Montag bei der Geldübergabe noch so war, weiß ich nicht.«

»Und wann sollte Falkenhorst den Kredit zurückerhalten?«

»Schon nach einem Monat, dazu ein ›Blauer‹ Zinsen. Der Lord erwartet Zahlungen aus der Schweiz.«

Noch bevor Lupus eine Bemerkung über die Gewinnspannen im Mädchenhandel anbringen konnte, ergänzte Evelyn mit einem Kopfschütteln ihre Aussage. »Das mit dem Achtundzwanzigmille-Kredit als Gegengeschäft für Falkenhorst habe ich allerdings nicht verstanden.«

»Was soll denn das nun wieder bedeuten – da haben wir ja eine noch krummere Zahl.«

Ein Knopf der Haussprechanlage blinkte. Evelyn nahm den Hörer ab und bestätigte: »Ein müdes Spiel, keine Extras.« Gleich darauf zahlte ein Mann seine Verwöhnungsgebühr und verschwand mit gesenktem Kopf.

Evelyn knüpfte an das unterbrochene Gespräch an: »Nelson hat mich am Freitag in sein Büro gerufen und ziemlich euphorisch berichtet, daß Falkenhorst am Montag hundert Riesen herschaffe. Die erhalte er nach einem Monat zurück, und dann wolle er selbst achtundzwanzig als Kredit haben. ›Frag mich nicht, wie das abgerechnet werden soll. Total verrückt!‹ hat er wörtlich gesagt. – Seltsam war das Ganze schon.«

»Und später?«

»Später war nichts mehr. Am Montag habe ich von Falkenhorst bis auf seine Rettungshymne kaum etwas vernommen. Er hockte dauernd mit dem Lord zusammen und war später bei Angelina. Aber das wissen Sie ja schon alles.«

Vom »Gourmet« kam Janus, der Riese Nummer zwei, herüber. Er gab an Evelyn eine Bestellung weiter – für Mitternacht.

»Dann sind drei wieder frei«, war ihre Antwort. Seiner nicht gerade leise vorgebrachten Frage, was die Kripo denn schon wieder wolle, folgte die Zurechtweisung: »Das ist nicht dein Bier!« Janus zog brummend ab.

Freiberg wollte das Gespräch noch nicht beenden. »Worüber haben Sie mit A…, äh, mit Werner Schulze gesprochen? Hat er von dem Geschäft zwischen Nelson und Falkenhorst gewußt?«

»Ja, doch – ich fürchte, ich habe in der Freude über die Rettung meiner Ersparnisse viel zuviel geredet. Bei einem Drink danach habe ich ihm das mit den hundert Riesen erzählt.«

»Auch, daß Falkenhorst der Geldgeber war?«

»Ja, das auch. Werner hat sich dann sehr schnell in seine Klamotten gestürzt und ist mit der Jacke noch über dem Arm nach unten verschwunden. – Ich habe das nicht mehr richtig wahrgenommen, so kaputt war ich. Auf die Vierzig zu taugt man für dieses Geschäft nicht mehr viel.«

»Ich danke Ihnen«, sagte Freiberg. »Wir wissen jetzt einiges mehr. – Wann kommt Nelson zurück?«

»Keine Ahnung, vielleicht erst morgen.«

Lupus, der noch überlegte, ob er einen zweiten Whisky auf Kosten des Gastes bestellen sollte, fuhr zusammen, als sein Kommissar mit einem Rippenstoß und den Worten »Los, wir haben es eilig!« das Zeichen zum Aufbruch gab.

Die beiden ließen eine verwirrte Evelyn zurück, die das Silberschälchen und die Gläser abräumte und über die Zahlungsmoral der Kripo nachdachte.

Auf dem Parkplatz fragte Lupus: »Hast du eigentlich die Getränke bezahlt?«

»Komm! Zeit ist Geld. Im Moment haben wir Wichtigeres zu tun. – Ahrens!!« rief Freiberg laut. »Zum Wagen! – Peters abrufen, wir nehmen ihn gleich auf.«

»Chef, sollte uns wer gebissen haben – oder was ist los?« fragte Lupus vorsichtig.

»Kommt mit zur Telefonzelle! Nichts über Funk. Die Fahndung nach Falkenhorst muß heraus. Schnellstens!«

In der angesteuerten Telefonzelle hatte sich ein schmuddeliger Jüngling in Gesellschaft einiger Bierflaschen niedergelassen und schien seinen Rausch ausschlafen zu wollen. Freiberg riß die Tür auf und stieß ihn an: »Los, hoch! Draußen wird gepennt. Wir müssen telefonieren!«

Da der Schläfer keine Anstalten machte, wach zu werden, zogen ihn Lupus und Ahrens an den Füßen ins Freie und lehnten ihn ein paar Meter weiter an eine Mauer.

»Stinkt wie Sau hier drinnen. Nicht genug, daß der Kerl hier schlafen will; er hat auch noch ein Pissoir daraus gemacht!« kommentierte Lupus die Räumungsaktion. – »Herr Hauptkommissar! Wenn wir jetzt vielleicht etwas mehr erfahren könnten?!«

Freiberg nestelte nach den Groschen. »Du weißt genausoviel wie ich.«

»Ich fühle mich wie unser CEBI – arbeitswillig und doof!«

Die Groschen fielen in den Schacht. »Die einfachen Dinge liegen auch einfach: Um ein Uhr herum war das große Kommen und Gehen im ›Sonnentiegel‹. – Und so ähnlich könnte es gewesen sein: Falkenhorst will als Stammgast, da bin ich sicher, durch den Garten zur eisernen Tür hinaus. Durch eben diese Tür kommt ein neuer Gast herein. Und was tut unser Falkenhorst zu so später Stunde und im Dunkeln – mehr instinktiv? Er nimmt Deckung und sieht sich den Vogel an. – Und der ist Artanow!«

»Holla, Chef!« Lupus fiel nichts anderes dazu ein.

»Wie würdest du dich fühlen, wenn du im ›Sonnentiegel‹ dem Manne begegnest, der dir eine Million anvertraut hat, mit welcher du ausgerechnet in diesem Etablissement krumme Geschäfte machst?«

»Ich würde mich allerdings sehr wundern.«

»Gewundert hat Falkenhorst sich auch – und dabei hat ihm seine Walther PPK geholfen! Ein schwaches Stündchen Wartezeit und das Problem war gelöst.«

»Aber wie paßt der Anruf während der Vernissage ins Bild?«

»Vielleicht haben sich Artanows Hintermänner um den Millionär kümmern wollen – und der hat sich ganz schnell abgesetzt.«

Lupus holte einmal tief Luft: »Puh – das stinkt hier ja erbärmlich!«

Freiberg gab an Fräulein Kuhnert kurz und knapp die Weisung durch, die vorbereitete Fahndung nach Falkenhorst wegen Mordverdachts sofort anlaufen zu lassen und fügte hinzu: »Den Zusatz nicht vergessen: Vorsicht! – Täter ist bewaffnet.«

Kapitel 15

Die beiden Dieselmotoren von Wiking 5 liefen im Spargang und drückten das Leichtmetallboot mit einer Wasserverdrängung von 16 Tonnen gemächlich rheinaufwärts. Noch ein paar Stunden Objektschutzdienst, die eine oder andere Kontrolle eines Frachtschiffes, ein Blick in den Fahndungsnachweis – und die Freude auf das Dienstende um 14 Uhr. Die Dreimannbesatzung war mit diesem Morgendrittel zufrieden.

Hauptmeister der Wasserschutzpolizei Köhler steuerte das Boot mit leichter Hand. Sein Oberkommissar, der Wachdienstführer, musterte mit dem 7×10-Glas das Rheinufer am Regierungsviertel: Über der Villa Hammerschmidt wehte die Fahne. Der Bundespräsident war in Bonn; Staatsgaste waren jedoch nicht gemeldet, so daß die »Wasserfront« keine besondere Aufmerksamkeit erforderte.

Am Spiritusufer spazierte eine Besuchergruppe nach Süden. Die Armbewegungen und Handzeichen des Anführers in Richtung Kanzleramt ließen darauf schließen, daß ein Volksvertreter eine Busladung Freunde aus dem heimischen Wahlkreis an die Stätte seines Wirkens geholt hatte, um sein politisches Gewicht deutlich zu machen. Eine Stadtrundfahrt, der Besuch des Bundestages und eines Ministeriums, mit dem der Mandatsträger durch die Ausschußarbeit verbunden war, gehörten zum festen Programm. Dabei ließen sich auch devote Beamte sehr wirksam vorführen. »Gewiß, Herr Abgeordneter; aber sicher doch, Herr Abgeordneter...« Der Tag würde für die meisten Besucher mit einem zünftigen Besäufnis enden, denn sie hatten ja den Richtigen gewählt.

Das Boot unterquerte die Konrad-Adenauer-Brücke. Aus der Froschperspektive zeigte sich ihre ganze stählerne Mächtigkeit. Ein kaum abreißender Strom von Kraftfahrzeugen ging über den Rhein hin und her. Einige Sportboote überholten Wiking 5, um zu zeigen, wie leicht man die Staatsgewalt hinter sich lassen kann.

In Höhe der Zementfabrik kamen die Buhnen von Nierdollendorf in das Blickfeld. »Leg mal 'nen Zahn zu«, sagte der Wachdienstführer zu dem Kollegen am Ruder. »Auf der ersten Kribbe links turnen Kinder herum.« Er behielt das Fernglas am Auge.

Köhler schob zügig beide Gashebel vor. Seine Hand griff in die

Ruderspeichen, die Füße standen locker gespreizt. Köhler war ein alter Fahrensmann und hatte wie jeder andere an Bord das Rheinschifferpatent mit dem Überdruck »Polizeibootpatent« und das Radarschifferzeugnis. Sie alle kannten die Tücken des Flusses.

Die Kinder ließen sich von Wiking 5 nicht ablenken. »Mein Gott, da spielen sie fröhlich und können Minuten später ertrunken sein. Wie kann man den Eltern nur klarmachen, die Brut von den Kribben fernzuhalten?« fragte der Oberkommissar und schaltete den Lautsprecher ein. »Kinder, geht sofort zurück an das Ufer, sonst reißen euch die Wellen der Schiffe mit! Das Wasser ist über drei Meter tief!«

Sie hatten es gar nicht eilig.

»Los, abhauen, aber schnellstens, sonst kommen wir an Land und sperren euch ein!«

Das wirkte. Die Gruppe trollte sich ans Ufer und zeigte den Verfolgern lange Nasen.

»Die sehen uns nicht als Freund und Helfer«, meinte Obermeister Schatt, »aber ließer Schiß in der Hose als naß und tot!«

»So – und jetzt halbe Fahrt! Kurs Königswinter, rauf bis Rhöndorf«, sagte der Wachdienstführer.

Wiking 5 begegnete einem hoch aus dem Wasser ragenden leeren Tanker und hielt auf die Strommitte zu. Der Innenlautsprecher quäkte los, ein Ruf über den Rheinfunk auf dem 10-Meter-Band: »Achtung! Achtung! Wiking 5 von ›Regina‹, Wasser- und Schifffahrtsamt. Hört ihr uns?«

»Hier Wiking 5 – wir hören. Was liegt an?« meldete sich der Wachdienstführer.

»Arbeit für euch: eine Wasserleiche am Bootsanleger Nummer 2 Herseler Werth. Da hängt ein Mann an der Trosse. Seht zu, daß ihr bald herkommt.«

»Verstanden – wir kommen!«

»Verdammte Scheiße, schon wieder eine Bergung. Langsam reicht's. Warum können die nicht in der Badewanne ertrinken?« fluchte der Mann am Steuer. Sein Handgriff zu den Gashebeln geschah synchron zu den Worten des Oberkommissars: »Kehrt marsch – volles Rohr!«

Eine Schraube sprang auf Vortrieb, die andere auf Rücklauf. Das 17 Meter lange Boot bebte in allen Nähten und drehte »auf dem Teller«. Dann beide Maschinen volle Fahrt voraus. Die 620 PS jagten

Wiking 5 in Richtung Köln.

An Backbord zog Bonns Rheinpanorama vorbei. Hoch über der Ufermauer das Auswärtige Amt, dann das traditionsbewußte Beethoven-Gymnasium, gleich danach das Collegium Albertinum mit seinen gefugten Backsteinmauern und dem Efeubewuchs, nur wenig weiter der Alte Zoll und schließlich unmittelbar vor der Kennedy-Brücke mit dem blankärschigen »Bröckemännche« das Stadttheater, in dem die Musen immer noch kichern, weil ein Generalmusikdirektor dem Generalintendanten eine saftige Ohrfeige verpaßt hat.

Gegenüber auf der »Schääl Sick« Bonns östliche Bastion Beuel mit seiner belaubten Rheinpromenade. – Der Wachhabende der Wasserschutzpolizei-Station beim Mehlemschen Haus hatte den Ruf auf dem 10-Meter-Band nicht mitgehört. Jetzt erhielt er über die Polizeifrequenz die Einsatznachricht von Wiking 5 und bestätigte: »Alles klar. Unser Kripomann kommt mit dem Wagen raus.«

Wiking 5 hielt Kurs. Das Boot glitt an den dicht stehenden Pappeln des Ostufers vorbei. Die Flußmündung der Sieg ließ eine Ahnung von den dunklen Wäldern Germaniens aufkommen. Gegenüber, am Westufer von Grau-Rheindorf, zeigte die Kilometermarke 659 auf weißem Grund, wie weit man schon nach Norden geraten war; die Nullmarke ziert eine Brücke in Konstanz. Über die Felder »dufteten« Wesselings Chemiewerke herüber.

»Alles bereit: Bootshaken, Tampen, Leichenhandschuhe?« fragte der Wachdienstführer. Er nahm seine Pistole ab und verstaute sie mit der von Obermeister Schatt zur friedlichen Lagerung neben der Maschinenpistole im Sicherheitsfach. Keinem lag daran, die Waffen bei der Bergungsaktion in der dunklen Brühe des Rheins zu verlieren. Schatt kletterte auf das Achterdeck und legte ein Stück der Reling flach – makabre Routinearbeit, um eine Wasserleiche an Bord zu nehmen.

In der Höhe von Mondorf nahm Köhler das Gas zurück und steuerte den alten Rheinarm an, den der langgestreckte Herseler Werth vom Hauptwasserweg trennt. Dem Boot des Wasser- und Schifffahrtsamtes war es gelungen, Neugierige auf Distanz zu halten. Wiking 5 drehte gegen die Strömung. Mit wenig Fahrt näherte es sich dem Bootsanleger, an dessen Trosse sich die Leiche verfangen hatte. Durch den Wellengang wurde sie losgerissen und trieb jetzt, sich langsam drehend, stromabwärts.

Köhler manövrierte Wiking 5 heran und der Wachdienstführer versuchte vorsichtig, den Bootshaken in der Kleidung des Treibenden festzumachen. »Ich hab' ihn schon«, rief er. Obermeister Schatt hängte sich in halsbrecherischer Aktion über Bord und fing den Leichnam mit der Schlinge ein. »Ich hab' ihn auch!« Damit begann der unangenehmste Teil der Bergung: Das Opfer mußte an Bord gehievt werden. »Erst die Leichenhandschuhe an!« rief der Oberkommissar. »Wer weiß, wie lange der schon im Wasser gelegen hat.«

»Na klar! Aber wir haben schon Schlimmeres gesehen«, antwortete Schatt.

Nachdem der Tampen an der Reling verknotet war, zogen die beiden den Toten an Deck: ein Mann mittleren Alters, dunkles Haar, vom Wasser verklebt, sportlich eleganter Anzug, ziemlich zerrissen, dazu die passende Krawatte – jetzt alles unansehnlich durch den Dreck des Rheins und das Angespül. Auch so konnte sie aussehen, die Würde des Menschen – erbärmlich vergänglich.

»Mensch, Schatt!« brüllte der Schichtführer los. »Schau dir das an: Loch im Frack und Loch im Bauch! Den hat einer umgenietet, oder er hat Selbstmord begangen. Ob der Papiere bei sich hat?«

Schatt griff in die Brusttasche des Anzugs, dann in die anderen Taschen. »Nichts!«

Der Schichtführer kletterte unter Deck. Köhler sah ihn erwartungsvoll an. »Na und?«

»Ich glaube, den hat einer umgelegt und in den Rhein expediert. Keine Papiere, das hat unsere Kripo besonders gern.«

Die Meldung ging über Funk an die Wasserschutzpolizei-Station Bonn und dann an das Präsidium der Wasserschutzpolizei in Duisburg.

»Der könnte aus der Bonner Ecke hergedriftet sein, wäre ja nicht der erste Fall«, überlegte der Wachdienstführer und schaltete auf den Unikanal, der die Wasserschutzpolizei auch mit dem Polizeipräsidium in Bonn verband.

»Uni für Wiking 5 – bitte kommen!«

»Wiking 5 für Uni – wir hören.«

»Wiking 5 hat soeben beim Herseler Werth eine Wasserleiche aus dem Bach gefischt. Dunkelhaariger Mann mittleren Alters –, mit einer Schußwunde in der Brust. Fehlt euch so einer?«

»Wiking 5 von Uni! Hier läuft Fahndung nach einem Andreas Falkenhorst, wegen Mordverdachts. Die Personenbeschreibung könnte passen.«

»Der hier sieht aber mehr nach Opfer als nach Täter aus.«

Eine Faust hämmerte an das Blech der Kabinenwand. Schatt reichte ein durchweichtes Portemonnaie herein. »Hier – aus der Gesäßtasche; der Name ist drin.«

Im Klarsichtfach steckte eine Eurocheque-Karte: Andreas Falkenhorst.

»Uni von Wiking 5. Das ist er! Scheckkarte mit seinem Namen im Portemonnaie.«

»Wiking 5 – danke! Meldung geht weiter an 1. Kommissariat.«

»Halt, halt, bleibt noch auf Empfang. Wir fahren zur Westrampe der ehemaligen Mondorfer Fähre und warten dort. Hier sind zu viele Leute am Ufer.«

»Wiking 5 von Uni – verstanden!«

»O Man-o-meter«, stöhnte Köhler und steuerte mit halber Kraft den Treffpunkt an.

Die Meldung von der Einsatzleitstelle erreichte Hauptkommissar Freiberg und seine Crew beim Rundgespräch im Präsidium. CEBI traf voll auf den Nerv.

»Verdammt! Comports Leute habe uns ausgetrickst«, fluchte Freiberg. »Und, zum Teufel, wir haben nichts in der Hand, um den Laden hochgehen zu lassen – nichts, gar nichts!«

»Hoffentlich steckt der Bolzen noch drin«, sinnierte Lupus. »Ich möchte zu gern wissen, mit welchen Ballermännern die Liquidatoren für Ordnung sorgen; bestimmt nicht mit einer Kalaschnikow.«

»Womit wohl schon? Mit Nato- oder Polizeiwaffen«, meinte Ahrens. »Von dem Zeug gibt's genug auf dem Markt. Auch die Schweiz liefert Qualität. Was im Laufe eines Jahres beschlagnahmt wird, reicht aus, um ein ganzes Bataillon damit auszurüsten.«

»Genug der Theorie. Wir hängen uns an die Leiche, bis wir den Obduktionsbefund und hoffentlich das Projektil haben. Erst dann sind wir schlauer.« Freiberg setzte auf das Prinzip Hoffnung.

»Muß nicht die Fahndung aufgehoben werden und die Löschungsanzeige raus?« fragte Peters in seiner pingeligen Art.

»Erst dann, wenn wir hundertprozentig sicher sind, daß es sich um Falkenhorst handelt.«

Kommissar Freiberg hatte das Gefühl, daß dieser Fall immer größere Dimensionen annahm. Hier schienen Kräfte am Werk zu sein, denen mit polizeilicher Routine nicht beizukommen war. Wie hatte doch der Präsident gesagt: Der Kampf im Dschungel der Dienste ist gnadenlos.

»Peters, wir beide fahren raus zur Fähre. Lupus, du hältst mit allem, was greifbar ist, die Stellung. Zieh mal vorsichtig ein paar Streifenwagen auf der anderen Rheinseite zusammen, bei Comport und beim ›Sonnentiegel‹ – vielleicht müssen wir blitzschnell zupacken. Auch Freund CEBI soll gefälligst sein Elektronenhirn in Bewegung setzen und sich etwas einfallen lassen. Ich werde auf alle Fälle versuchen, die Befunde zu bekommen.«

»Und am Strohhalm hing der Knabe... alles klar, Chef.« Lupus war nicht so heiter, wie er sich gab. Der Fall zerrte an den Nerven. Er war müde, wie die anderen auch. Fräulein Kuhnerts obligater Bürokaffee half nur noch für immer kürzere Zeit, den Kreislauf hochzuputschen.

Auch Freiberg zeigte Wirkung. Er lehnte sich im Stuhl zurück und starrte auf die Wand. Der dunkle Bart unterstrich die Magerkeit seines Gesichts. Die mittleren drei Finger der linken Hand strichen wiederholt über die Stirn – kein Zeichen der Eingebung, eher eine beschwörende Geste. Dieser zweite Mord! Hätte man ihn verhindern können? Warum war er geschehen? Sollte durch die Tat etwas verschleiert werden? War Nelsons »Sonnentiegel« eine Dependance von Comport? Was hatte Falkenhorst mit dem Rest der Million geplant? Geschäfte auf eigene Rechnung? Hatte er durch die Tötung Artanows einen anderen schützen wollen – oder sich selbst?

Nur Fragen und keine Antwort! Freiberg gab sich einen Ruck. »Los, Peters, fahren wir!«

Wiking 5 hatte an der Rampe beim Estermannufer festgemacht. Der Kriminalbeamte der Wasserschutzpolizei war an Bord gegangen, hatte die Leiche kurz angesehen und fotografiert. Über Funk und Telefon war der Bestatter bestellt, um das Opfer schnellstens in das Institut für Rechtsmedizin am Stiftsplatz zu befördern.

Hauptkommissar Freiberg und Peters trafen ein, als ihre Kollegen von der Wasserschutzpolizei den Inhalt des Portemonnaies sichteten. Die Begrüßung war kurz – dies war nicht der erste Fall, den beide Dienststellen gemeinsam zu behandeln hatten.

»Alles klar hier. Ihr könnt sofort übernehmen«, meinte der Kripokollege von der Wasserschutzpolizei. Er wies auf eine Persenning, die den Toten bedeckte. »So eine Leichensache fünf Minuten vor Schluß der Vorstellung hat mir gerade noch gefehlt. Am ersten ist für mich der letzte – sechzig Jahre, und das alte Staatseisen fliegt auf den Müll.«

»Mensch, hast du's gut, dann gehört jeder Tag dir«, sagte Peters. »Ich werde jedenfalls zum frühestmöglichen Zeitpunkt gehen – meine Briefmarken warten schon.«

»Habe ich auch mal gesagt, als ich noch jünger war. Aber wenn es dann soweit ist... nun gut. – Der Leichenwagen ist unterwegs.«

»Wie sieht es mit der Ausschußwunde aus?« fragte Freiberg.

»Das ist nicht mein Problem. Laß die Rechtsmediziner doch auch was tun«, winkte der Beinahe-Ruheständler ab. »Ich jedenfalls fasse keine Wasserleiche mehr an.«

»Aber ich«, knurrte Freiberg und kletterte an Deck. Als er die Persenning zur Seite zog, brauchte er kein Paßbild zum Vergleich. Dort lag Falkenhorst – oder was der Rhein aus ihm gemacht hatte: Fischhaut, zerfledderte Kleidung, Schmutz – die trostlose Hülle eines Menschen.

»Komm hier, nimm die«, rief der Wachdienstführer und reichte ein paar Plastikhandschuhe hoch. Freiberg streifte sie über. Dann drehte er den Körper zu seinen Füßen um und ließ ihn ganz langsam wieder in die ursprüngliche Lage zurückgleiten. Er machte die Persenning fest und kletterte wieder in die Kajüte. Dort zog er die Handschuhe aus und warf sie in einen Sammelbeutel. »Freunde, bin ich froh; das Geschoß steckt noch drin.«

Obermeister Schatt beugte sich zu Peters und fragte flüsternd: »Ist euer Boß immer so kaltschnäuzig?«

»Reine Schutzreaktion – so abgebrüht ist der nicht. Schließlich haben wir schon einen Toten...«

»...ach, den von Beuel?«

»Ja, genau. Der wurde mit einer 7,65er umgepustet. Jetzt sind wir gespannt, welches Kaliber den Falkenhorst erwischt hat.«

»Hier ist ja wohl alles klar«, stellte Freiberg fest, zog den Kopf ein und trat auf die Stufe zur Ausgangstür. »Macht's gut, Kumpels von der schwimmenden Zunft, und sagt dem Bestatter, er solle sich beeilen. – Eine dringende Bitte noch: Der Name des Toten darf nicht bekannt werden. Komm, Peters, wir müssen weiter.«

»Und das Geld?«

»Richtig. Wieviel ist es?«

»Vierhundertzweiundsechzig Mark und dreißig Pfennig!« antwortete der Kollege und drückte Peters die Asservatentüte in die Hand. »Alles drin, einschließlich Scheckkarte.«

»Danke – ihr seid ein großartiges Bergungsunternehmen!« rief Freiberg, schon am Ufer, und ging mit Peters zum Wagen.

»Dauernd an Land macht unruhig; so hektisch habe ich den Kollegen noch nie erlebt.« Der pensionsreife Beamte der Wasserschutzpolizei schüttelte den Kopf und begann, am Kajütentisch seine »Erledigt«-Vordrucke auszufüllen.

Kapitel 16

Im Institut für Rechtsmedizin wollte Kommissar Freiberg nur so schnell wie möglich das Projektil, mit dem Falkenhorst getötet worden war, in Empfang nehmen. Nach dem Augenschein an Deck von Wiking 5 durfte eine andere Todesursache als die Schußverletzung ausscheiden.

Peters, der über Funk bei der KTU eine dringende Geschoßuntersuchung angekündigt hatte, wartete mit Uni 81/12 auf dem Stiftsplatz vor dem Institut. Die Zufahrt für den Leichenwagen lag auf der Rückseite des tristen Gebäudes. Die Metalljalousie des Tores an der Langgasse hatte sich nur kurz gehoben, um das Gefährt einzulassen, und gleich wieder gesenkt. Das makabre Geschäft der Anlieferung eines Opfers funktionierte ohne Aufsehen und blieb von den Nachbarn nahezu unbemerkt.

Freiberg stand in dem gekachelten Raum einige Schritte neben dem Seziertisch, an welchem die Ärzte routiniert ihrem Handwerk nachgingen; ihn schauderte. Seit seinem Dienstantritt in Bonn hatte er jeder Leichenöffnung beigewohnt, die den Einsatz der Mordkommission erforderlich machen konnte. Lupus war dazu nicht imstande. »Mein Trauma«, hatte der nur gesagt. »Damit müßt ihr euch abfinden – oder mich zur Sitte versetzen.« Doch auf ihn konnte und wollte das 1. Kommissariat nicht verzichten.

Monoton diktierte der Pathologe den Befund. Freiberg merkte auf. »Kein aufgesetzter Schuß... kein Indiz für Selbsttötung.« Es schien eine Ewigkeit zu dauern; schließlich reichte ihm der Arzt das dem Toten entnommene Geschoß in einer mit Mull ausgelegten Plastikdose. »Bitte, ausnahmsweise mal im fliegenden Wechsel; weil Sie es so eilig gemacht haben.«

Ein kurzes »Danke!«, dann hastete Freiberg im Laufschritt zum Ausgang und weiter zum Stiftsplatz. Peters stieß die Tür zum Beifahrersitz auf. Der Kommissar ließ sich mit einem Ausruf der Erleichterung in die schon reichlich durchgesessenen Polster fallen. »Uff, das haben wir. Jetzt ab damit ins Präsidium, zur kriminaltechnischen Untersuchung.«

»Kaliber?« fragte Peters.

»Kein Zweifel – siebenfünfundsechzig. Ich bin sicher, das Ding ist mit derselben Waffe abgefeuert worden, mit der Artanow erschossen worden ist. Der technische Vergleich wird letzte Gewißheit bringen. Damit scheidet Falkenhorst als Täter aus.

»Aber das ›Projektil Artanow‹ hat unsere KTU doch längst zur Prüfung in die Tatortmunitionssammlung beim BKA gegeben«, dämpfte Peters die Erwartung auf schnelle Erkenntnisse.

»Ich hoffe, die haben Fotos, mit denen sich etwas anfangen läßt. Mir genügt achtzig- oder siebzigprozentige Sicherheit, daß hier nur eine Tatwaffe im Spiel war. Dann schlagen wir zu und holen die Ratte aus dem Loch.«

Uni 81/12 wurde am Zielort erwartet: Presse-Mauser stand auf der Rampe zum Präsidium. Peters trat voll auf die Bremse. Freiberg kurbelte das Fenster herunter und fluchte: »Man sollte die Presse über den Haufen fahren.«

»Langsam, Kommissar! Drei Leichen in einer Sache – das wäre zuviel. Wer ist denn der Tote aus dem Rhein? Bin leider zu spät gekommen. Wiking 5 schipperte schon wieder rheinaufwärts.«

»Mauser, bei aller Freundschaft«, bog Freiberg ab, »keine Spekulationen. Wir sind dabei, die Identität festzustellen. Und jetzt – aus dem Weg bitte. Ich habe es eilig.«

»Bleiben wir in Kontakt?«

»Aber klar, sobald wir mehr wissen. Lupus wird das gern übernehmen. Für heute Schluß der Vorstellung.«

Mauser sprang beiseite. Er klemmte sich in seinen verbeulten Porsche und preschte davon. In Hersel waren ein paar Fotos zu schießen und Augenzeugen der Bergung aufzutreiben; Hintergrundrecherchen für einen Aufmacher, der mit Sicherheit bald fällig war.

Die Untersuchung des Projektils durch die KTU ging schneller, als Freiberg erwartet hatte. Vergleichsfotos lagen bereit. Die von den Federn und Zügen der Tatwaffe beim Schußvorgang verursachten Abnutzungsspuren waren an beiden Geschossen identisch: Artanow und Falkenhorst waren mit derselben Pistole erschossen worden.

Die Mitarbeiter der Mordkommission hatten sich in Freibergs Dienstzimmer versammelt. Obermeister Peters informierte über die Vorgänge am Rhein und im Rechtsmedizinischen Institut. Als er zu der Erklärung ansetzte: »Wir können davon ausgehen ...«, stürmte Freiberg herein und schob Fräulein Kuhnert beiseite, die sich um den Besprechungskaffee kümmern wollte. »So, das ist bewiesen: dieselbe Tatwaffe bei Artanow und Falkenhorst – und es gibt einen Punkt, wo alle Linien zusammenlaufen.«

»Comport?« fragte Ahrens.

»Möglicherweise wird da an den Fäden gezogen; aber unser Punkt ist der ›Sonnentiegel‹. Was ist mit dem nächtlichen Besucher Hans Sachs, dem angeblichen Spielwarenhändler?«

»Wir können uns glücklich preisen, Chef, den gibt es in Nürnberg wirklich«, antwortete Lupus. »Unsere Kuhnert hat ihn aufgetan. Der Meistersinger war am Telefon sehr freundlich. Ich habe mit ihm gesprochen – Geschäftsreise nach Bonn, dann ein Sprung in den ›Sonnentiegel‹ und ab zu Muttern nach Haus. Er bittet um Diskretion.«

»Ist gewährt! Eine Figur weniger im Spiel. – Kuhnert, danke, heute bitte keinen Kaffee. – Wie sieht es draußen aus?«

Lupus berichtete: »Fünf Wagen auf der anderen Rheinseite, einer macht Verkehrskontrolle auf der B 56 nahe Comport, der nächste zwischen Ramersdorfer Kreuz und Adenauer-Brücke, der dritte als Libero auf der Ennert-Autobahn, ein weiterer in Königswinter an der Eisenbahnüberführung der Mülhens-Straße und Nummer fünf am Rheinufer.«

»Das müßte reichen. – Ist CEBI munter?«

»Alles klar, den habe ich persönlich gefüttert. Tarnwort für den ›Sonnentiegel‹ ist ›Berghotel‹! Comport wird überhaupt nicht erwähnt, B 56 genügt!«

»Und wen sollen wir packen?« fragte Ahrens.

Bevor Freiberg antworten konnte, sagte Lupus: »Ich habe Kennzeichen und Fahrzeugtyp des weißen Mercedes verschlüsselt durchgeben lassen. Auch CEBI hat das gefressen.«

»Gut – sehr gut! Wenn es aber ernst wird, bitte keine Sperenzchen mit der Verschlüsselung. Dann wird Klartext gesprochen. So – Lupus, Ahrens, Peters mit mir. Ahrens fährt. Los!«

Wieder einmal jagte Uni 81/12 zur anderen Rheinseite. Die Leitstelle war in Bereitschaft. Kommissar Freiberg gab Status 3 in den Infogeber am Armaturenbrett: »Auftrag übernommen.«

Dieser Einsatz erforderte den ganzen Apparat. Mit Hilfe von CEBI, der *C*omputer-unterstützten *E*insatzleitung, *B*earbeitung und *I*nformation, dem von Lupus so liebevoll gehätschelten elektronischen »Blödmann«, wurden die Fahrzeuge geführt. CEBI hatte auch den weißen Mercedes erfaßt, dann die Ringfahndungen in Abständen von zwanzig und dreißig Kilometern um das Zentrum ›Sonnentiegel-Berghotel‹ durchprogrammiert und noch Alternativen für das Zentrum »Comport – B 56« errechnet. In wenigen Minuten konnten die Einsatzkräfte vervielfacht werden.

Freiberg hoffte, diese gigantische Polizeimaschinerie nicht zum Einsatz bringen zu müssen. Knapp kamen seine Anweisungen an die Mitarbeiter im Wagen: »Ihr kennt euch inzwischen aus. Peters sichert die Rheinfront im Kontakt mit dem dort geparkten Streifenwagen. Lupus geht mit mir in das Zentrum und nimmt sich die Kellner vor; ich versuche Nelson zu erwischen. Ahrens bleibt im Wagen und hält Verbindung mit der Leitstelle. Die Handfunkgeräte gehen mit – und wenn es ernst wird, kein Zögern – sofort die Waffe in die Hand. Das ist kein Spaß mehr!«

»Wo halten wir?«

»Direkt vor dem ›Sonnentiegel‹!«

Als sie Peters abgesetzt hatten und auf den Parkplatz einbogen, stand dort der weiße Mercedes 380 SEL. Freiberg nahm es als gutes Zeichen und gab Status 4 ein: angekommen.

»Blockieren?« fragte Ahrens.

»Nein, zu riskant. Bleib drüben an der Seite und schieß ihm die Reifen kaputt, wenn er abhauen will. Mach dann über Funk mobil.«

Freiberg rechnete mit der Möglichkeit, daß sie vom Fernsehauge über dem Portal erfaßt werden konnten und hetzte gleichzeitig mit Lupus die Treppenstufen hinauf. Im »Gourmet« war kein Betrieb. Nur einer der Kellner räumte an den Tischen auf und wandte den Kopf. Evelyn Wohlfahrt putzte an der Bar Gläser und sah erschreckt auf, als Freiberg auf sie zustürmte. »Wo ist Nelson?«

»Der liegt auf der Couch und pennt.« Sie wies auf die Tür.

»Kann der uns bemerkt haben?«

»Nein – das Fernsehauge funktioniert nicht.«

Freiberg forderte Evelyn mit einem Handzeichen auf weiterzumachen und sah sich aufmerksam um. Er wollte sich die Räumlichkeiten genau einprägen.

Lupus nahm sich den Kellner vor. »Wo steckt der andere Riese?«

»Janus hat seinen freien Tag – der ist im Gartenhaus.«

»Los, komm mit und zeig mir den Weg!«

»Aber der Lord...«

»Maul halten! Los, voran – ich habe immer noch meine Lizenz!«

Der Weg, den der Kellner nahm, war offensichtlich nicht für die Gäste bestimmt. Kisten voll leerer Flaschen, Dosen mit Fertiggerichten und Gefäße für Abfall standen im Wege. Hinter dem Haus, verdeckt durch Sträucher, ein Müllcontainer, dann der plattenbelegte Weg zur eisernen Tür in der Gartenmauer. Alte Bäume, mächtige Heister von Goldregen und Eberesche, hochgeschossene Forsythien, ausladende Eiben und großblättriger Kirschlorbeer machten den Garten düster und unübersichtlich. Das Gartenhaus, mehr eine schäbige Laube mit Geräteschuppen, drückte sich acht bis zehn Meter abseits des Plattenweges an die Außenmauer. Die Fenster standen weit offen.

Lupus war kein ängstlicher Mensch, doch mit den beiden Galgenvögeln wollte er nicht allein sein. Er zog sein Handfunkgerät aus der Tasche und rief Peters herbei »... und sag dem Streifenwagen, er soll sich direkt vor die Eisentür stellen. Wer rauskommt, wird festgenommen.«

Peters bestätigte und stand nach wenigen Sekunden im Garten.

Janus saß am Tisch und hatte nur Augen für sein Hobby aus Seemannszeiten. Er bastelte an einem Buddelschiff und zog mit zarter Hand an einem Faden die Masten eines Teeklippers hoch, den er als kleines längliches Paket zusammengelegt durch den Flaschenhals geschoben hatte. So groß und schwer der Mann war, so feinfühlig konnte er die Fäden führen, um die Takelage aufzubauen. Mit der Flaschenschiffskunst hatte Janus schon manchen Dollar verdient. Die »Pamir« und »Gorch Fock« standen unter vollen Segeln auf der Fensterbank.

Lupus ließ Peters mit dem Kellner zurück und versuchte den großen Bluff. Er rief durch das Fenster: »Kriminalpolizei! Rauskommen mit erhobenen Händen!«

Janus sprang auf, hob die Hände über den Kopf und trat aus der Tür. »Was soll das? – Was...«

»Keine falsche Bewegung oder es knallt. Was weißt du über den Mord an Artanow?«

Der Bluff gelang. Janus keuchte: »Ich war es nicht! Ich habe nicht geschossen. Ich habe nur geholfen, ihn fortzuschaffen!«

Blitzschnell hatte Lupus die Sig Sauer in der Hand. Auch Peters zog seine Waffe und hielt den zweiten Kellner in Schach. Das konnte brenzlig werden mit den beiden Catchertypen. Aber der andere Riese hob ebenfalls die Hände. »Ich weiß nichts – ich habe nichts damit zu tun – wirklich nicht.«

Lupus ließ Janus nicht aus den Augen. »Peters – Verstärkung her!« Die Handfunkgeräte bewiesen ihren Nutzen. Zwei uniformierte Beamte des Streifenwagens stürmten durch die eiserne Tür der Gartenmauer.

»Nehmt den da schon mal mit zum Wagen und ruft noch einen Uni her«, sagte Lupus. »Mit dem anderen habe ich noch ein Wörtchen zu reden.«

Janus wich einen Schritt zurück.

»Kehrt und Hände an die Wand!« brüllte Lupus ihn an. Peters tastete Janus nach Waffen ab. »Nichts!«

»Umdrehen«, sagte Lupus leise. »Wer hat geschossen?«

»Ich sage nichts – sonst bin ich ein toter Mann! Das war ja auch Notwehr.«

»Wieso Notwehr – und von wem? Los, rede!« Lupus trat einen Schritt vor. Es sah aus, als wolle er mit der Pistole zuschlagen. Janus zog den Kopf ein: »...lieber könnt ihr mich totprügeln – ich sage nichts.«

»Peters! In den nächsten Wagen mit ihm – und schieß ihn über den Haufen, wenn er verrückt spielen will. Alles absichern lassen – schnell! Ich muß zum Chef; der ist in höchster Gefahr!«

Ahrens hatte die kurzen Anweisungen auf dem 2-Meter-Band mitgehört, konnte sich daraus aber keinen Reim machen. Die folgende Funkstille beunruhigte ihn. Endlich ein Krächzen, dann Lupus' Stimme: »Achtung, Ahrens, bei mir ist alles okay. Meine beiden sind fest und schon mit Peters unterwegs. Mach das ›Berghotel‹ dicht. Die Verkehrskontrolle B 56 muß vorerst weiterlaufen. Ich gehe zum Chef.«

Zehn Minuten später war der ›Sonnentiegel‹ vollständig blokkiert. Auch CEBI war voll im Einsatz und koppelte die neuen Daten mit. Dr. Wenders hatte den Monitor auf dem Schreibtisch eingeschaltet. Gespannt verfolgte er die Meldungen über die Entwicklung beim »Sonnentiegel«. Er würde nicht eingreifen, denn er wußte, daß sein Mann vor Ort die bessere Übersicht hatte.

Evelyn hatte vergeblich versucht, dem Kommissar einen Drink anzubieten und ein belangloses Gespräch zu beginnen. Freiberg sah sie durchdringend an. Seine graugrünen Augen wirkten kalt im Neonlicht der Bar. »Wann war Nelson in Köln?« fragte er überraschend.

»Das habe ich gestern schon Ihrem Kollegen gesagt. Und Sie haben später gefragt, wann er zurück sein würde. Mein Chef ist erst heute morgen zurückgekommen; darum schläft er ja noch.«

»Und vorgestern?«

»Die Nacht war er auch in Köln.«

Lupus kam heftig atmend hereingestürzt. »Gott sei Dank«, rief er und zog den Kommissar ein paar Schritte zur Tür. Er berichtete in Stichworten.

»Gut, Lupus – ausgezeichnet. Total überrumpelt! Das gelingt selten bei so harten Burschen. Was behauptet der – Notwehr? Und der Kerl will nicht sagen, wer geschossen hat?«

»Der hat schlicht Angst.«

»Na gut, dann muß jetzt Freddy Nelson singen.«

Wie auf sein Stichwort steckte Nelson den Kopf durch die Tür. »Ach, sieh an – wieder mal die geschäftsschädigenden Herren von der Kripo. Wenn Sie mich sprechen wollen, nur herein, oder besser ins Séparée; dort stören Sie nicht, und die Luft ist besser.«

»Wo wir hinkommen, stinkt es meistens«, sagte Freiberg und trat mit Lupus in Nelsons Büro.

Mylords dunstende Masse hatte die Luft in dem kleinen Raum dick werden lassen. Auf der Couch ohne Bettzeug lag eine zusammengeknüllte Decke; das Kissen trug noch den feuchten Eindruck des Kopfes. Nelson nestelte an seiner Hose und zog den Gurt stramm. Das Leder unter dem Bauch versuchte vergeblich, der überquellenden Masse Halt zu geben. Auf dem Schreibtisch türmten sich Geschäftsbücher, Zeitungen, Pornohefte, Broschüren und Briefschaften.

Lupus ging die wenigen Schritte zum Fenster, riß es weit auf und stellte sich davor.

Freiberg zog den auf Rollen laufenden Schreibtischstuhl heran und setzte sich – den Rücken zur Tür.

»Haben Sie ein Recht, hier zu sein?« war Nelsons erste Frage.

»Ja.« antwortete Freiberg kurz. »Und wir werden Sie wegen Mordverdachts festnehmen.«

Nelson ließ sich nicht überrumpeln. »Mord – pah, ich handele mit lebendiger Ware.« Und mit einem drohenden Unterton fügte er hinzu: »Schon mancher Polizist hat vorschnelle Entscheidungen bereuen müssen.«

»Unverschämter Bursche!« knurrte Lupus.

Freiberg blieb kühl. »Sie haben in der Nacht vom Montag auf Dienstag Michail Artanow erschossen!«

»Wer sagt das?«

»Janus, der Kellner. Er hat geholfen, anschließend die Leiche wegzuschaffen.«

»Ach nee – das sagt der einfach so. Ich soll zwischen zwei Drinks mal eben ganz auf die Schnelle einen Kunden umgelegt haben. Daß ich nicht lache!«

»Sie haben Artanow mit der Pistole durch den Garten getrieben und ihn vor der eisernen Tür erschossen. Janus hat geholfen, die Leiche in den Kofferraum zu laden.«

»Absoluter Quatsch!«

»Wir werden noch den kleinsten Blutstropfen im Kofferraum finden. Der Wagen wird sofort untersucht.«

Lupus zog das Handfunkgerät aus der Tasche. »Achtung, Ahrens! Der weiße Mercedes wird sichergestellt. Untersuchung nach Blutspuren veranlassen!«

»Verstanden – wird sichergestellt!« kam die Antwort.

Erst jetzt wurde Freddy Nelson bewußt, daß der ganze Polizeiapparat auf ihn angesetzt war. »Aber... aber...« stotterte er plötzlich und ließ sich schwer auf den dünnbeinigen Stuhl neben dem Schreibtisch fallen.

»Nelson, wir wissen von Ihren Geldgeschäften, derentwegen Artanow Sie zur Rede gestellt hat«, sagte Freiberg nicht sehr laut.

Freddy Nelson war aus dem Konzept gebracht. Man konnte riechen, wie die Angst in ihm hochkroch. Kleine Schweißperlen bildeten sich an den Schläfen. Dann brach es aus ihm heraus: »Der Hund! Erpressen wollte er mich. Kommt von Evelyn noch mit der Jacke überm Arm heruntergerast und will die hunderttausend Mark von mir haben – der Hundesohn!«

»Was ist mit dem Geld?«

»Ein Darlehen. Ich habe ein ganz privates Darlehen aufgenommen, um die nächste Rate für den ›Tiegel‹ bezahlen zu können.«

»Von wem?«

»Das geht die Kripo nichts an. Das ist rein privat. Ich will keinen bei der Steuer in die Pfanne hauen. Dieses Geld wollte der Saukerl haben. Schreit rum, er hätte ein Anrecht darauf.«

»Und?«

»Nix und. – Ich habe ihm die Pistole auf den Bauch gehalten und nur gesagt: ›Raus hier‹!«

»Woher hatten Sie die Waffe?«

»Woher? Das Spielzeug muß ein Gast verloren haben. Ich hätte es bei der Polizei abgeliefert, aber...«

»...dann haben Sie damit Artanow erschossen.«

»Ich habe nicht...«

»Schluß, Nelson. Keine Mätzchen mehr. Sie haben geschossen.«

»Ja, verdammt. Erst ging der Hundesohn ganz friedlich voraus durch den Garten zur eisernen Tür. Plötzlich dreht er sich um und will auf mich los. Da habe ich abgedrückt. Reine Notwehr!«

»Es war still und dunkel?«

»Ne – sagte ich schon. Partymusik und Feuerwerk in der Nachbarschaft. Und dunkel? Auch nicht. Der Mond schien und außerdem strahlt da hinten eine Straßenlaterne über die Mauer.

»Und warum haben Sie nicht die Polizei gerufen, wenn es Notwehr war?«

»Polizei! Ich? Sie machen mir Spaß! Dann wäre es mit dem ›Sonnentiegel‹ erst mal vorbeigewesen. – Dieser Janus ist ein Vollidiot!«

»Wo sind Artanows Sachen geblieben – Jacke, Schuhe und die Papiere?«

»Alles im Rhein. Wir latschen doch nicht zum Fundbüro damit.«

»Und die Waffe?«

»Schwimmt auch nach Köln.«

Kommissar Freiberg stand auf und öffnete die Tür. »Evelyn!«

Am ganzen Leibe zitternd trat sie in das Büro.

»Woher stammt das Geld für das Darlehen?«

»Sag nichts«, rief Freddy Nelson. »Das ist ein Steuergeheimnis!«

»Reden Sie!« sagte Freiberg. »Sie werden vor der Strafkammer unter Eid aussagen müssen.«

Evelyn bestätigte mit kaum hörbarer Stimme, was sie den Beamten schon früher gesagt hatte: »Von Andreas Falkenhorst.«

Freddy Nelson schüttelte wütend den Kopf. »Weibergeschwätz! Verdammtes Weibergeschwätz!«

Hauptkommissar Freiberg trat einen Schritt vor. »Herr Nelson, Sie sind vorläufig festgenommen – wegen Mordverdachts.«

»Wieso Mord? – Das war Notwehr!«

»Ich beschuldige Sie – des Mordes – an – Andreas Falkenhorst!«

Noch ehe sich der Überraschte vom Stuhl erheben konnte, hatte Lupus die Handschellen von seinem Gürtel gelöst und haute sie Freddy Nelson über die Handgelenke. »So Mylord, dich haben wir!«

Kapitel 17

Der Einzug in das Polizeipräsidium vollzog sich wie der Aufmarsch bei einem Staatsempfang; nur der rote Teppich fehlte. Dafür hob sich das Stahlgitter der Sicherheitsschleuse vor dem Polizeigewahrsam, um die Kolonne einzulassen.

Als erster kletterte Janus aus dem Streifenwagen, etwas mühsam, da sein rechter Arm mit dem linken eines Uniformierten durch Handschellen zusammengeschlossen war. Der zweite Riese hatte ähnliche Schwierigkeiten. Aus dem dritten Streifenwagen versuchte sich Freddy Nelson herauszuwuchten, wobei man den Eindruck gewann, er wolle den an ihn gefesselten Polizisten abführen.

Als letztes Fahrzeug stoppte Uni 81/12. Freiberg und Lupus stiegen aus. Peters war im »Sonnentiegel« zurückgeblieben, um den weiteren Ablauf der Ermittlungen zu koordinieren und die bei CEBI angeforderten Beamten des Erkennungsdienstes in die örtlichen Gegebenheiten einzuweisen.

»Ab mit ihnen in die Einzelzellen«, rief Freiberg.

»Ich protestiere«, begehrte Nelson auf, der seinen ersten Schock überwunden hatte.

Freiberg machte eine wegwerfende Handbewegung. »Geschenkt – wir werden uns noch eingehend unterhalten.«

»Laßt ihnen die Eisen dran«, fügte Lupus hinzu. »Das beruhigt – jedenfalls mich!«

Die nicht bewaffneten Beamten des Polizeigewahrsamsdienstes führten ihre neuen Schützlinge mit geübtem Griff in die Zellen.

Schon auf der Rückfahrt von Königswinter hatte Hauptkommissar Freiberg über CEBI die nötigen Weisungen erteilt. Die Einsatzhundertschaft war angefordert, zwischen Königswinter und der Kennedy-Brücke nach Falkenhorsts BMW Ausschau zu halten und das Rheinufer Meter für Meter abzusuchen. Wie die Wasserschutzpolizei über Funk zu den Strömungsverhältnissen des Flusses mitgeteilt hatte, bestand durchaus die Möglichkeit, daß von dort aus Falkenhorsts Leiche nach Hersel abgetrieben sein konnte. Bei Oberkassel führte die Rheinpromenade unmittelbar am steinigen Ufer entlang: Am Tage belebt von Fußgängern und Radfahrern, wirkte sie bei Nacht verlassen, fast unheimlich. Im Abstand von wenigen Minuten donnerten die Züge der Bundesbahn vorbei. Das Geräusch eines Schusses wäre von dem Lärm verschluckt worden.

Die gegenüberliegende Rheinseite mit »Haus Carstanjen« und dem »Amerikanischen Club« kam für die Tat weniger in Betracht. Dort war die Zufahrt schwieriger, und Pärchen suchten auf den Bänken am Ufer den Reiz der Nacht.

Fräulein Kuhnert empfing ihre Männer mit der gewohnten Fröhlichkeit.

»Obermeister Ahrens ist sauber geblieben«, stellte Lupus fest, »aber er kennt auch die Sünde nicht.«

»Nur keine Angst – die lernt er bei mir«, kam der damenhafte Konter. »Aber erst einmal wird es dienstlich. Hier, hoher Chef, ein dringender Brief aus dem Ministerium – vor einer halben Stunde mit Sonderboten geschickt. Der Sicherheitsreferent möchte schnellstens angerufen werden.«

»Nanu – Privatpost für Andreas Falkenhorst! Noch verschlossen; was ist damit? Den Brief darf ich so ohne weiteres nicht öffnen.«

Auf dem Briefumschlag stand die Dienstanschrift des Ministeriums mit dem Zusatz: Herrn Ministerialrat Falkenhorst – persönlich –, Poststempel von Mittwoch 15 Uhr, Aufgabeort Bonn. Am Abend dieses Tages hatte Falkenhorst die Vernissage seiner Frau Tuffi fluchtartig verlassen.

»Zeig mal her!« sagte Lupus, nahm den Brief und ging damit zum Schreibtisch. Er griff nach einem runden Bleistift, schob ihn hinter die Lasche des Umschlags und löste durch langsames Drehen die Verklebung. »Dringender Tatverdacht rechtfertigt unaufschiebbare Maßnahmen. Notfalls kleben wir das Ding wieder zu!«

Freiberg klappte den so sorgfältig geöffneten Umschlag auf und zog einen weiteren Brief mit der Aufschrift »Andreas Falkenhorst – privat –« sowie einen darangehefteten Zettel heraus. Die handschriftliche Notiz darauf lautete: »Achtung! Sollte dieser Brief in der Posteingangsstelle versehentlich geöffnet worden sein, so ist der beiliegende Umschlag mit der Aufschrift ›Privat‹ ungeöffnet Herrn Falkenhorst persönlich zu übergeben. Wenn der Adressat nicht zum Dienst erscheint und dafür keine Begründung liefert, ist der Brief unverzüglich an die Bonner Kriminalpolizei weiterzuleiten.«

Freiberg hatte laut vorgelesen. Sein verwunderter Blick kreuzte sich mit den Blicken der anderen. »Was haben wir denn da für eine Botschaft aus dem Jenseits?«

Wie als Antwort klingelte das Telefon, und der Sicherheitsreferent des Ministeriums meldete sich. Nach einer hastigen Begrüßung kam er sofort zur Sache. »Ich habe eine Fotokopie des Ihnen zugeleiteten Briefumschlags angefertigt und die Handschrift verglichen. Die Adresse hat Falkenhorst selbst geschrieben. Da immer noch nicht geklärt ist, wo er steckt, habe ich mir gedacht, daß es wohl richtig sei, Ihnen die Privatpost zuzuleiten.«

»Danke, absolut richtig und notwendig. Falkenhorst wird übrigens keine Post mehr in Empfang nehmen können.«

»Wieso – gibt es Neuigkeiten?«

»Falkenhorst wurde von der Wasserschutzpolizei bei Hersel tot aus dem Rhein geborgen. Wir haben den Fall übernommen und führen die Ermittlungen.«

»O mein Gott – wissen Sie schon Näheres?«

Freiberg zögerte mit der Antwort. »Wir ermitteln noch. Ich werde Sie auf dem laufenden halten. Bitte sprechen Sie nur mit Ihrem Zentralabteilungsleiter über den Leichenfund. Das Ministerium darf derzeit keinerlei Verlautbarungen herausgeben.«

»Ja, gewiß. Ich informiere nur den Abteilungsleiter Z. Minister und Staatssekretär sind schon seit einigen Tagen auf Dienstreisen.«

»Danke«, sagte Freiberg und legte den Hörer zurück. »Scheint ein vernünftiger Kerl zu sein, das erleichtert uns die Arbeit. Und nun der Griff in die Wundertüte: Brief Nummer zwei. Jetzt dürfen wir nicht nur, jetzt müssen wir ihn öffnen.«

»Leute, laßt den Kaffee nicht kalt werden«, mahnte Fräulein Kuhnert. »Wer weiß, ob er später noch schmeckt.«

»Sie haben recht. Prost Kaffee! Und nun zuhören bitte, ich lese vor: Anschrift fehlt, Datum von Mittwoch, Uhrzeit 13 Uhr. Absatz.

– Wer mit den Verhältnissen des Posteingangs in einem Ministerium vertraut ist, dürfte wissen, daß mir dieser Brief ungeöffnet zugeleitet wird. In diesem Fall werde ich Gelegenheit haben, selbst darüber zu entscheiden, ob die Aufzeichnung als Dokument erhalten bleibt, oder ob ich sie im Sinne meines Auftrages vernichte. Absatz.

Für den Fall, daß der Brief nicht in meine Hände gelangt, teile ich der Polizei folgendes mit: Auf Grund eines persönlichen und streng vertraulichen Auftrags meines Ministers habe ich 25 Millionen DM, die nach dem Haushaltsgesetz für Staatsausgaben in Deutschland bestimmt waren, über das Bankensystem zur Verfügung der Regierung eines Ostblockstaates transferiert. Der Geldtransfer sollte dazu dienen, die Beziehungen zwischen beiden Ländern zu verbessern und beim Abbau von internen Schwierigkeiten des Empfängerlandes selbstlos zu helfen. Der nach einem Jahr pünktlich zurückgezahlte Betrag wurde von mir als Abwickler in den Haushalt des Bundes zurückgeschleust.

Ich stelle fest: Das Empfängerland hat seine Verpflichtungen nach Ablauf des Jahres voll erfüllt. Die 25 Millionen DM stehen der Bundesregierung wieder zur Verfügung. Absatz.

Nunmehr ist eine Entwicklung eingetreten, die nicht vorhersehbar war. Ich habe am Freitag gegen 15 Uhr die telefonische Nachricht erhalten, daß das Empfängerland 1 000 000,– DM Zinsgewinn sofort an die Bundesrepublik abführen wolle, und zwar noch vor dem Wahltag. Das Empfängerland möchte sich im Falle eines Regierungswechsels der neuen Bundesregierung gegenüber nicht im Obligo fühlen. Absatz.

Auf Grund der im Rahmen meiner Vollmacht mit dem Kontaktmann der Gegenseite, Michail Artanow von der Firma Comport in Beuel, getroffenen Absprache, habe ich noch am Freitagnachmittag 1 000 000,– DM in bar auf dem Petersberg (bundeseigenes Gelände) entgegengenommen und darüber eine mit meiner Unterschrift und dem Dienstsiegel Nr. 26 versehene Empfangsbestätigung erteilt.

Ich hatte bisher keine Gelegenheit, meinen Minister über den Vorgang zu informieren. Ihm gegenüber habe ich mich durch Handschlag verpflichtet, mit keinem Dritten über dieses Staatsgeheimnis zu sprechen. – Wenn der an mich adressierte Brief in die Hände der Polizei gelangt, ist meine ehrenwörtliche Schweigepflicht hinfällig. Die Polizei wird nur auf Grund meiner Informationen in der Lage sein, ein möglicherweise begangenes Verbrechen aufzuklären.«

»Das ist ja spannender als jeder Krimi im Fernsehen«, unterbrach Freiberg seine Vorlesung und bat um eine zweite Tasse Kaffee. Dann las er weiter: »Wegen der Besonderheit dieses Staatsgeschäfts war es mir nicht möglich, den unerwartet eingegangenen Betrag von 1 Mio DM bei Banken oder Sparkassen einzuzahlen. Ich habe jedoch einen Teilbetrag von 100000,– DM mit einer Laufzeit von einem Monat verzinslich anlegen können. Empfänger des Geldes ist Freddy Nelson in Königswinter, der einen kurzfristigen Kreditbedarf hatte, um die fällige Rate für das Gästehaus ›Sonnentiegel‹ zahlen zu können. Ich habe in Anbetracht der besonderen Umstände davon abgesehen, etwas schriftlich festzuhalten. Zeugin für die getroffenen Vereinbarungen ist Evelyn Wohlfahrt, die im Gästehaus für den Restaurationsbetrieb zuständig ist und mein volles Vertrauen hat. Absatz.

Der Kreditnehmer Nelson hat nun am Dienstag und Mittwoch versucht, mich unter Druck zu setzen. Er verlangt von mir weitere 300000 DM. Absatz.

Ich habe den Eindruck gewonnen, daß Nelson davon ausgeht, ich hätte den ihm bereits gewährten Betrag von 100000 DM durch unredliches Verhalten erlangt und sei daher erpreßbar. Er hat mir für die Zahlung der weiteren 300000 DM eine letzte Frist bis heute 20 Uhr gesetzt. Ich rechne damit, daß Nelson äußersten Druck ausüben wird, um mich zu dieser Zahlung zu nötigen. Diesem Druck werde ich unter keinen Umständen nachgeben. Absatz.

Der Restbetrag des von mir zu treuen Händen vereinnahmten Zinsgewinns befindet sich im Safe meines Arbeitszimmers in ›Haus Falkenlust‹. Unterschrift: Andreas Falkenhorst.

P. S. Die Ermordung Artanows kann mit dem geheimen Geldtransfer in Verbindung stehen. Ich habe den Toten auf Zeitungsbildern erkannt und die Polizei anonym informiert. – A. F.«

Kommissar Freiberg holte tief Luft. »Uff – Ende der Durchsage.«

»Dunnerlittchen!« war der Kommentar von Lupus. »Da hat aber einer kalte Füße gekriegt.«

»Nun ist er tot – und ein Held!« stellte Freiberg fest. »Ahrens, du kannst die Fahndung nach Falkenhorst abblasen und die Verkehrskontrolle an der B 56 einstellen lassen. Du, Lupus, darfst unseren Freund Presse-Mauser vorsichtig füttern, damit er dir gewogen bleibt. ›Hoher Beamter ermordet! – Die Kriminalpolizei verfolgt eine heiße Spur‹, das wäre doch sicher etwas für ihn.«

»Heiße Spur im kalten Wasser des Rheins – der Mauser wird von mir schon die passenden Worte zu hören kriegen. Und nun?«

»Jetzt können wir für kurze Zeit einen etwas kleineren Gang einlegen – abwarten, was der Erkennungsdienst sagt, und hoffen, daß die Jungs von der Einsatzhundertschaft am Rhein etwas entdecken. Ich informiere inzwischen den Leitenden und dann...«

»... und dann nehmen wir uns Lord Dickwanst vor. Oder soll ich damit schon mal anfangen?« Lupus grinste breit und drückte seine etwas kurz geratenen Finger gegeneinander. »Daumenschrauben, Chef, und der singt wie eine Nachtigall – und dann die Garotte! – Aber du läßt mich ja nicht!«

»Ich lasse dich erst einmal zu Frau Falkenhorst fahren. Bring ihr schonend bei, was passiert ist. Keine Einwände – wenn du schon die Toten mir überläßt, hast du dich der Lebenden anzunehmen. So hat jeder seinen Part.«

»Na, schön ist das gerade nicht, aber es muß ja wohl sein. – Die Künstlerin wird wissen wollen, wann sie über das Geld verfügen kann, das wir aus dem Safe geholt haben.«

»Sag nur, es sei Staatseigentum und ihr Gatte habe seine Treue bei der Erledigung einer geheimen Mission mit dem Leben bezahlt. Ein ehrenvolles Begräbnis sei ihm gewiß. Und wenn du ganz viel Zeit hast, versuch einmal nachzurechnen, wieviel achthundertfünfzigtausend plus hunderttausend ergibt – und dann überlege, wer außer dem Toten noch Zugang zum Safe hatte.«

»Du meinst –?«

»Ich meine, der Geheimnisträger ist tot. *Judex non calculat!* – Und wie der liebe Gott rechnet, wissen wir nicht.«

Eine Stunde später hatte Freiberg die Chefinformation durchgestanden. Wieder einmal hatte sich die uralte Weisheit bestätigt, daß nichts so erfolgreich ist wie der Erfolg. Die guten Wünsche für weiteres Gelingen schleppte er nun wie Ballast mit sich herum.

Fräulein Kuhnert nahm mit Erleichterung wahr, daß der Kommissar es sich bequem gemacht hatte – Stuhllehne zurückgekippt

Hände hinter dem Kopf verschränkt und die Füße auf dem Schreibtisch. Sie zog die Verbindungstür zu und war bereit, jeden Eindringling fortzubeißen. Nur das Telefon ließ sich nicht ganz kappen. Sie hatte zwar die Direktleitung auf »Vorzimmer« umgelegt, doch der Leuchtknopf an der Top-Set-Anlage auf dem Tisch des Kommissars ließ sich nicht abschalten.

Als es wieder einmal läutete, kam sie eine Sekunde zu spät. Freiberg hatte schon den Übernahmeknopf gedrückt und begrüßte seine studentische Hilfskraft.

Sabine Heyden schickte ein sehnsüchtiges Seufzen durch die Leitung. »Verdient hast du den Anruf nicht«, meinte sie. »Man führt ein elendes Leben als Weib und Geliebte des Kommissars. Sehen wir uns in diesem Jahrhundert noch mal?«

»Jammere nicht – du weißt ja nicht, wie gut es mir geht. Ich glaube, wir sind durch: zwei Tote, ein Gedanke; zwei Herzen und ein Schlag – oder so ähnlich.«

»Oh, Waldi, mein Orakelchen. Ich werde schon dafür sorgen, daß du in meinen Armen die Wirrnis der Welt vergißt. Ich rufe übrigens an –«

»Mein Ohr vernimmt es!«

»– aus der Rittershausstraße! Die Post hat den Telefonanschluß endlich in deine Gefängniszelle gelegt. Ich habe die Herren bewirtet und harre deiner schon seit Stunden.«

Walter Freiberg strich sich bedächtig über den Bart und fragte mit dem Unterton des Denkers in der Stimme: »Nun wird aus der Behausung also ein Heim?«

»Wie bitte – was wird...?«

»– ein Heim! ›Aus der Behausung wird ein Heim,‹ so sagt treffend mein Hauptmeister Müller, ›wenn das Telefon angeschlossen ist!‹«

»So hast du also ein Heim – und ein Heimchen. Also, wann kommst du?«

»Die halbe Nacht geht bestimmt noch drauf. Bleib nur schön im ›Heim‹ und wärm das Nest an. Für morgen lade ich die ganze Bande Mitarbeiter zur Housewarming-Party ein. Du darfst alles vorbereiten.«

»Jawohl, Herr Kommissar«, tönte es spitz. »Und du kannst mich gern haben.«

»Habe ich!«

»Tschüß, du Bestie. Ich muß arbeiten. Mein Herr und Meister

will es so«, sagte Sabine und legte auf. Freiberg wußte, daß er in dieser Nacht nicht frieren würde.

Um noch ein wenig Kraft zu schöpfen, lehnte er sich mit geschlossenen Augen im Schreibtischstuhl zurück. Von Zeit zu Zeit schreckte er hoch, weil mit jeder Welle von Schlaf sein Kopf zur Seite pendelte. Nach zehn Minuten war er das Kopfballspiel leid und schaltete die Gegensprechanlage ein. »Fräulein Kuhnert, den ›Sonnentiegel‹ bitte.«

Ein Mann mit sonorer Stimme meldete sich – der Einsatzleiter der Spurensicherung. »Ach, Freiberg, du bist's. Ich dachte, da wollte sich wieder einer verwöhnen lassen. Das geht hier zu wie im Taubenschlag. Aber die Bardame hält uns zu Ehren das Haus geschlossen.«

»Hol sie mir mal an den Apparat.«

Evelyn Wohlfahrt war verstört und aufgelöst. Freiberg informierte sie, daß mit der Rückkehr Freddy Nelsons und des Kellners Janus in absehbarer Zeit nicht zu rechnen sei. Nur der andere »Kollege« werde bald frei sein.

»Den Widerling kann die Kripo behalten. Aber was soll mit dem ›Sonnentiegel‹ werden? Die Schäfchen sind ganz durcheinander. Ich selbst war auch schon in besserer Verfassung.«

Die drei Finger der linken Hand glitten langsam über die Stirn. Freiberg wußte, daß es wohl kaum einen Grund gab, den »Sonnentiegel« polizeilich zu schließen. Aber er wollte auch nicht den Vorschlag machen, das Etablissement offen zu halten und damit von Amts wegen die Verantwortung für einen Bordellbetrieb übernehmen. Noch war Freddy Nelson Herr des Hauses.

»Die Entscheidung kann ich Ihnen nicht abnehmen, Evelyn. Jedenfalls muß sichergestellt sein, daß Sie und die Mädchen erreichbar sind. Angelina und Dorothee dürfen nicht in die Schweiz reisen.«

»Na schön, ich werde mich schon irgendwie durchwursteln. Die Geschäftsunterlagen haben Ihre Leute ja mitgenommen. Ob wohl noch Gäste kommen?«

»Das ist nun wirklich nicht das Problem der Polizei. Aber eine ganz andere Frage: Hatte Nelson eine Waffe?«

»Nein – jedenfalls habe ich nie eine gesehen.«

»Und Falkenhorst?«

Evelyn überlegte eine Weile. »Vielleicht am Freitag, als wir das Haus mit den Ölscheichs voll hatten. Da hatte er möglicherweise eine Pistole in der Tasche. Die Jacke war auf der einen Seite ausgebeult und hing durch. Ich habe noch gedacht, daß doch heute eigentlich keiner mehr so ein riesiges Zigarettenetui mit sich herumschleppt.«

»Und wie ist Falkenhorst nach Hause gekommen?«

»Der Chef hat ihn in den BMW bugsiert. Den Koffer habe ich noch hinterhergebracht.«

»Koffer? Wofür, und was war drin?«

»Keine Ahnung, Andreas Falkenhorst reiste viel und hatte oft einen Koffer bei sich.«

»Wann ist Nelson in der vorletzten Nacht weggegangen?«

»So gegen zehn, schätze ich. Zurückgekommen ist er erst weit nach Mitternacht. Wir haben dann aber nur ein paar Worte miteinander gewechselt. Um die Zeit sind wir alle ziemlich kaputt.«

»Danke, Evelyn, das war's schon. Sie müssen morgen, sagen wir gegen zehn, zur offiziellen Vernehmung im Präsidium sein. Es geht nicht anders, tut mir leid.«

»Ich komme. Wenn ich nur diese dummen Schäfchen nicht am Halse hätte!«

»Wird schon werden«, tröstete Freiberg und war sich bewußt, daß er Steine gab statt Brot.

Wenig später kamen die Meldungen Schlag auf Schlag. Zuerst wurde Falkenhorsts BMW entdeckt. Der Wagen stand in Oberkassel auf dem Parkplatz, nur wenige hundert Meter vom Rheinufer entfernt.

Dann wurde das Schlüsselbund gefunden. Gemeinsam mit der Einsatzhundertschaft hatte sich auch die Polizeihundestaffel an der Suche am Rhein beteiligt. Mit den Schäferhunden an langer Leine waren die Hundeführer weit vorausgegangen, um die Nasen der Tiere nicht durch zu viele menschliche Gerüche verunsichern zu lassen. Bei der hohen Pappelgruppe hatte sehr bald ein Spürhund Falkenhorsts ledernes Schlüsseletui im Gras aufgestöbert.

Die Hundertschaft hatte den Fundort sofort weiträumig abgesperrt, und die Spurensicherung würde nach Abschluß der Arbeiten im »Sonnentiegel« keinen Stein in diesem Abschnitt des Rheinufers ungeprüft lassen.

Die letzte Meldung entkleidete den Fall ganz und gar seines Geheimnisses. Der 19jährige Sohn der Wirtsleute vom Ausflugslokal »Rheinrose« war um Mitternacht mit seinem Motorrad von einer reichlich kühl ausgefallenen Open-air-Veranstaltung aus Bonn zurückgekommen und hatte in einer von ihm als Abkürzungsweg benutzten Nebenstraße einen weißen Mercedes 380 SEL gesehen, der halb auf dem Gehweg geparkt war.

Einen Schuß allerdings hatte in der »Rheinrose« niemand gehört. »Dafür donnern uns die Bundesbahnzüge die Ohren voll und vergraulen die Gäste«, hatte der Wirt noch bemerkt.

Lupus kam von »Haus Falkenlust« zurück und sah den Kommissar vorwurfsvoll an. Freiberg ignorierte den Blick. »Wie hat sie's aufgenommen?«

»Nicht so leicht, wie ich dachte. Der Schock ging tief. So habe ich eine Frau noch nie weinen sehen. Da muß etwas wieder aufgebrochen sein von den verschütteten Gefühlen. Sie hat auch nicht nach dem Geld gefragt.«

»Aber du hast doch erwähnt, daß es eingezogen wird?«

»Habe ich. – Und was läuft hier?«

»Alles läuft: Falkenhorsts BMW in Oberkassel gefunden, Autoschlüssel von einem Spürhund am Rheinufer entdeckt, und der weiße Mercedes hat gegen Mitternacht in der Nähe des vermutlichen Tatorts geparkt. Lassen wir also Nelson kommen – und du hältst dich bitte zurück.«

Kaum zehn Minuten später wurde Freddy Nelson in Handschellen von einem Beamten des Polizeigewahrsamsdienstes vorgeführt; unbemerkt vom Publikum, denn dafür gab es einen besonders gesicherten Aufzug.

»Ich protestiere gegen meine Festnahme!« rief Nelson und ließ sich auf den ihm angebotenen Stuhl fallen. »Und mit den Dingern an den Knochen sage ich kein einziges Wort«, damit schlug er die Handschellen auf die Schreibtischplatte.

»Abnehmen, bitte«, sagte Freiberg.

Freddy Nelson drehte erleichtert seine Unterarme und rieb sich die Handgelenke. »Freiheitsberaubung; das wird Sie teuer zu stehen kommen.«

Lupus hielt es nicht mehr auf dem Stuhl. Er stand auf und lehnte sich an die Wand.

Freiberg blieb ganz ruhig. »Herr Nelson, hören Sie zu! Ich beschuldige Sie des Mordes an Andreas Falkenhorst, und jetzt beschuldige ich Sie auch des Mordes an Michail Artanow, alias Werner

Schulze. Nach dem Gesetz steht es Ihnen frei, sich zur Beschuldigung zu äußern oder nichts zur Sache auszusagen. Ich stelle Ihnen anheim, einen Verteidiger beizuziehen.«

»Haben Sie noch mehr solche Überraschungen auf Lager?«

»Nur Tatsachen. Falkenhorst hat Ihnen hunderttausend Mark geliehen.«

»Und? – Das hätten Sie nie erfahren, wenn dieses Miststück Evelyn nicht gequatscht hätte. Die fliegt raus, im hohen Bogen.«

»Dann haben Sie angenommen, Falkenhorst hätte sich das Geld auf eine krumme Tour beschafft und Sie könnten noch mehr aus ihm herausholen. Versuchte Erpressung nennt man das.«

»Alles Unsinn. Aber da muß doch etwas faul gewesen sein, wenn dieser Bumsheini von Evelyn, dieser Schulze oder Attanich oder wie der heißen soll, mir in die Ohren brüllt, er hätte ein Anrecht auf das Geld.«

»Lassen wir das. Wo waren Sie am Mittwoch zwischen zweiundzwanzig Uhr und Mitternacht?«

Nelson dehnte gelangweilt seine Antwort: »Mein – Gott – in – Köln. Da war ich letzte Nacht auch. Ich muß mich von Zeit zu Zeit nach neuen Mädchen umsehen.«

»Die dann von Zeit zu Zeit in die Schweiz verschwinden. Angelina und Dorothee bleiben jedenfalls hier. Meine Anordnung.«

»Ich werde dafür Schadenersatz fordern.«

»Und ich werde dir gleich eins auf den Nuschel hauen«, brummelte Lupus.

»Was war das?« fragte Nelson.

»Ach nichts, mein Kollege philosophiert«, wiegelte Freiberg ab. »Herr Nelson, wo waren Sie in Köln, Adressen bitte?«

»Diese dämliche Fragerei geht mir auf die Nerven. Jeder Mensch ist sein eigenes Alibi.«

Jetzt kam der erste gezielte Schlag. »Warum haben Sie von Falkenhorst weitere dreihunderttausend Mark gefordert?«

Freddy Nelson schluckte. »Ääh, hmm, ich soll das gefordert haben? Alles Quatsch!«

Kommissar Freiberg wiederholte eine früher gestellte Frage: »Wo waren Sie am Mittwoch abend, nachdem Sie den ›Sonnentiegel‹ verlassen hatten?«

»Ja verdammt, in Köln!«

»Direkt hin und zurück?«

»Autobahn. Direkter geht's nicht.«

»Bursche, du lügst nicht mehr lange«, fuhr Lupus dazwischen.

Freddy Nelson richtete sich entrüstet auf. »Herr Kommissar, schützen Sie mich vor –«

Freiberg schlug mit der Faust auf den Tisch. »Ich will jetzt endlich die Wahrheit hören!«

»Ich war in Köln, verdammt noch mal!«

»Sie haben sich zur fraglichen Zeit mit Falkenhorst an der Rheinpromenade in Oberkassel getroffen.«

»Aber –«

»In der Nähe der Pappelgruppe haben Sie Falkenhorst erschossen, weil er sich nicht erpressen lassen wollte.«

Freddy Nelson rutschte auf dem Stuhl hin und her. Dicke Schweißperlen sammelten sich auf seiner Stirn. »Nein... Wieso? Ich–«

»Schweig, du Lump! Jetzt redet der Kommissar«, fauchte Lupus ihn an.

Freiberg unterstrich jedes weitere Wort seiner Vorhaltungen mit einem Bleistiftklopfen. »Sie haben Falkenhorst dort erschossen und in den Rhein geworfen.«

»Nein, ich –«

»Falkenhorsts Leiche liegt auf dem Seziertisch im Institut für Rechtsmedizin.«

»Aber –«

»Halt dein verfluchtes Schandmaul, du Drecksack!« Lupus explodierte.

»Das hier«, sagte Freiberg und nahm die Plastikdose mit dem Projektil aus dem Schreibtisch. »Das hier ist das Geschoß aus der Waffe, die Sie Falkenhorst abgenommen haben – und damit haben Sie ihn getötet!«

»Ich habe nicht –«

»Der Vergleich mit der Kugel aus Artanows Körper sagt alles. Identische Schußspuren. Um das zu beweisen, brauchen wir die Pistole nicht mehr.«

»Ich wollte nicht –«

»Ihr Wagen wurde in der Mordnacht in der Nähe des Tatorts gesehen, und unsere Suchhunde haben Tatspuren am Ufer entdeckt. – Nelson, es ist aus! Sie haben Artanow und Falkenhorst ermordet!«

Der dicke Menschenkloß sackte zusammen. Er machte einen

kläglichen Versuch, sich zu rechtfertigen: »Er hat mich angegriffen. Ich mußte mich wehren.«

»Und so ein Hüne von Mann muß dazu eine Pistole nehmen, wie bei Artanow vor der eisernen Gartentür!«

»Ja, und? Falkenhorst wollte ein ganz großes Geschäft mit mir anleiern. Das war ihm dreihunderttausend Mark wert. Ich habe abgelehnt, da hat er die hunderttausend Mark zurückhaben wollen. Er hat mich angegriffen – und ich mußte mich doch wehren.«

»Zufällig hatten Sie eine Pistole in der Hand – und ganz zufällig fuhr ein Zug der Bundesbahn vorbei, so daß man den Schuß nicht hören konnte.«

»Ja – kann ich was dafür?«

»Du willst ein ganz gerissener Lump sein – aber du bist nur ein Dummkopf«, sagte Lupus. »Hör dir einmal an, was dein Geschäftsfreund der Kripo mitgeteilt hat.«

Freiberg nahm den Brief aus der Faltmappe und las vor: »›...hat mir für die Zahlung der weiteren Dreihunderttausend eine letzte Frist bis heute zwanzig Uhr gesetzt. Ich rechne damit, daß Nelson äußersten Druck ausüben wird, um mich zu dieser Zahlung zu nötigen. Diesem Druck werde ich unter keinen Umständen nachgeben!‹ – Und wir wissen noch einiges mehr, Nelson. Ich warte auf Ihr Geständnis!«

»So«, sagte Lupus nachdrücklich, »jetzt kannst du reden!«

»Niemals – das ist doch alles gelogen. Ich habe geschossen, das stimmt, aber in Notwehr. Beweisen Sie mir erst mal etwas anderes. Ich unterschreibe nichts und will mit meinem Anwalt sprechen.«

Freiberg zuckte mit den Schultern, stand auf und rief den draußen wartenden Beamten herein: »Armbänder anlegen und abführen!«

Lupus ballte die Fäuste und lehnte sich zurück an die Wand. Er hatte Mühe, sich zu beherrschen und Nelson nicht mit einem Tritt zu verabschieden.

Fräulein Kuhnert öffnete die Verbindungstür und fragte: »Wie, kein Protokoll?«

Freiberg winkte ab. »Kurzfassung, nur die Personalien, Vorhaltung, Belehrung. Die paar Sätze von Freddy Nelson habe ich notiert – hier bitte. Und dann den Antrag auf Haftbefehl nach Vordruck.«

»Was ist mit dem Buddelschiffer?« fragte Lupus.

»Den kann Ahrens übernehmen. Was dieser Janus gesagt hat, dürfte der Wahrheit ziemlich nahe kommen. Der wird bei seiner

Einlassung bleiben. Für ihn ebenfalls einen Haftbefehl.«

Fräulein Kuhnert spürte, daß ihre Männer mehr erschöpft als erleichtert waren und zog leise die Tür hinter sich zu.

»Chef, wir hätten Lord Dickwanst richtig in die Mangel nehmen sollen! Was hältst du davon«, drängte Lupus, »wenn ich noch mal versuche, ihn zum Reden zu bringen?«

»Kommt überhaupt nicht in Frage. Aus diesem Mordfall soll kein Disziplinarfall werden. Was wir gegen Nelson in der Hand haben, reicht für den Staatsanwalt. – Mir reicht's auch!«

Das breite Gesicht von Lupus verzog sich zu einem Lächeln, als er fragte: »Und diesen Comport-Leuten können wir wohl gar nichts anhängen?«

»Nichts. – Das sind ehrliche Spione. Für deren Wohlergehen sorgt unser Verfassungsschutz.« Hauptkommissar Freiberg lachte plötzlich laut auf; die Spannung begann sich zu lösen. »Ein stolzes Fazit: Wir haben CEBI gefüttert, zwei Morde aufgeklärt und eine knappe Million in die Bundeskasse zurückgeholt, und wir werden keinen Pfennig Finderlohn erhalten. Dafür lade ich das 1. Kommissariat für morgen abend zu einer zünftigen Fete in meine vergitterte Behausung ein. Laß mal die Buschtrommeln rufen!«

»Wird gemacht, Chef, mit dem allergrößten Vergnügen!« Lupus zog seine rechte Hand aus der Jackentasche und schob sie ganz langsam über die Schreibtischplatte. »Hier, das wird dir helfen, Entspannung zu finden. Nimm es als Motto im neuen Heim: Laß dich verwöhnen!«

Er nahm die Hand zurück, und Freibergs Blick fiel auf ein Plastiktütchen von fünf mal sechs Zentimetern im Geviert – die Beute aus dem »Sonnentiegel« mit dem Hochglanzaufdruck: »Relax«.